ACCESO GRATIS ***a la Lectura en la Nube + Actualizaciones***

Actualización permanente hasta por un año desde su publicación

Para visualizar el libro electrónico en la nube de lectura envíe junto a su nombre y apellidos una fotografía del código de barras situado en la contraportada del libro y otra del ticket de compra a la dirección:

ebooktirant@tirant.com

En un máximo de 72 horas laborables le enviaremos el código de acceso con sus instrucciones.

La visualización del libro en **NUBE DE LECTURA** excluye los usos bibliotecarios y públicos que puedan poner el archivo electrónico a disposición de una comunidad de lectores. Se permite tan solo un uso individual y privado.

CÓDIGO DE PROCEDIMIENTO ADMINISTRATIVO Y DE LO CONTENCIOSO-ADMINISTRATIVA

Anotado y concordado

3ª Edición

CÓDIGO DE PROCEDIMIENTO ADMINISTRATIVO Y DE LO CONTENCIOSO-ADMINISTRATIVO

3ª Edición

Anotado y concordado

JOSÉ LUIS SÁNCHEZ CARDONA
SANTIAGO ÁLVAREZ HERNÁNDEZ
CATALINA LOTERO VALENCIA
MATHEO RESTREPO YEPES
ALEJANDRO GÓMEZ VELÁSQUEZ
JUAN DAVID MONTOYA PENAGOS

tirant lo blanch
Bogotá D.C., 2026

EDITA: TIRANT LO BLANCH
Calle 11 # 2-16 (Bogotá D.C.)
Telf.: 4660171
Email: tlb@tirant.com
Librería virtual: www.tirant.com/co/
ISBN: 979-13-7021-941-3

Si tiene alguna queja o sugerencia, envíenos un mail a: *atencioncliente@tirant.com*. En caso de no ser atendida su sugerencia, por favor, lea en *www.tirant.net/index.php/empresa/politicas-de-empresa* nuestro procedimiento de quejas.

Responsabilidad Social Corporativa: http://www.tirant.net/Docs/RSCTirant.pdf

ÍNDICE

LEY 1437 DE 2011
(enero 18)

PARTE PRIMERA
PROCEDIMIENTO ADMINISTRATIVO

PRESENTACIÓN

El Derecho Administrativo podría considerarse el área del derecho más difícil de conceptualizar, en parte por su relación con la historia política de los Estados, y también porque para la construcción de algunas de sus instituciones se ha acudido al derecho común. Estas reglas especiales, con respecto a un sujeto denominado *Administración*, lo caracterizan como el derecho derogatorio del derecho ordinario. En el esfuerzo de construirle una noción, el Derecho Administrativo se ha catalogado como el derecho de la Administración Pública, esto es, el subsistema normativo aplicable a los contratos, hechos, omisiones, operaciones y actos, en los que estén involucradas las entidades públicas, o los particulares cuando ejercen función administrativa.

No obstante, esta visión del Derecho Administrativo debe revisarse y cuestionarse con las nuevas exigencias de los sistemas jurídicos contemporáneos, determinados por el desarrollo y afianzamiento del constitucionalismo y ante las cambiantes exigencias sociales y políticas que le exigen a la Administración, no solo ser una autoridad con una perspectiva imperativa, sino también tener una vocación colaborativa con los demás actores del sistema jurídico.

En este contexto, un balance de los 15 años de la promulgación de la Ley 1437 de 2011 —Código de Procedimiento Administrativo y de lo Contencioso Administrativo— permite reconocer avances sustantivos en la consolidación del Estado de derecho, en especial, en la garantía de derechos, el debido proceso administrativo, la eficiencia, la eficacia, la economía y el control judicial. No obstante, también se han evidenciado debilidades que limitan su efectividad.

En torno a la fortaleza se resalta la constitucionalización del Derecho Administrativo que le da un sentido diferente a este Código, al brindar una reinterpretación de los mandatos, prohibiciones y permisiones a la Administración, pues se tienen en cuenta los derechos de la persona, lo que supone, en últimas, un derecho para el administrado. Es decir, se evidencia una perspectiva procesalista de la primera parte de este Código, en función de la garantía del debido proceso administrativo establecido en el artículo 29 de la Constitución Política.

Como debilidad, se resalta que este Código no abordó suficientemente los nuevos procedimientos administrativos que no se limitan a la resolución de conflictos. En tal sentido, no se regulan a profundidad los procedimientos de segunda y tercera generación como los denomina el profesor Javier Barnes, como lo serían, por un lado, los que tienen como propósito la expedición de normas administrativas infralegales —reglamentos ejecutivos o independientes, normas de organismos independientes y reguladores— y que se asimilan a los procesos legislativos. Por otro, los procedimientos que se basan en normas y políticas públicas elaboradas en el entorno de las nuevas formas de gobernanza, en campos o sectores, como el medio ambiente, la regulación de los mercados financieros, salud pública, la energía, la seguridad, entre otros. En este punto, el Código de Procedimiento Administrativo y de lo Contencioso Administrativo mantiene una deuda normativa, al comprender que su aplicación aún enfrenta vacíos que limitan la efectividad de sus principios rectores.

A pesar de los retos aún pendientes, se destaca como fortaleza del Código comentado—al igual que en ediciones anteriores— su Primera Parte, dedicada al procedimiento administrativo, debido a la orientación de sus autores por su vocación de comprender la relación de la Administración Pública con los demás actores del Sistema Jurídico. Esta sección realiza un análisis riguroso de las formas y requisitos que deben observar autoridades y particulares para iniciar válidamente una actuación administrativa, ya sea de oficio, por mandato legal o mediante el ejercicio del derecho fundamental de petición, en el marco de un garantismo en el procedimiento administrativo. El lector encontrará comentarios profundos y sistemáticos de sus disposiciones, en concordancia con otras leyes sectoriales del ordenamiento. Esta primera parte es subsidiaria y supletiva de leyes específicas que regulan sus propios procedimientos administrativos, de ahí su gran relevancia, pues permite resolver los vacíos y lagunas de las leyes que regulan diferentes sectores administrativos, como la educación, planeación, cultura, deporte, servicios públicos, contratación, hacienda, entre otros.

Para integrar este ejercicio, los artículos se complementan con los pronunciamientos de constitucionalidad y de tutela por parte de la Corte Constitucional, sin dejar de lado algunos pronunciamientos del Consejo de Estado y el análisis de doctrina nacional y extranjera, que le brindan un significado más profundo a esta parte del Código. Solo de estas formas puede ejercerse adecuadamente su regulación, en tanto los términos, etapas y requisitos del procedimiento existen, a fin de salvaguardar los intereses y derechos de quienes se acercan al Estado, sin eliminar las condiciones necesarias para efectuar una buena administración.

En la Segunda Parte también se presenta una articulación de las prescripciones normativas con los pronunciamientos constitucionales y de unificación que determinan la orientación precisa de las disposiciones en materia procesal. Este tipo de comentarios nos acercan a un derecho viviente, esto es, a una interpretación de las diferentes disposiciones normativas por parte de la Corte Constitucional y el Consejo de Estado, que se concreta en las notas sobre ciertos artículos, actuando como los intérpretes autorizados, sin los cuales es imposible acercarse al sentido y noción precisa de la legislación que le da el contenido al objeto de la Jurisdicción de lo Contencioso Administrativo.

Ahora bien, en esta presentación no quiero dejar de lado la importancia de honrar a un amigo y abogado que aportó en la elaboración del Código de Procedimiento y de lo Contencioso Administrativo en la edición del 2024: Santiago Álvarez Hernández, quién ya no nos acompaña. Quiero destacar sus preguntas, sus críticas, sus reflexiones, sus debates, discursos y escritos, sus propuestas y su carácter curioso y propositivo, que siempre daba cuenta que, en el derecho, y en especial, en el Derecho Administrativo, no se está ante verdades evidentes y absolutas. Con este trabajo se sigue celebrando su búsqueda del conocimiento y su legado.

De forma especial, también quiero agradecer a los coautores de este Código comentado y concordado: Catalina Lotero Valencia, Matheo Restrepo Yepes, Alejandro Gómez Velásquez y Juan David Montoya Penagos. De nuevo, gracias por sus aportes, por su amistad y empeño en este proyecto de sistematización y de crítica a una Ley que es transversal en el ordenamiento jurídico colombiano.

Finalmente, hago un llamado a los abogados, funcionarios públicos, estudiantes y demás profesionales que interactúan con la Administración, para que sean lectores activos y críticos, que confronten la articulación normativa propuesta, así como la presentación de las providencias constitucionales o de unificación correspondientes, con el propósito de que la interpretación y aplicación de este Código atienda a las exigencias reales de justicia de la sociedad.

José Luis Sánchez Cardona
Abogado y Magíster en Derecho
Coordinador del Semillero de Derecho Administrativo
Universidad de Antioquia

LEY 1437 DE 2011
(enero 18)

Diario Oficial No. 47.956 de 18 de enero de 2011

<Rige a partir del 2 de julio de 2012, Art. 308>

CONGRESO DE LA REPÚBLICA

Por la cual se expide el Código de Procedimiento Administrativo y de lo Contencioso Administrativo.

EL CONGRESO DE COLOMBIA

DECRETA:

PARTE PRIMERA
PROCEDIMIENTO ADMINISTRATIVO

TÍTULO I
DISPOSICIONES GENERALES

CAPÍTULO I
FINALIDAD, ÁMBITO DE APLICACIÓN Y PRINCIPIOS

ARTÍCULO 1º. FINALIDAD DE LA PARTE PRIMERA

Las normas de esta Parte Primera tienen como finalidad proteger y garantizar los derechos y libertades de las personas, la primacía de los intereses generales, la sujeción de las autoridades a la Constitución y demás preceptos del ordenamiento jurídico, el cumplimiento de los fines estatales, el funcionamiento eficiente y democrático de la administración, y la observancia de los deberes del Estado y de los particulares.

Concordancias: Arts. 1. 2, 6, 95, 113, 121, 150 y 209 de la Const. Pol.

Nota 1: En la Gaceta del Congreso No. 1.068 del 9 de diciembre de 2010, fue publicado el texto definitivo del Proyecto de Ley 315/10 C-198/09S.

Nota 2: En la Gaceta del Congreso No. 1.072 del 10 de diciembre de 2010, fue publicado el texto conciliado del Proyecto de Ley 315/10 C-198/09S.

Nota 3: El 18 de enero de 2011, bajo el Diario Oficial No. 47.956, se publicó la Ley 1437 de 2011 «Por la cual se expide el Código de Procedimiento Administrativo y de lo Contencioso Administrativo», que derogó al Decreto Ley 01 de 1984 (anterior Código Contencioso Administrativo) y que entró a regir a partir del 02 de julio de 2012.

Nota 4: El exmagistrado del Consejo de Estado y miembro de la Comisión de la Reforma, Luis Fernando Álvarez Jaramillo, expresa que los antecedentes a la Ley 1437 de 2011 se originan por los cambios sufridos en el entorno sociopolítico, los desarrollos en la gestión administrativa y las modificaciones establecidas por la Constitución Política, las cuales implicaron que el Consejo de Estado reflexionara sobre varias de las instituciones y procedimientos que sirven de guía a las actuaciones y relaciones entre la administración pública y las personas. Esta ley fue de iniciativa gubernamental y del Consejo de Estado (ÁLVAREZ JARAMILLO, Luis Fernando. Antecedentes y presentación general de la Ley 1437 de 2011. En: Memorias Seminario Internacional de presentación del Nuevo Código de Procedimiento y de lo Contencioso Administrativo. Bogotá: Imprenta Nacional de Colombia, 2011, pp. 31).

Nota 5: Una de las principales críticas que puede asignar a este Código en estos 15 años desde su promulgación es que se limitó a la primera generación de los procedimientos administrativos, esto es, procedimientos administrativos caracterizados por tener una perspectiva procesal e imperativa que busca resolver conflictos particulares y concretos entre la Administración y el denominado administrado. Es decir, se evidencia una perspectiva procesalista de la primera parte de este Código, en función de la garantía del debido proceso administrativo establecido en el artículo 29 de la Constitución Política. No obstante, se deja de lado un poco los procedimientos de segunda y tercera generación: i) el procedimiento de segunda generación tiene como propósito la normas administrativas infralegales —reglamentos ejecutivos o independientes, normas de organismos independientes y reguladores— tendiéndose a asimilar a los procesos legislativos; ii) el procedimiento de tercera generación, que se basa en normas y políticas públicas elaboradas en el entorno de las nuevas formas de gobernanza, en campos o sectores, como el medio ambiente, la regulación de los mercados financieros, salud pública, la energía, la seguridad, entre otros (BARNES, Javier. Tres generaciones del procedimiento administrativo. Derecho PUCP: Revista de la Facultad de Derecho, 2011, No 67, pp. 77-108).

ARTÍCULO 2º. ÁMBITO DE APLICACIÓN

Las normas de esta Parte Primera del Código se aplican a todos los organismos y entidades que conforman las ramas del poder público en sus distintos órdenes, sectores y niveles, a los órganos autónomos e independientes del Estado y a los particulares, cuando cumplan funciones administrativas. A todos ellos se les dará el nombre de autoridades.

Las disposiciones de esta Parte Primera no se aplicarán en los procedimientos militares o de policía que por su naturaleza requieran decisiones de aplicación inmediata, para evitar o remediar perturbaciones de orden público en los aspectos de defensa nacional, seguridad, tranquilidad, salubridad, y circulación de personas y cosas. Tampoco se aplicarán para ejercer la facultad de libre nombramiento y remoción.

Las autoridades sujetarán sus actuaciones a los procedimientos que se establecen en este Código, sin perjuicio de los procedimientos regulados en leyes especiales. En lo no previsto en los mismos se aplicarán las disposiciones de este Código.

Concordancias: Arts. 113 y 123 de la Const. Pol; Arts. 34 y 47 del CPACA; Art. 4 de la Ley 1801 de 2016.

Nota 1: Se destaca que el ámbito de aplicación de la primera parte del Código se circunscribe a todos los órganos y entidades de las ramas legislativa, ejecutiva y judicial, en sus diferentes sectores y niveles, los órganos autónomos e independientes, como los de control y electorales, y los particulares que ejercen función administrativa. En tal sentido, cualquier decisión administrativa expedida por estas autoridades se somete a las prohibiciones, mandatos y obligaciones del CPACA. Al respecto, Santofimio Gamboa expresa: «[...] debe destacarse que los procedimientos administrativos como se ha dicho proceden y tienen su campo de aplicación allí donde deba ejercerse la función pública administrativa, luego en relación con las actividades de los particulares, salvo casos de intervención económica, no son de aplicación» (SANTOFIMIO GAMBOA, Jaime Orlando. Fundamentos de los procedimientos administrativos en el Código de Procedimiento Administrativo y de lo Contencioso Administrativo —Ley 1437 de 2011—. En: Memorias Seminario Internacional de presentación del Nuevo Código de Procedimiento y de lo Contencioso Administrativo. Bogotá: Imprenta Nacional de Colombia, 2011, pp. 161-162).

Nota 2: Este artículo precisa dos aspectos importantes, en primer lugar, excluye de las reglas de este Código a los procedimientos militares o de policía que por su naturaleza preventiva requieran decisiones de aplicación inmediata como evitar o remediar perturbaciones de orden público en los aspectos de defensa nacional, seguridad, tranquilidad, salubridad, y circulación de personas y cosas. Tampoco aplica en el ejercicio de la facultad sobre cargos de libre nombramiento y remoción. En segundo lugar, establece que este Código es subsidiario y supletivo de leyes sectoriales que regulan sus propios procedimientos administrativos. Este segundo aspecto permite comprender que esta primera parte del Código es una fuente supletiva ante los vacíos y lagunas de las leyes que regulan diferentes sectores administrativos, como la educación, planeación, cultura, deporte, servicios públicos, contratación, hacienda, entre otros.

ARTÍCULO 3º. PRINCIPIOS

Todas las autoridades deberán interpretar y aplicar las disposiciones que regulan las actuaciones y procedimientos administrativos a la luz de los principios consagrados en la Constitución Política, en la Parte Primera de este Código y en las leyes especiales.

Las actuaciones administrativas se desarrollarán, especialmente, con arreglo a los principios del debido proceso, igualdad, imparcialidad, buena fe, moralidad, participación, responsabilidad, transparencia, publicidad, coordinación, eficacia, economía y celeridad.

1. En virtud del principio del debido proceso, las actuaciones administrativas se adelantarán de conformidad con las normas de procedimiento y competencia establecidas en la Constitución y la ley, con plena garantía de los derechos de representación, defensa y contradicción.

En materia administrativa sancionatoria, se observarán adicionalmente los principios de legalidad de las faltas y de las sanciones, de presunción de inocencia, de no *reformatio in pejus y non bis in idem.*

2. En virtud del principio de igualdad, las autoridades darán el mismo trato y protección a las personas e instituciones que intervengan en las actuaciones bajo su conocimiento. No obstante, serán objeto de trato y protección especial las personas que por su condición económica, física o mental se encuentran en circunstancias de debilidad manifiesta.

3. En virtud del principio de imparcialidad, las autoridades deberán actuar teniendo en cuenta que la finalidad de los procedimientos consiste en asegurar y garantizar los derechos de todas las personas sin discriminación alguna y sin tener en consideración factores de afecto o de interés y, en general, cualquier clase de motivación subjetiva.

4. En virtud del principio de buena fe, las autoridades y los particulares presumirán el comportamiento leal y fiel de unos y otros en el ejercicio de sus competencias, derechos y deberes.

5. En virtud del principio de moralidad, todas las personas y los servidores públicos están obligados a actuar con rectitud, lealtad y honestidad en las actuaciones administrativas.

6. En virtud del principio de participación, las autoridades promoverán y atenderán las iniciativas de los ciudadanos, organizaciones y comunidades encaminadas a intervenir en los procesos de deliberación, formulación, ejecución, control y evaluación de la gestión pública.

7. En virtud del principio de responsabilidad, las autoridades y sus agentes asumirán las consecuencias por sus decisiones, omisiones o extralimitación de funciones, de acuerdo con la Constitución, las leyes y los reglamentos.

8. En virtud del principio de transparencia, la actividad administrativa es del dominio público, por consiguiente, toda persona puede conocer las actuaciones de la administración, salvo reserva legal.

9. En virtud del principio de publicidad, las autoridades darán a conocer al público y a los interesados, en forma sistemática y permanente, sin que medie petición alguna, sus actos, contratos y resoluciones, mediante las comunicaciones, notificaciones y publicaciones que ordene la ley, incluyendo el empleo de tecnologías que permitan difundir de manera masiva tal información de conformidad con lo dispuesto en este Código. Cuando el interesado deba asumir el costo de la publicación, esta no podrá exceder en ningún caso el valor de la misma.

10. En virtud del principio de coordinación, las autoridades concertarán sus actividades con las de otras instancias estatales en el cumplimiento de sus cometidos y en el reconocimiento de sus derechos a los particulares.

11. En virtud del principio de eficacia, las autoridades buscarán que los procedimientos logren su finalidad y, para el efecto, removerán de oficio los obstáculos puramente formales, evitarán decisiones inhibitorias, dilaciones o retardos y sanearán, de acuerdo con este Código las irregularidades procedimentales que se presenten, en procura de la efectividad del derecho material objeto de la actuación administrativa.

12. En virtud del principio de economía, las autoridades deberán proceder con austeridad y eficiencia, optimizar el uso del tiempo y de los demás recursos, procurando el más alto nivel de calidad en sus actuaciones y la protección de los derechos de las personas.

13. En virtud del principio de celeridad, las autoridades impulsarán oficiosamente los procedimientos, e incentivarán el uso de las tecnologías de la información y las comunicaciones, a efectos de que los procedimientos se adelanten con diligencia, dentro de los términos legales y sin dilaciones injustificadas.

Concordancias: Arts. 6, 13, 29, 83, 121, 122, 124, 209 y 267 de la Const. Pol; Art. 769 del CC; Arts. 3, 6, 32 y 95 de la Ley 489 de 1998; Arts. 1, 2, 3, 4 y 9 del Decreto Ley 019 de 2012; Arts. 1-3 de la Ley 1712 de 2014; Art. 1 de la Ley 2052 de 2020.

Nota 1: Para la Corte Constitucional, «los principios deben ser los que guíen a los funcionarios al servicio del Estado con el fin de hacer cumplir la Constitución y la Ley, para que todas sus actuaciones redunden en provecho del interés general y de la comunidad, la cual es la beneficiaria de todas las actuaciones de la administración pública» (Corte Constitucional. Sentencia C-826 de 2013. M.P. Luis Ernesto Vargas Silva).

Nota 2: Para Riccardo Guastini la estructura lógica de los principios se basa en un condicional «derrotable», por lo que plantea: «Los principios —podemos decir—, a diferencia de las normas, no imponen obligaciones absolutas sino obligaciones "prima facie", que pueden ser "superadas" o "derogadas" por obra de otros principios» (GUASTINI, Riccardo. Distinguiendo. Estudios de teoría y metateoría del derecho. Barcelona: Gedisa editorial, 1999, pp. 151).

Nota 3: Sobre las funciones que desempeñan los principios, la Corte Constitucional sostiene que «[l]os principios como lo reconoce la doctrina están llamados a cumplir en el sistema normativo los siguientes papeles primordiales: (i) Sirven de base y fundamento de todo el ordenamiento jurídico; (ii) actúan como directriz hermenéutica para la aplicación de las reglas jurídicas; y finalmente, (iii) en caso de insuficiencia normativa concreta y específica, se emplean como fuente integradora del derecho» (Corte Constitucional. Sentencia C-818 de 2005. M.P. Rodrigo Escobar Gil).

Nota 4: Sobre el debido proceso administrativo ha dispuesto la Corte Constitucional que no es un concepto absoluto, sino que se han presupuesto distinciones ordenadas por la propia Carta y por la ley, siempre que sean adecuadas a la naturaleza de la actuación de las autoridades. Por tanto, ha sostenido el alto tribunal que el debido proceso administrativo no es idéntico al judicial, por lo que no se pueden trasladar de manera mecánica las garantías de este último al primero (Corte Constitucional. Sentencia C-126 de 2021. M.P. Jorge Enrique Ibáñez Najar).

Nota 5: La Sección Primera del Consejo de Estado unificó jurisprudencia en el entendido de que el principio de favorabilidad «[...] es aplicable en las actuaciones administrativas dirigidas a sancionar las infracciones al régimen cambiario, por tratarse de una garantía mínima del debido proceso, el cual es un derecho constitucional fundamental que debe operar no solo en las actuaciones judiciales sino en *toda clase de actuaciones administrativas*» (Consejo de Estado. Sección Primera. Sentencia del 4 de agosto de 2016. Rad. 05001-23-33-000-2013-00701-01. C.P. Guillermo Vargas Ayala).

ARTÍCULO 4°. FORMAS DE INICIAR LAS ACTUACIONES ADMINISTRATIVAS

Las actuaciones administrativas podrán iniciarse:

1. Por quienes ejerciten el derecho de petición, en interés general.
2. Por quienes ejerciten el derecho de petición, en interés particular.
3. Por quienes obren en cumplimiento de una obligación o deber legal.
4. Por las autoridades, oficiosamente.

Concordancias: Arts. 23 y 74 de la Const. Pol; Arts. 13 y 35 del CPACA.

Nota 1: Este artículo tiene un contenido similar a lo regulado en el artículo 4° del Decreto Ley 01 de 1984 —anterior Código Contencioso Administrativo—, donde se establecen las formas para iniciar un procedimiento administrativo. Al respecto, Santofimio Gamboa haciendo un análisis al anterior Código Contencioso Administrativo expresa que la cualidad fundamental del sistema de iniciación del procedimiento administrativo es dejar de lado el carácter exclusivo de iniciación a la simple voluntad de la Administración Pública, y el reconocimiento a que las personas inicien sus actuaciones mediante el ejercicio del derecho de petición (SANTOFIMIO GAMBOA, Jaime Orlando. Acto administrativo. Procedimiento, eficacia y validez. 2 ed. Bogotá: Universidad Externado de Colombia, 1994, pp. 150).

Nota 2: En virtud de este artículo, el procedimiento administrativo no queda exclusivamente en las autoridades y en sus facultades legales para iniciarlo, sino también en la posibilidad de que toda persona pueda presentar peticiones como medio para garantizar sus derechos ante la Administración.

Nota 3: Este artículo no solo se delimita a los procedimientos que se consideran de primera generación, esto es, procedimientos administrativos caracterizados por tener una perspectiva procesal e imperativa que busca resolver conflictos particulares y concretos entre la Administración y el denominado administrado. En este aspecto, puede destacarse que la interpretación de este artículo, es posible que mediante una obligación legal, una actuación oficiosa o una petición de interés general se inicien procedimientos de segunda y tercera generación, los cuales son descritos así: i) el procedimiento de segunda generación tiene como propósito la normas administrativas infralegales —reglamentos ejecutivos o independientes, normas de organismos independientes y reguladores— tendiéndose a asimilar a los procesos legislativos; ii) el procedimiento de tercera generación, que se basa en normas y políticas públicas elaboradas en el entorno de las nuevas formas de gobernanza, en campos o sectores, como el medio ambiente, la regulación de los mercados financieros, salud pública, la energía, la seguridad, entre otros (BARNES, Javier. Tres generaciones del procedimiento administrativo. *Derecho PUCP: Revista de la Facultad de Derecho*, 2011, No 67, pp. 77-108).

CAPÍTULO II
DERECHOS, DEBERES, PROHIBICIONES, IMPEDIMENTOS Y RECUSACIONES

ARTÍCULO 5º. DERECHOS DE LAS PERSONAS ANTE LAS AUTORIDADES

En sus relaciones con las autoridades toda persona tiene derecho a:

1. <Numeral modificado por el artículo 1 de la Ley 2080 de 2021. El nuevo texto es el siguiente>: Presentar peticiones en cualquiera de sus modalidades, verbalmente, o por escrito, o por cualquier otro medio idóneo y sin necesidad de apoderado, así como a obtener información **oportuna** y orientación acerca de los requisitos que las disposiciones vigentes exijan para tal efecto.

Las anteriores actuaciones podrán ser adelantadas o promovidas por cualquier medio tecnológico o electrónico disponible en la entidad o integradas en medios de acceso unificado a la administración pública, aún por fuera de las horas y días de atención al público.

2. Conocer, salvo expresa reserva legal, el estado de cualquier actuación o trámite y obtener copias, a su costa, de los respectivos documentos.

3. Salvo reserva legal, obtener información que repose en los registros y archivos públicos en los términos previstos por la Constitución y las leyes.

4. Obtener respuesta oportuna y eficaz a sus peticiones en los plazos establecidos para el efecto.

5. Ser tratado con el respeto y la consideración debida a la dignidad de la persona humana.

6. Recibir atención especial y preferente si se trata de personas en situación de discapacidad, niños, niñas, adolescentes, mujeres gestantes o adultos mayores, y en general de personas en estado de indefensión o de debilidad manifiesta de conformidad con el artículo 13 de la Constitución Política.

7. Exigir el cumplimiento de las responsabilidades de los servidores públicos y de los particulares que cumplan funciones administrativas.

8. A formular alegaciones y aportar documentos u otros elementos de prueba en cualquier actuación administrativa en la cual tenga interés, a que dichos documentos sean valorados y tenidos en cuenta por las autoridades al momento de decidir y a que estas le informen al interviniente cuál ha sido el resultado de su participación en el procedimiento correspondiente.

9. <Numeral modificado por el artículo 1 de la Ley 2080 de 2021. El nuevo texto es el siguiente:> A relacionarse con las autoridades por cualquier medio tecnológico o electrónico disponible en la entidad o integrados en medios de acceso unificado a la administración pública.

10. <Numeral adicionado por el artículo 1 de la Ley 2080 de 2021. El nuevo texto es el siguiente:> Identificarse ante las autoridades a través de medios de autenticación digital.

11. <Numeral adicionado por el artículo 1 de la Ley 2080 de 2021. El nuevo texto es el siguiente:> Cualquier otro que le reconozca la Constitución y las leyes.

Concordancias: Arts. 6, 13, 20, 23, 29, 74, 121 y 122 de la Const. Pol; Art. 1, 2 y 9 de la Ley 527 de 1999; Art. 9 del Decreto Ley 019 de 2012; Art. 13 del CPACA; Ley 1712 de 2014; Art. 1 y 15 de la Ley 2052 de 2020.

Nota 1: A propósito del numeral 5 sobre el derecho al trato digno de los particulares ante las autoridades, la Corte Constitucional ha reflexionado sobre el contenido de la *dignidad humana* en los siguientes términos: «Al tener como punto de vista el objeto de protección del enunciado normativo "dignidad humana", la Sala ha identificado a lo largo de la jurisprudencia de la Corte, tres lineamientos claros y diferenciables: (i) La dignidad humana entendida como autonomía o como posibilidad de diseñar un plan vital y de determinarse según sus características (vivir como quiera). (ii) La dignidad humana entendida como ciertas condiciones materiales concretas de existencia (vivir bien). Y (iii) la dignidad humana entendida como intangibilidad de los bienes no patrimoniales, integridad física e integridad moral (vivir sin humillaciones). De otro lado al tener como punto de vista la funcionalidad del enunciado normativo "dignidad humana", la Sala ha identificado tres lineamientos: (i) la dignidad humana entendida como principio fundante del ordenamiento jurídico y por tanto del Estado, y en este sentido la dignidad como valor. (ii) La dignidad humana entendida como principio constitucional. Y (iii) la dignidad humana entendida como derecho fundamental autónomo» (Corte Constitucional. Sentencia T-881 de 2002. M.P. Eduardo Montealegre Lynett).

Nota 2: De los cambios introducidos por la Ley 2080 de 2021 se destaca el derecho de los administrados a relacionarse con las autoridades, identificarse a través de medios digitales y presentar peticiones a través de los cada vez más comunes medios tecnológicos o electrónicos dispuestos por estas.

ARTÍCULO 6º. DEBERES DE LAS PERSONAS

Correlativamente con los derechos que les asisten, las personas tienen, en las actuaciones ante las autoridades, los siguientes deberes:

1. Acatar la Constitución y las leyes.
2. Obrar conforme al principio de buena fe, absteniéndose de emplear maniobras dilatorias en las actuaciones, y de efectuar o aportar, a sabiendas, declaraciones o documentos falsos o hacer afirmaciones temerarias, entre otras conductas.
3. Ejercer con responsabilidad sus derechos, y en consecuencia abstenerse de reiterar solicitudes evidentemente improcedentes.
4. Observar un trato respetuoso con los servidores públicos.

PARÁGRAFO. El incumplimiento de estos deberes no podrá ser invocado por la administración como pretexto para desconocer el derecho reclamado por el particular. Empero podrá dar lugar a las sanciones penales, disciplinarias o de policía que sean del caso según la ley.

Concordancias: Arts. 4, 83 y 95 de la Const. Pol; Art. 429 de la Ley 599 de 2000; Art. 171 de la Ley 1801 de 2016.

Nota 1: Sobre la buena fe sostiene la Corte Constitucional que esta ha pasado de ser un principio general de derecho para transformarse en un postulado constitucional, y su aplicación y proyección ha adquirido nuevas implicaciones en cuanto a su función integradora del ordenamiento y reguladora de las relaciones entre los particulares y entre estos y el Estado. En este orden de ideas, la Corte Constitucional ha definido el principio de buena fe como «aquel que exige a los particulares y a las autoridades públicas ajustar sus comportamientos a una conducta honesta, leal y conforme con las actuaciones que podrían esperarse de una «persona correcta (vir bonus)». En este contexto, la buena fe presupone la existencia de relaciones recíprocas con trascendencia jurídica, y se refiere a la «confianza, seguridad y credibilidad que otorga la palabra dada» (Corte Constitucional. Sentencia C-1194 de 2008. M.P. Rodrigo Escobar Gil).

ARTÍCULO 7º. DEBERES DE LAS AUTORIDADES EN LA ATENCIÓN AL PÚBLICO

Las autoridades tendrán, frente a las personas que ante ellas acudan y en relación con los asuntos que tramiten, los siguientes deberes:

1. Dar trato respetuoso, considerado y diligente a todas las personas sin distinción.
2. Garantizar atención personal al público, como mínimo durante cuarenta (40) horas a la semana, las cuales se distribuirán en horarios que satisfagan las necesidades del servicio.
3. Atender a todas las personas que hubieran ingresado a sus oficinas dentro del horario normal de atención.
4. Establecer un sistema de turnos acorde con las necesidades del servicio y las nuevas tecnologías, para la ordenada atención de peticiones, quejas, denuncias o reclamos, sin perjuicio de lo señalado en el numeral 6 del artículo 5o de este Código.
5. Expedir, hacer visible y actualizar anualmente una carta de trato digno al usuario donde la respectiva autoridad especifique todos los derechos de los usuarios y los medios puestos a su disposición para garantizarlos efectivamente.
6. Tramitar las peticiones que lleguen vía fax o por medios electrónicos, de conformidad con lo previsto en el numeral 1 del artículo 5o de este Código.
7. Atribuir a dependencias especializadas la función de atender quejas y reclamos, y dar orientación al público.
8. Adoptar medios tecnológicos para el trámite y resolución de peticiones, y permitir el uso de medios alternativos para quienes no dispongan de aquellos.
9. Habilitar espacios idóneos para la consulta de expedientes y documentos, así como para la atención cómoda y ordenada del público.
10. Todos los demás que señalen la Constitución, la ley y los reglamentos.

Concordancias: Arts. 13, 23 y 74 de la Const. Pol; Art. 38 de la Ley 1952 de 2019; Art. 1 de la Ley 2052 de 2020.

ARTÍCULO 8º. DEBER DE INFORMACIÓN AL PÚBLICO

Las autoridades deberán mantener a disposición de toda persona información completa y actualizada, en el sitio de atención y en la página electrónica, y suministrarla a través de los medios impresos y electrónicos de que disponga, y por medio telefónico o por correo, sobre los siguientes aspectos:

1. Las normas básicas que determinan su competencia.

2. Las funciones de sus distintas dependencias y los servicios que prestan.

3. Las regulaciones, procedimientos, trámites y términos a que están sujetas las actuaciones de los particulares frente al respectivo organismo o entidad.

4. Los actos administrativos de carácter general que expidan y los documentos de interés público relativos a cada uno de ellos.

5. Los documentos que deben ser suministrados por las personas según la actuación de que se trate.

6. Las dependencias responsables según la actuación, su localización, los horarios de trabajo y demás indicaciones que sean necesarias para que toda persona pueda cumplir sus obligaciones o ejercer sus derechos.

7. La dependencia, y el cargo o nombre del servidor a quien debe dirigirse en caso de una queja o reclamo.

8. Los proyectos específicos de regulación y la información en que se fundamenten, con el objeto de recibir opiniones, sugerencias o propuestas alternativas. Para el efecto, deberán señalar el plazo dentro del cual se podrán presentar observaciones, de las cuales se dejará registro público. En todo caso la autoridad adoptará autónomamente la decisión que a su juicio sirva mejor el interés general.

PARÁGRAFO. Para obtener estas informaciones en ningún caso se requerirá la presencia del interesado.

Concordancias: Art. 209 de la Const. Pol; Arts. 2, 3, 5, 7, 8 y 9 de la Ley 1712 de 2014, 2.1.2.1.25 del Decreto 1081 de 2015. artículo 2.2.2.6.1 del Decreto 1083 de 2015.

Nota 1: Este artículo es una manifestación del principio de publicidad de la información dentro de los Estados de Derecho con orientación democrática. En este contexto, la Administración no solo está sujeta al principio de legalidad, sino al de la publicidad de sus actuaciones, en aras de garantizar transparencia.

Nota 2: Con fundamento en el numeral 8 del artículo en comento, la jurisprudencia del Consejo de Estado y el Gobierno Nacional han derivado el procedimiento de Consulta Pública y Previa a la Expedición de Reglamentos que actualmente se encuentra regulado en el artículo 2.1.2.1.25 del Decreto 1081 de 2015 y que aplica para todo proyecto de acto administrativo de contenido general y abstracto según interpretación del Consejo de Estado (GÓMEZ VELÁSQUEZ, Alejandro y DÍAZ DÍEZ, Cristian. El principio de transparencia como presupuesto de una concepción deliberativa de la democracia: análisis de la consulta pública previa a la expedición de reglamentos en Colombia. Santiago de Chile: Revista de Derecho Administrativo Económico No. 31, 2020, pp. 67-91. Disponible en: https://doi.org/10.7764/redae.31.3; Consejo de Estado. Sala de Consulta y Servicio Civil. Concepto del 14 de septiembre de 2016. Rad. 11001-03-06-000-2016-00066-00. Exp. 2291. C.P. Edgar González López).

Nota 3: El artículo 2.2.2.6.1 del Decreto 1083 de 2015 en su parágrafo tercero dispone que antes de expedir el acto administrativo que adopte o modifique el manual de funciones y competencias, la administración debe realizar un proceso de consulta en todas sus etapas con las organizaciones sindicales presentes en la entidad, conforme al numeral 8 del artículo 8 de la Ley 1437 de 2011. Dicho proceso debe permitir la exposición del alcance de la modificación, recoger observaciones e inquietudes, y dejar constancia de ello, sin que limite la facultad de la administración para adoptar y expedir el acto correspondiente.

Nota 4: El artículo 9 de la Ley 1712 de 2014 «Por medio de la cual se crea la Ley de Transparencia y del Derecho de Acceso a la Información Pública Nacional y se dictan otras disposiciones», bajo la misma finalidad del artículo que se comenta, establece la información mínima obligatoria respecto a la estructura del sujeto obligado: «[...] Todo sujeto obligado deberá publicar la siguiente información mínima obligatoria de manera proactiva en los sistemas de información del Estado o herramientas que lo sustituyan: a) La descripción de su estructura orgánica, funciones y deberes, la ubicación de sus sedes y áreas, divisiones o departamentos, y sus horas de atención al público; b) Su presupuesto general, ejecución presupuestal histórica anual y planes de gasto público para cada año fiscal, de conformidad con el artículo 74 de la Ley 1474 de 2011; c) Un directorio que incluya el cargo, direcciones de correo electrónico y teléfono del despacho de los empleados y funcionarios y las escalas salariales correspondientes a las categorías de todos los servidores que trabajan en el sujeto obligado, de conformidad con el formato de información de servidores públicos y contratistas; d) Todas las normas generales y reglamentarias, políticas, lineamientos o manuales, las metas y objetivos de las unidades administrativas de conformidad con sus programas operativos y los resultados de las auditorías al ejercicio presupuestal e indicadores de desempeño; e) Su respectivo plan de compras anual, así como las contrataciones adjudicadas para la correspondiente vigencia en lo relacionado con funcionamiento e inversión, las obras públicas, los bienes adquiridos, arrendados y en caso de los servicios de estudios o investigaciones deberá señalarse el tema específico, de conformidad con el artículo 74 de la Ley 1474 de 2011. En el caso de las personas naturales con contratos de prestación de servicios, deberá publicarse el objeto del contrato, monto de los honorarios y direcciones de correo electrónico, de conformidad con el formato de información de servidores públicos y contratistas; f) Los plazos de cumplimiento de los contratos; g) Publicar el Plan Anticorrupción y de Atención al Ciudadano, de conformidad con el artículo 73 de la Ley 1474 de 2011 [...]».

ARTÍCULO 9º. PROHIBICIONES

A las autoridades les queda especialmente prohibido:

1. Negarse a recibir las peticiones o a expedir constancias sobre las mismas.

2. Negarse a recibir los escritos, las declaraciones o liquidaciones privadas necesarias para cumplir con una obligación legal, lo cual no obsta para prevenir al peticionario sobre eventuales deficiencias de su actuación o del escrito que presenta.

3. Exigir la presentación personal de peticiones, recursos o documentos cuando la ley no lo exija.

4. Exigir constancias, certificaciones o documentos que reposen en la respectiva entidad.

5. Exigir documentos no previstos por las normas legales aplicables a los procedimientos de que trate la gestión o crear requisitos o formalidades adicionales de conformidad con el artículo 84 de la Constitución Política.

6. Reproducir actos suspendidos o anulados por la Jurisdicción de lo Contencioso Administrativo cuando no hayan desaparecido los fundamentos legales de la anulación o suspensión.

7. Asignar la orientación y atención del ciudadano a personal no capacitado para ello.

8. Negarse a recibir los escritos de interposición y sustentación de recursos.

9. No dar traslado de los documentos recibidos a quien deba decidir, dentro del término legal.

10. Demorar en forma injustificada la producción del acto, su comunicación o notificación.

11. Ejecutar un acto que no se encuentre en firme.

12. Dilatar o entrabar el cumplimiento de las decisiones en firme o de las providencias judiciales.

13. No hacer lo que legalmente corresponda para que se incluyan dentro de los presupuestos públicos apropiaciones suficientes para el cumplimiento de las sentencias que condenen a la administración.

14. No practicar oportunamente las pruebas decretadas o denegar sin justa causa las solicitadas.

15. Entrabar la notificación de los actos y providencias que requieran esa formalidad.

16. Intimidar de alguna manera a quienes quieran acudir ante la Jurisdicción de lo Contencioso Administrativo para el control de sus actos.

Concordancias: Arts. 6, 23, 29, 84 y 209 de la Const. Pol; Arts. 182 y 422 de la Ley 599 del 2000; Arts. 192 y 195 del CPACA; Art. 39 de la Ley 1952 de 2019.

ARTÍCULO 10. DEBER DE APLICACIÓN UNIFORME DE LAS NORMAS Y LA JURISPRUDENCIA

Al resolver los asuntos de su competencia, las autoridades aplicarán las disposiciones constitucionales, legales y reglamentarias de manera uniforme a situaciones que tengan los mismos supuestos fácticos y jurídicos. Con este propósito, al adoptar las decisiones de su competencia, deberán tener en cuenta las sentencias de unificación jurisprudencial del Consejo de Estado en las que se interpreten y apliquen dichas normas.

Concordancias: Art. 230 de la Const. Pol; Art. 4 de la Ley 169 de 1896; Art. 48 de la Ley 270 de 1996; Art. 24 de la Ley 1340 de 2010; Arts. 102 y 256-268 del CPACA.

Nota 1: Este artículo fue declarado condicionalmente exequible bajo el entendido de que «[...] las autoridades tendrán en cuenta, junto con las sentencias de unificación jurisprudencial proferidas por el Consejo de Estado y de manera preferente, las decisiones de la Corte Constitucional que interpreten las normas constitucionales aplicables a la resolución de los asuntos de su competencia. Esto sin perjuicio del carácter obligatorio erga omnes de las sentencias que efectúan el control abstracto de constitucionalidad» (Corte Constitucional. Sentencia C-634 de 2011. M.P. Luis Ernesto Vargas Silva). A su vez, por ineptitud sustantiva de la demanda, la Corporación se declaró inhibida para pronunciarse parcialmente sobre el artículo en la Sentencia C-818 de 2011.

Nota 2: En dicho artículo se encuentra la obligación que tiene la Administración no solo de cumplir la Constitución, la ley y el reglamento de manera uniforme a supuestos fácticos y jurídicos, sino que debe tener en cuenta las sentencias de unificación jurisprudencial cuando interpreta dichas disposiciones, sin dejar de lado las decisiones de la Corte Constitucional. Este principio de unificación jurisprudencial tiene como cometido que las autoridades cumplan con el principio de igualdad y seguridad jurídica, propia de un esquema de precedentes. Cabe resaltar que las autoridades administrativas tienen un mayor nivel de vinculatoriedad, puesto que para estas no es aplicable el principio de autonomía o independencia que, si tienen los jueces, de acuerdo con lo expresado en la Sentencia de Constitucionalidad del artículo que se comenta (Corte Constitucional. Sentencia C-634 de 2011. M.P. Luis Ernesto Vargas Silva).

Nota 3: El primer aparte de este artículo establece la obligación de la Administración que, al resolver los asuntos de su competencia, las autoridades aplicarán las disposiciones constitucionales, legales y reglamentarias de manera uniforme a eventos o situaciones que tengan los mismos supuestos fácticos y jurídicos. Es decir, se está ante la obligatoriedad del precedente administrativo en el marco de las actuaciones de la Administración Pública mediante la aplicación uniforme cuando se está ante supuestos fácticos y jurídicos similares, garantizando los principios de igualdad, confianza legítima y buena fe. Al respecto, el profesor Cristian Andrés Díaz Díez expresa: «[...] puede inferirse que la obligación de aplicar de manera uniforme las disposiciones constitucionales, legales y reglamentarias solo nace cuando las autoridades se encuentran ante situaciones en las que concurran los mismo supuestos fácticos y jurídicos. Ello quiere decir que, el presupuesto para que surja el deber de acatamiento del precedente administrativo es que la administración se enfrente a un supuesto de decisión jurídica en el que tenga que analizar situaciones de hecho. Se trata, pues, de un juicio jurídico sobre un aspecto fáctico, que implica que cuando los hechos y fundamentos jurídicos son similares a unos considerados en el pasado debe respetarse el criterio de decisión sobre los hechos análogos, teniendo en cuenta, para ello, las sentencias de unificación jurisprudencial del Consejo de Estado, en las que se hayan interpretado y aplicado dichas normas» (DÍAZ DÍEZ, Cristian Andrés. El precedente en el derecho administrativo. Medellín: Librería Jurídica Sánchez R. Ltda, CEDA y Facultad de Derecho y Ciencias Políticas de la Universidad de Antioquia, 2016, pp. 158-159).

Nota 4: En torno al precedente administrativo, el artículo 24 de la Ley 1340 de 2009 dispone: «Artículo 24. *Doctrina Probable y Legítima Confianza.* La Superintendencia de Industria y Comercio deberá compilar y actualizar periódicamente las decisiones ejecutoriadas que se adopten en las actuaciones de protección de la competencia. Tres decisiones ejecutoriadas uniformes frente al mismo asunto, constituyen doctrina probable». Este artículo fue declarado constitucional mediante la Sentencia C-537 de 2010 que establece: «*Tres decisiones ejecutoriadas uniformes frente al mismo asunto, constituyen doctrina probable*», en el sentido que este solo se aplica para las actuaciones administrativas de la Superintendencia de Industria y Comercio que se relacionan con la libre competencia y la vigilancia administrativa de la competencia desleal (Corte Constitucional. Sentencia C-537 de 2010. M.P. Juan Carlos Henao Pérez).

ARTÍCULO 11. CONFLICTOS DE INTERÉS Y CAUSALES DE IMPEDIMENTO Y RECUSACIÓN

Cuando el interés general propio de la función pública entre en conflicto con el interés particular y directo del servidor público, este deberá declararse impedido. Todo servidor público que deba adelantar o sustanciar actuaciones administrativas, realizar investigaciones, practicar pruebas o pronunciar decisiones definitivas podrá ser recusado si no manifiesta su impedimento por:

1. Tener interés particular y directo en la regulación, gestión, control o decisión del asunto, o tenerlo su cónyuge, compañero o compañera permanente, o alguno de sus parientes dentro del cuarto grado de consanguinidad, segundo de afinidad o primero civil, o su socio o socios de hecho o de derecho.

2. Haber conocido del asunto, en oportunidad anterior, el servidor, su cónyuge, compañero permanente o alguno de sus parientes indicados en el numeral precedente.

3. Ser el servidor, su cónyuge, compañero permanente o alguno de sus parientes arriba indicados, curador o tutor de persona interesada en el asunto.

4. Ser alguno de los interesados en la actuación administrativa: representante, apoderado, dependiente, mandatario o administrador de los negocios del servidor público.

5. Existir litigio o controversia ante autoridades administrativas o jurisdiccionales entre el servidor, su cónyuge, compañero permanente, o alguno de sus parientes indicados en el numeral 1, y cualquiera de los interesados en la actuación, su representante o apoderado.

6. Haber formulado alguno de los interesados en la actuación, su representante o apoderado, denuncia penal contra el servidor, su cónyuge, compañero

permanente, o pariente hasta el segundo grado de consanguinidad, segundo de afinidad o primero civil, antes de iniciarse la actuación administrativa; o después, siempre que la denuncia se refiera a hechos ajenos a la actuación y que el denunciado se halle vinculado a la investigación penal.

7. Haber formulado el servidor, su cónyuge, compañero permanente o pariente hasta el segundo grado de consanguinidad, segundo de afinidad o primero civil, denuncia penal contra una de las personas interesadas en la actuación administrativa o su representante o apoderado, o estar aquellos legitimados para intervenir como parte civil en el respectivo proceso penal.

8. Existir enemistad grave por hechos ajenos a la actuación administrativa, o amistad entrañable entre el servidor y alguna de las personas interesadas en la actuación administrativa, su representante o apoderado.

9. Ser el servidor, su cónyuge, compañero permanente o alguno de sus parientes en segundo grado de consanguinidad, primero de afinidad o primero civil, acreedor o deudor de alguna de las personas interesadas en la actuación administrativa, su representante o apoderado, salvo cuando se trate de persona de derecho público, establecimiento de crédito o sociedad anónima.

10. Ser el servidor, su cónyuge, compañero permanente o alguno de sus parientes indicados en el numeral anterior, socio de alguna de las personas interesadas en la actuación administrativa o su representante o apoderado en sociedad de personas.

11. Haber dado el servidor consejo o concepto por fuera de la actuación administrativa sobre las cuestiones materia de la misma, o haber intervenido en esta como apoderado, Agente del Ministerio Público, perito o testigo. Sin embargo, no tendrán el carácter de concepto las referencias o explicaciones que el servidor público haga sobre el contenido de una decisión tomada por la administración.

12. Ser el servidor, su cónyuge, compañero permanente o alguno de sus parientes indicados en el numeral 1, heredero o legatario de alguna de las personas interesadas en la actuación administrativa.

13. Tener el servidor, su cónyuge, compañero permanente o alguno de sus parientes en segundo grado de consanguinidad o primero civil, decisión administrativa pendiente en que se controvierta la misma cuestión jurídica que él debe resolver.

14. Haber hecho parte de listas de candidatos a cuerpos colegiados de elección popular inscritas o integradas también por el interesado en el período electoral coincidente con la actuación administrativa o en alguno de los dos períodos anteriores.

15. Haber sido recomendado por el interesado en la actuación para llegar al cargo que ocupa el servidor público o haber sido señalado por este como referencia con el mismo fin.

16. Dentro del año anterior, haber tenido interés directo o haber actuado como representante, asesor, presidente, gerente, director, miembro de Junta Directiva o socio de gremio, sindicato, sociedad, asociación o grupo social o económico interesado en el asunto objeto de definición.

Concordancias: Arts. 123, 179, 180, 183, 197 y 209 de la Const. Pol; Art. 70 de la Ley 196 de 1994; Arts. 150-151 de la Ley 270 de 1996; Arts. 33-34 de la Ley 610 del 2000; Art. 3 núm. 3 del CPACA; Arts. 142-143 del CGP; Art. 229 de la Ley 1801 de 2016 —Código de Policía—; Arts. 40-45 de la Ley 1952 de 2019.

Nota 1: La Corte Constitucional define los impedimentos y las recusaciones como «[...] instituciones de naturaleza procedimental, concebidas con el propósito de asegurar principios sustantivos de cara al recto cumplimiento de la función pública (art. 209 Cons. Pol.). Con ellas se pretende garantizar condiciones de imparcialidad y transparencia de quien tiene a su cargo el trámite y decisión de un asunto (art. 29 Cons. Pol.), bajo la convicción de que solo de esta forma puede hacerse realidad el postulado de igualdad en la aplicación de la Ley (art. 13 Cons. Pol.)» (Corte Constitucional. Sentencia C-532 de 2015. M.P. María Victoria Calle Correa).

Nota 2: La Corte Constitucional ha destacado que, por tratarse de excepciones a las reglas de competencia, las causales de impedimento y recusación tienen un carácter taxativo y su interpretación debe realizarse de forma restringida (Corte Constitucional. Sentencia T-319A de 2012. M.P. Luis Ernesto Vargas Silva).

Nota 3: Los conceptos de conflicto de interés, impedimentos o recusaciones no nacen propiamente del derecho administrativo, sino que surgen del derecho procesal, ya que son un mecanismo para preservar el principio de la imparcialidad de los funcionarios judiciales, a quienes corresponde apartarse de un proceso de su conocimiento, cuando se tipifica alguna causal que está regulada en la Ley. En el Derecho Administrativo, se configuran cuando el interés general propio de la función pública entre en conflicto con el interés particular y directo del servidor público. Sin embargo, estos significados que subrayan la naturaleza de los impedimentos y recusaciones actúan de forma peculiar en el procedimiento administrativo, en especial, cuando se presenta un derecho de petición ante las autoridades o se actúa de oficio, puesto que aquí no se configura propiamente el principio de bilateralidad de la audiencia, en el entendido de que la administración se presenta como juez y parte, en el momento de tomar una decisión administrativa.

ARTÍCULO 12. TRÁMITE DE LOS IMPEDIMENTOS Y RECUSACIONES

En caso de impedimento el servidor enviará dentro de los tres (3) días siguientes a su conocimiento la actuación con escrito motivado al superior, o si no lo tuviere, a la cabeza del respectivo sector administrativo. A falta de todos los anteriores, al Procurador General de la Nación cuando se trate de autoridades nacionales o del Alcalde Mayor del Distrito Capital, o al procurador regional en el caso de las autoridades territoriales.

La autoridad competente decidirá de plano sobre el impedimento dentro de los diez (10) días siguientes a la fecha de su recibo. Si acepta el impedimento, determinará a quién corresponde el conocimiento del asunto, pudiendo, si es preciso, designar un funcionario *ad hoc*. En el mismo acto ordenará la entrega del expediente.

Cuando cualquier persona presente una recusación, el recusado manifestará si acepta o no la causal invocada, dentro de los cinco (5) días siguientes a la fecha de su formulación. Vencido este término, se seguirá el trámite señalado en el inciso anterior.

La actuación administrativa se suspenderá desde la manifestación del impedimento o desde la presentación de la recusación, hasta cuando se decida. Sin embargo, el cómputo de los términos para que proceda el silencio administrativo se reiniciará una vez vencidos los plazos a que hace referencia el inciso 1 de este artículo.

Concordancias: Art. 110 de la Ley 142 de 1994; Arts. 205 y 230 de la Ley 1801 de 2016 —Código de Policía—; Art. 56 núm. 5 de la Ley 1952 de 2019.

Nota 1: En el artículo 12 del CPACA se entiende el impedimento en dos momentos: i) Si se presenta dicha figura, el servidor público enviará dentro de los tres (3) días siguientes a su conocimiento la actuación con escrito motivado al superior, o si no lo tuviere, a la cabeza del respectivo sector administrativo; y ii) el superior del funcionario resolverá de plano dentro de los diez (10) días siguientes a la fecha de su recibo.

Nota 2: Los términos del impedimento no interrumpen los tiempos de la actuación administrativa —derivada de un derecho de petición o de la actuación de oficio—, sino que los suspende, lo cual implica que independientemente del día en que conozca la petición el servidor que resolverá de fondo el asunto, los plazos no cambiarán sustancialmente.

Nota 3: La recusación también aplica en el evento que la persona la presente, por lo que el recusado deberá manifestar si acepta o no la causal invocada dentro de los cinco (5) días siguientes a la fecha de su formulación. Durante este término, igual que el impedimento, se suspenderá el plazo para resolver el asunto en el marco de una actuación administrativa.

TÍTULO II
DERECHO DE PETICIÓN

Nota preliminar: Este título fue regulado previamente en la Ley 1437 de 2011, pero declarado inconstitucional en la Sentencia C-818 de 2011, donde la Corte Constitucional expresó que lo dispuesto en este título encuadra en varios de los criterios de la jurisprudencia constitucional que hacen necesaria su regulación en una ley estatutaria. En efecto, el Alto Tribunal manifestó que los artículos 13 a 33 contenían un desarrollo integral y sistemático del derecho fundamental de petición y, por tanto, todas las materias tratadas debieron ser objeto de una ley estatutaria. Por lo tanto, declaró una exequibilidad con efectos diferidos al 31 de diciembre de 2014, con el fin de que el legislador expidiera en ese lapso una ley estatutaria (Corte Constitucional. Sentencia C-818 de 2011. M.P. Jorge Ignacio Pretelt Chaljub). Posteriormente, el Congreso aprobó el proyecto de Ley Estatutaria No. 65 del 2012 del Senado, y 227 de 2013 de la Cámara de Representantes «Por medio del cual se regula el derecho fundamental de petición y se sustituye el título del Código de Procedimiento Administrativo y de lo Contencioso Administrativo», el cual fue objeto de control de constitucionalidad previo en la Sentencia C-951 de 2014. Finalmente, se expidió la Ley 1755 de 2015 —Ley Estatutaria del Derecho de Petición—, cuyo artículo 1 sustituye el Título I de la Ley 1437 de 2011 —Código de Procedimiento Administrativo y de lo Contencioso Administrativo— en adelante CPACA.

CAPÍTULO I
DERECHO DE PETICIÓN ANTE AUTORIDADES. REGLAS GENERALES

ARTÍCULO 13. OBJETO Y MODALIDADES DEL DERECHO DE PETICIÓN ANTE AUTORIDADES. Sustituido por el artículo 1 de la Ley Estatutaria 1755 de 2015 —LEDP—

Toda persona tiene derecho a presentar peticiones respetuosas a las autoridades, en los términos señalados en este código, por motivos de interés general o particular, y a obtener pronta resolución completa y de fondo sobre la misma.

Toda actuación que inicie cualquier persona ante las autoridades implica el ejercicio del derecho de petición consagrado en el artículo 23 de la Constitución Política, sin que sea necesario invocarlo. Mediante él, entre otras actuaciones, se podrá solicitar: el reconocimiento de un derecho, la intervención de una entidad o funcionario, la resolución de una situación jurídica, la prestación de un servicio, requerir información, consultar, examinar y requerir copias de documentos, formular consultas, quejas, denuncias y reclamos e interponer recursos.

El ejercicio del derecho de petición es gratuito y puede realizarse sin necesidad de representación a través de abogado, o de persona mayor cuando se trate de menores en relación a las entidades dedicadas a su protección o formación.

Concordancias: Arts. 23 y 74 de la Const. Pol; Art. 81 de la Ley 270 de 1996; Arts. 4—5 del CPACA; Art. 12 del Decreto Ley 019 de 2012; Art. 24 de la Ley Estatutaria 1712 de 2014.

Nota 1: Este artículo fue declarado exequible, excepto la expresión *«en relación a* (sic) *las entidades dedicadas a su protección o formación»*, contenida en el inciso final del mismo artículo, la cual se declara constitucional, con la condición se comprenda que no excluye la posibilidad de que los menores de edad presenten directamente peticiones dirigidas a otras entidades para el pleno ejercicio de sus derechos fundamentales (Corte Constitucional. Sentencia C-951 de 2014. M.P. Martha Victoria Sáchica Méndez). En torno a este tema, el artículo 12 del Decreto Ley 019 de 2012 dispone: «Los niños, niñas y adolescentes podrán presentar directamente solicitudes, quejas o reclamos en asuntos que se relacionen con su interés superior, su bienestar personal y su protección especial, las cuales tendrán prelación en el turno sobre cualquier otra».

Nota 2: El derecho de petición no solo es un derecho subjetivo y un derecho fundamental que está regulado en el artículo 23 de la Constitución Política, sino que también es un derecho político y una libertad civil, teniendo en cuenta sus antecedentes históricos que se encuentran en el artículo 61 de la Carta Magna de 1215 y el artículo 15 de la Declaración de los Derechos del Hombre y del Ciudadano.

Nota 3: El derecho de petición tiene un ámbito de aplicación amplio según el inciso segundo de este artículo, por lo que sin necesidad de su invocación implica, entre otras cosas, el reconocimiento de un derecho, la intervención de una entidad o funcionario, la resolución de una situación jurídica, la prestación de un servicio, requerir información, consultar, examinar y requerir copias de documentos, formular consultas, quejas, denuncias y reclamos e interponer recursos, entre otras. En esta línea, Marín Cortés expresa: «[...] toda forma de comunicación con las autoridades, que contenga una solicitud, sin importar el contenido, sea un derecho de petición, con independencia del trámite que propicie. De hecho, conforme al art. 4° del CPACA, de las cuatro formas de iniciar los procedimientos administrativos dos corresponden al ejercicio del derecho de petición» (MARÍN CORTÉS, Fabián Gonzalo. Derecho de petición y procedimiento administrativo. Medellín: Librería Jurídica Sánchez R Ltda y CEDA, 2017, pp. 126).

Nota 4: Sin embargo, no toda solicitud ante una autoridad es manifestación del derecho de petición, pues como lo plantea Marín Cortés hay requerimientos que no lo son, tales como: solicitudes de los congresistas en ejercicio del control político; solicitudes de los órganos de control fiscal a las entidades vigiladas; solicitudes de las comisiones de regulación de los distintos servicios públicos, superintendencias y demás órganos de inspección, control y vigilancia; peticiones presentadas a los jueces en las actuaciones procesales, entre otras (MARÍN CORTÉS, Fabián Gonzalo. Derecho de petición y procedimiento administrativo. Medellín: Librería Jurídica Sánchez R Ltda y CEDA, 2017, pp. 87-106).

ARTÍCULO 14. TÉRMINOS PARA RESOLVER LAS DISTINTAS MODALIDADES DE PETICIONES. Sustituido por el artículo 1 de la Ley Estatutaria 1755 de 2015 —LEDP—

Salvo norma legal especial y so pena de sanción disciplinaria, toda petición deberá resolverse dentro de los quince (15) días siguientes a su recepción. Estará sometida a término especial la resolución de las siguientes peticiones:

1. Las peticiones de documentos y de información deberán resolverse dentro de los diez (10) días siguientes a su recepción. Si en ese lapso no se ha dado respuesta al peticionario, se entenderá, para todos los efectos legales, que la respectiva solicitud ha sido aceptada y, por consiguiente, la administración ya no podrá negar la entrega de dichos documentos al peticionario, y como consecuencia las copias se entregarán dentro de los tres (3) días siguientes.

2. Las peticiones mediante las cuales se eleva una consulta a las autoridades en relación con las materias a su cargo deberán resolverse dentro de los treinta (30) días siguientes a su recepción.

PARÁGRAFO. Cuando excepcionalmente no fuere posible resolver la petición en los plazos aquí señalados, la autoridad debe informar esta circunstancia al interesado, antes del vencimiento del término señalado en la ley expresando los motivos de la demora y señalando a la vez el plazo razonable en que se resolverá o dará respuesta, que no podrá exceder del doble del inicialmente previsto.

Concordancias: Arts. 30, 83 y 84 del CPACA; Art. 732 del Decreto Ley 624 de 1989 —Estatuto Tributario—; Art. 25 núm. 16 de la Ley 80 de 1993; Art. 158 de la Ley 142 de 1994; Art. 99 de la Ley 388 de 1997; Art. 14 de la Ley 1581 de 2012; Art. 27 de la Ley 1712 de 2014; Art. 5-6 del Decreto Legislativo 491 de 2020; Art. 2 y 3 de la Ley 2207 de 2022.

Nota 1: La Corte Constitucional, en el control previo a este artículo expresa que el respeto de los términos para resolver las distintas modalidades de petición hace parte del núcleo esencial de la garantía prevista en el artículo 23 superior. Por tanto, la tardanza en la respuesta constituye una vulneración de este derecho fundamental (Corte Constitucional. Sentencia C-951 de 2014. M.P. Martha Victoria Sáchica Méndez).

Nota 2: El primer inciso de este artículo establece que toda petición, sea de interés general o particular, se resuelve dentro de los quince (15) días siguientes a su recepción en la dependencia institucional correspondiente, es decir, establece el término general de respuesta de toda petición a falta de norma especial. No obstante, dicha disposición establece un término especial para resolver otras modalidades del derecho de petición como la petición de documentos públicos y la petición de consultas a la Administración.

Nota 3: La petición de documentos y de información establece que el término de respuesta a esta modalidad es de diez (10) días siguientes a su recepción. Si la administración o el particular no responde dentro de este término se entenderá que la solicitud ha sido aceptada —silencio positivo—, por lo que la Administración no podrá negar la información, y en consecuencia, debe entregar los documentos dentro a los tres (3) días siguientes. Esta modalidad también está regulada en la Ley 1712 de 2014 —Ley Estatutaria de transparencia y del derecho de acceso a la información pública—, cuyo artículo 27 dispone que la respuesta a la solicitud de información se dará en los mismos términos del artículo 14 del CPACA.

Nota 4: La petición de consulta se diferencia de las otras modalidades, debido a que su objetivo no es, en principio, la formación de un acto administrativo o la obtención de una información; por el contrario, busca la obtención de un concepto sobre la interpretación de una disposición del ordenamiento jurídico o una situación no particular. En esta medida, las peticiones de consulta se resuelven dentro de los treinta (30) días siguientes a su recepción.

Nota 5: Para los días de plazo para responder un derecho de petición, debe entenderse que son hábiles, no los días calendario. En este punto, se acude a lo dispuesto en el artículo 62 de la Ley 4 de 1913 —Régimen Político y Municipal—, que dispone: «Artículo 62. En los plazos de días que se señalen en las leyes y actos oficiales, se entienden suprimidos los feriados y de vacantes, a menos de expresarse lo contrario. Los de meses y años se computan según el calendario; pero si el último día fuere feriado o de vacante, se extenderá el plazo hasta el primer día hábil».

Nota 6: En referencia al parágrafo único de este artículo, se posibilita que puede prorrogarse el término de respuesta, sin que supere el doble del término inicial. Sin embargo, esta ampliación debe fundamentar las razones que imposibilitan responder las peticiones dentro de los plazos dispuestos en el artículo 14, sumado a la obligación de comunicar esta circunstancia al interesado, antes del plazo previamente señalado. De esta manera, no solo existe el deber de la autoridad con la expedición de un acto, en el cual se determine que para responder a la petición se requiere de un plazo específico adicional, sino que también hay una obligación de informar y comunicar de forma efectiva al peticionario de esta situación.

ARTÍCULO 15. PRESENTACIÓN Y RADICACIÓN DE PETICIONES. Sustituido por el artículo 1 de la Ley Estatutaria 1755 de 2015 —LEDP—

Las peticiones podrán presentarse verbalmente y deberá quedar constancia de la misma, o por escrito, y a través de cualquier medio idóneo para la comunicación o transferencia de datos. Los recursos se presentarán conforme a las normas especiales de este código.

Cuando una petición no se acompañe de los documentos e informaciones requeridos por la ley, en el acto de recibo la autoridad deberá indicar al peticionario los que falten.

Si este insiste en que se radique, así se hará dejando constancia de los requisitos o documentos faltantes. Si quien presenta una petición verbal pide constancia de haberla presentado, el funcionario la expedirá en forma sucinta.

Las autoridades podrán exigir que ciertas peticiones se presenten por escrito, y pondrán a disposición de los interesados, sin costo, a menos que una ley expresamente señale lo contrario, formularios y otros instrumentos estandarizados para facilitar su diligenciamiento. En todo caso, los peticionarios no quedarán impedidos para aportar o formular con su petición argumentos, pruebas o documentos adicionales que los formularios no contemplen, sin que por su utilización las autoridades queden relevadas del deber de resolver sobre todos los aspectos y pruebas que les sean planteados o presentados más allá del contenido de dichos formularios.

A la petición escrita se podrá acompañar una copia que, recibida por el funcionario respectivo con anotación de la fecha y hora de su presentación, y del número y clase de los documentos anexos, tendrá el mismo valor legal del original y se devolverá al interesado a través de cualquier medio idóneo para la comunicación o transferencia de datos. Esta autenticación no causará costo alguno al peticionario.

PARÁGRAFO 1o. En caso de que la petición sea enviada a través de cualquier medio idóneo para la comunicación o transferencia de datos, esta tendrá como datos de fecha y hora de radicación, así como el número y clase de documentos recibidos, los registrados en el medio por el cual se han recibido los documentos.

PARÁGRAFO 2o. Ninguna autoridad podrá negarse a la recepción y radicación de solicitudes y peticiones respetuosas.

PARÁGRAFO 3o. Cuando la petición se presente verbalmente ella deberá efectuarse en la oficina o dependencia que cada entidad defina para ese efecto. El Gobierno Nacional reglamentará la materia en un plazo no mayor a noventa (90) días, a partir de la promulgación de la presente ley.

Concordancias: Art. 10 de la Ley 962 de 2005; Art. 76 del CPACA; Art. 14 del Decreto Ley 019 de 2012; Art. 25 de la Ley 1712 de 2014; Decreto 1166 de 2016 que adiciona el Decreto 1069 de 2015; Art. 9 del Decreto Ley 2106 de 2019.

Nota 1: Las peticiones que se presenten ante las autoridades y los particulares, pueden ser verbales o escritas, y a través de cualquier medio idóneo para la comunicación y transferencia de datos. Asimismo, el artículo 25 de la Ley 1712 de 2014 dispone que la solicitud de acceso a la información puede ser oral o escrita, incluyendo la vía electrónica. No obstante, se precisa en el inciso primero de este artículo, que los recursos contra los actos administrativos se sujetarán a las reglas de este código, es decir, deben ser por escrito.

Nota 2: Se destaca el avance de presentar peticiones verbales y su regulación en el Decreto 1166 de 2016. Bajo la importancia de garantizar el derecho de petición, la Corte Constitucional en la Sentencia T-510 de 2012 expresó: «[...] resulta evidente que el orden constitucional colombiano ampara las expresiones verbales del derecho de petición y no se otorga trato diferente al de las solicitudes escritas. En efecto, el derecho fundamental de petición se encuentra reflejado tanto en la expresión escrita como en la verbal y su resolución debe entenderse de la misma manera por las entidades públicas» (Corte Constitucional, Sentencia T-510 de 2012. M.P. Adriana María Guillén Arango)

Nota 3: Sin embargo, la Corte Constitucional en su control previo de constitucionalidad y tomando lo expresado en las Sentencias T-098 de 1994 y C-282 de 2007, destacó la importancia que tienen las peticiones escritas, tanto en su formulación como en la facilidad que ofrecen para su respuesta pronta y oportuna. En esta línea, considera constitucional la exigencia de que las autoridades determinen los casos en que las peticiones deben presentarse por escrito. Estas decisiones deben hacerse mediante la expedición de un acto administrativo general, que debe motivarse, de conformidad con los principios regulados en el artículo 209 de la Constitución Política y en particular, de igualdad, publicidad, economía, eficiencia y celeridad, así como el debido proceso administrativo (Corte Constitucional, Sentencia C-951 de 2014. M.P. Martha Victoria Sáchica Méndez).

Nota 4: Si bien este artículo consagró la libertad de formas en el derecho de petición, el doctrinante, Fabián Gonzalo Marín Cortés destaca que hay dos eventos o supuestos, donde es exigible que la petición sea por escrito: i) para presentar los recursos administrativos y ii) en la potestad discrecional que tienen los sujetos pasivos de exigir la presentación en formularios, y en general en la posibilidad de imponer requisitos adicionales para ejercer el derecho de petición, lo cual debe constar en un acto administrativo de carácter general (MARÍN CORTÉS, Fabián Gonzalo. Derecho de petición y procedimiento administrativo. Medellín: Librería Jurídica Sánchez R Ltda y CEDA, 2017, pp. 279).

ARTÍCULO 16. CONTENIDO DE LAS PETICIONES. Sustituido por el artículo 1 de la Ley Estatutaria 1755 de 2015 —LEDP—

Toda petición deberá contener, por lo menos:

1. La designación de la autoridad a la que se dirige.

2. *Los nombres y apellidos completos del solicitante y de su representante y o apoderado, si es el caso, con indicación de su documento de identidad y de la dirección donde recibirá correspondencia. El peticionario podrá agregar el número de fax o la dirección electrónica. Si el peticionario es una persona privada que deba estar inscrita en el registro mercantil, estará obligada a indicar su dirección electrónica.*

3. El objeto de la petición.

4. Las razones en las que fundamenta su petición.

5. La relación de los documentos que desee presentar para iniciar el trámite.

6. La firma del peticionario cuando fuere el caso.

PARÁGRAFO 1o. La autoridad tiene la obligación de examinar integralmente la petición, y en ningún caso la estimará incompleta por falta de requisitos o documentos que no se encuentren dentro del marco jurídico vigente, que no sean necesarios para resolverla o que se encuentren dentro de sus archivos.

PARÁGRAFO 2o. En ningún caso podrá ser rechazada la petición por motivos de fundamentación inadecuada o incompleta.

Concordancias: Arts. 5-6 del Decreto Ley 019 de 2012; Art. 14 del CPACA; Arts. 4, 23 y 25 de la Ley 1712 de 2014; Art. 2.2.3.12.3. del Decreto 1069 de 2015 que fue adicionado por el Decreto 1166 de 2016; Art. 9 del Decreto Ley 2106 de 2019.

Nota 1: A pesar de la libertad de las formas para presentar peticiones ante las autoridades, existen una serie de requisitos mínimos. Sin embargo, no todas estas condiciones son exigibles en todas las solicitudes, pues el parágrafo primero del artículo en mención establece el deber de la autoridad de examinar integralmente la petición, y en ningún caso debe considerarse incompleta por falta de requisitos o documentos que no se hallan dentro del orden jurídico, o que no sean necesarios para resolverla.

Nota 2: La Corte Constitucional, en su control previo de constitucionalidad, declaró la exequibilidad condicionada del numeral 2 del presente artículo, en el entendido que no se exigirá los nombres y apellidos del solicitante. Por tanto, el Alto Tribunal admite las peticiones de carácter anónimo para trámite y resolución cuando exista una justificación seria y creíble del peticionario para mantener la reserva de su identidad (Corte Constitucional. Sentencia C-951 de 2014. M.P. Martha Victoria Sáchica Méndez). Cabe mencionar la Sentencia T-382 de 1995, en la cual se resolvió garantizar el derecho a la pensión de sobrevivientes de una mujer cuyo trámite se había visto suspendido por las manifestaciones realizadas en escrito anónimo dirigido al ISS, suspensión que implicó la vulneración de los derechos fundamentales de la accionante (Corte Constitucional. Sentencia T-382 de 1995. M.P. Alejandro Martínez Caballero). De igual manera, el parágrafo único del artículo 4° de la Ley 1712 de 2014 dispone: «Cuando el usuario considere que la solicitud de la información pone en riesgo su integridad o la de su familia, podrá solicitar ante el Ministerio Público el procedimiento especial de solicitud con identificación reservada». En este sentido, ante solicitudes de información con identidad reservada es el Ministerio Público el encargado de presentarlas, de acuerdo con lo dispuesto en el artículo 23, literal k de la Ley 1712 de 2014.

Nota 3: En referencia al numeral 4° y al parágrafo segundo del artículo comentado, se precisa que para la Corte Constitucional la fundamentación adecuada no constituye un elemento esencial de la petición por lo que no podrá rechazarse por su incumplimiento total o parcial. (Corte Constitucional. Sentencia C-951 de 2014. M.P. Martha Victoria Sáchica Méndez). De igual modo, el parágrafo único del artículo 25 de la Ley 1712 de 2014, dispone que en ningún evento puede rechazarse una petición de información por motivos de una fundamentación inadecuada e incompleta.

Nota 4: La Corte Constitucional ha admitido el ejercicio del derecho de petición a través de medios tecnológicos como redes sociales. Al respecto, ha señalado que si bien es constitucional y legalmente admisible que las entidades definan los canales autorizados para el trámite de solicitudes ciudadanas, lo cierto es que, en concordancia con la regulación amplia contenida en el CPACA sobre el derecho de petición, cuando una entidad haga uso de redes sociales, como Facebook, debe tener presente que también constituyen un medio idóneo para el ejercicio del citado derecho, de carácter electrónico, dado que permiten una comunicación bidireccional con los usuarios. Lo anterior, siempre que la solicitud se realice en términos respetuosos, se trate de una de las manifestaciones que suponen el ejercicio de tal derecho, y pueda identificarse al originador del mensaje, así como determinar que este aprueba su contenido. (Corte Constitucional, Sentencia T-230 de 2020 M.P. Luis Guillermo Guerrero Pérez).

ARTÍCULO 17. PETICIONES INCOMPLETAS Y DESISTIMIENTO TÁCITO. Sustituido por el artículo 1 de la Ley Estatutaria 1755 de 2015 —LEDP—

En virtud del principio de eficacia, cuando la autoridad constate que una petición ya radicada está incompleta o que el peticionario deba realizar una gestión de trámite a su cargo, necesaria para adoptar una decisión de fondo, y que la actuación pueda continuar sin oponerse a la ley, requerirá al peticionario dentro de los diez (10) días siguientes a la fecha de radicación para que la complete en el término máximo de un (1) mes.

A partir del día siguiente en que el interesado aporte los documentos o informes requeridos, se reactivará el término para resolver la petición.

Se entenderá que el peticionario ha desistido de su solicitud o de la actuación cuando no satisfaga el requerimiento, salvo que antes de vencer el plazo concedido solicite prórroga hasta por un término igual.

Vencidos los términos establecidos en este artículo, sin que el peticionario haya cumplido el requerimiento, la autoridad decretará el desistimiento y el archivo del expediente, mediante acto administrativo motivado, que se notificará personalmente, contra el cual únicamente procede recurso de reposición, sin perjuicio de que la respectiva solicitud pueda ser nuevamente presentada con el lleno de los requisitos legales.

Concordancias: Art. 9 del Decreto Ley 019 de 2012; Art. 10 del Decreto Ley 2106 de 2019.

Nota 1: La Corte determinó que esta disposición se ajusta a los parámetros constitucionales del derecho de petición, las garantías del debido proceso administrativo de artículo 29 de la Constitución y a los principios de la función administrativa regulados en el artículo 209 superior, puesto que brinda la oportunidad al peticionario de aportar la información o documentación que la autoridad considere se requiere para responder de forma efectiva a la petición. Asimismo, la Corte señala que se garantiza el derecho a la defensa al requerir la información que debe aportar el peticionario y aplicado el desistimiento tácito, posibilita la oportunidad de controvertir el acto administrativo que lo declara; y si es del caso, volver a presentar de nuevo la petición (Corte Constitucional. Sentencia C-951 de 2014. M.P. Martha Victoria Sáchica Méndez).

Nota 2: La petición incompleta está vinculada a la necesidad de una entrega de información por parte del peticionario, por lo que no es posible rechazar una petición si la autoridad tiene la posibilidad de consultarlo en sus registros o en los de otras entidades públicas, de conformidad con el artículo 9 del Decreto Ley 019 de 2012 y el Artículo 10 del Decreto Ley 2106 de 2019.

Nota 3: Sobre la posibilidad de rechazo de un derecho de petición, la Corte Constitucional ha precisado que «[a]un cuando el artículo 16 del CPACA estipula unos parámetros materiales mínimos con miras a que la autoridad tenga los elementos suficientes para brindar la respuesta, el hecho de que falte alguno de ellos no deriva en el rechazo o archivo del requerimiento. Por el contrario, la obligación de respuesta por parte de la entidad se activa con la recepción de la solicitud (sin importar que sea verbal o escrita), y ésta tiene la carga de completar los elementos sustantivos que requiera para poder cumplir con su deber constitucional, en los términos y plazos en que dispone la ley. Ello incluye la posibilidad de escribir al peticionario para que complemente la solicitud, y solamente en el caso de que el interesado no aporte lo necesario en el mes siguiente a la respuesta dada, la entidad puede archivar el asunto». (Corte Constitucional, Sentencia T-230 de 2020 M.P. Luis Guillermo Guerrero Pérez).

ARTÍCULO 18. DESISTIMIENTO EXPRESO DE LA PETICIÓN. Sustituido por el artículo 1 de la Ley Estatutaria 1755 de 2015 —LEDP—

Los interesados podrán desistir en cualquier tiempo de sus peticiones, sin perjuicio de que la respectiva solicitud pueda ser nuevamente presentada con el lleno de los requisitos legales, pero las autoridades podrán continuar de oficio la actuación si la consideran necesaria por razones de interés público; en tal caso expedirán resolución motivada.

Concordancias: Arts. 14 y 81 del CPACA.

Nota 1: La Corte Constitucional expresa que el derecho de petición puede ejercerse de manera activa para solicitar información o para que pueda desarrollarse una determinada actuación de la autoridad, como, en su dimensión negativa, desistir de la solicitud. Si se permite continuar con el trámite de oficio, para seguir con la actuación administrativa, le impone a las entidades el deber de justificar las razones de interés público (Corte Constitucional. Sentencia C-951 de 2014. M.P. Martha Victoria Sáchica Méndez).

ARTÍCULO 19. PETICIONES IRRESPETUOSAS, OSCURAS O REITERATIVAS. Sustituido por el artículo 1 de la Ley Estatutaria 1755 de 2015 —LEDP—

Toda petición debe ser respetuosa so pena de rechazo. Solo cuando no se comprenda la finalidad u objeto de la petición esta se devolverá al interesado para que la corrija o aclare dentro de los diez (10) días siguientes. En caso de no corregirse o aclararse, se archivará la petición. En ningún caso se devolverán peticiones que se consideren inadecuadas o incompletas.

Respecto de peticiones reiterativas ya resueltas, la autoridad podrá remitirse a las respuestas anteriores, salvo que se trate de derechos imprescriptibles, o de peticiones que se hubieren negado por no acreditar requisitos, siempre que en la nueva petición se subsane.

Concordancias: Arts. 6 núm. 4, 14 y 16 del CPACA.

Nota 1: La Corte Constitucional ha determinado que un requisito para garantizar el derecho fundamental de petición es el respeto a las autoridades, expresando: «[...] el ejercicio de derecho de petición comienza con la posibilidad de dirigirse respetuosamente a las autoridades, tal y como lo señala el primer enunciado normativo del artículo 23 cuando señala que "Todo (sic) persona tiene derecho a presentar peticiones respetuosas a las autoridades por motivos de interés general [...]"» (Corte Constitucional. Sentencia C-818 de 2011 y T-146 de 2012. M.P. Jorge Ignacio Pretelt Chaljub). De igual modo, en el ejercicio de control previo, la Corte Constitucional en la Sentencia C-951 de 2014 considera que el rechazo de un escrito que se considere por la autoridad como irrespetuoso, requiere de motivación y de la publicidad que se exige de todas las actuaciones administrativas, así como del derecho de impugnar dicho rechazo (Corte Constitucional. Sentencia C-951 de 2014. M.P. Martha Victoria Sáchica Méndez).

Nota 2: Una petición es oscura cuando la finalidad y el objeto no están suficientemente claros. En primer lugar, existe una petición sin un objeto claro cuando lo que se solicita no es determinado o determinable, es decir, cuando no tiene un grado de limitación, puntualización y precisión, que evite que se deniegue la solicitud. Hay que precisar que la indeterminación de la solicitud no implica la inexistencia del objeto, ni mucho menos la imposibilidad del objeto y su ilicitud. En un segundo lugar, la falta de finalidad en la petición se vincula a la poca claridad del objeto, lo cual acarrea que no se tiene certeza si la solicitud busca garantizar un interés particular o un interés general.

Nota 3: Este artículo establece el procedimiento frente a las peticiones oscuras que consiste en que se devolverá al interesado, para que la corrija o aclare, dentro de los diez (10) días siguientes. En caso de no corregirse o aclararse, se archivará la petición. Sin embargo, no se define si se suspende o se interrumpe el tiempo para responder el derecho de petición. Al respecto, la Corte Constitucional expresa que la devolución debe producirse mientras transcurre el término para responder a la solicitud, de tal manera que esta se interrumpe durante el plazo para corregirla o aclararla (Corte Constitucional. Sentencia C-951 de 2014. M.P. Martha Victoria Sáchica Méndez). Es decir, el término de respuesta a la petición se interrumpa, más no se suspende.

Nota 4: Los Decretos-Ley 2733 de 1959 y 01 de 1984 no regularon las consecuencias jurídicas cuando las solicitudes del peticionario fueran reiterativas, dando lugar a que la jurisprudencia constitucional estableciera que el derecho de petición no se vulneraba cuando la autoridad administrativa omitía reiterar una respuesta dada por esta, por lo que expresó: «Así, pues, contestada una petición en sentido contrario al querido por el solicitante, no es razonable que éste pretenda vulnerado su derecho cuando la administración deja de responderle peticiones iguales sin haber cambiado la normatividad que gobierna el asunto y permaneciendo las mismas circunstancias consideradas al resolver en la primera oportunidad» (Corte Constitucional. Sentencia T— 121 de 1995. M.P. José Gregorio Hernández Galindo). El artículo que se comenta resolvió este tipo de actuaciones de algunas personas, y dispone, en el segundo inciso que, frente a las peticiones reiterativas ya resueltas, las autoridades podrán remitirse a las respuestas anteriores. Sin embargo, la expresión "podrán" brindó la posibilidad de que la Administración, inconscientemente, siga respondiendo solicitudes reiteradas a peticionarios, los cuales abusan de su derecho.

ARTÍCULO 20. ATENCIÓN PRIORITARIA DE PETICIONES. Sustituido por el artículo 1 de la Ley Estatutaria 1755 de 2015 —LEDP—

Las autoridades darán atención prioritaria a las peticiones de reconocimiento de un derecho fundamental cuando deban ser resueltas para evitar un perjuicio irremediable al peticionario, quien deberá probar sumariamente la titularidad del derecho y el riesgo del perjuicio invocado.

Cuando por razones de salud o de seguridad personal esté en peligro inminente la vida o la integridad del destinatario de la medida solicitada, la autoridad adoptará de inmediato las medidas de urgencia necesarias para conjurar dicho peligro, sin perjuicio del trámite que deba darse a la petición. Si la petición la realiza un periodista, para el ejercicio de su actividad, se tramitará preferencialmente.

Concordancias: Art. 13 del Decreto Ley 019 de 2012; Art. 8 de la Ley 1712 de 2014.

Nota 1: La Corte Constitucional en referencia a la primera hipótesis encuentra razonable la priorización debido a que busca evitar un daño al titular de un derecho fundamental que, después de ocurrido, no podrá repararse. No obstante, dicho contenido normativo requirió dos precisiones para ser constitucional: i) el significado del carácter prioritario de una petición; y ii) el sujeto que puede ser beneficiario con dicha atención prioritaria.

Nota 2: La Corte expresa que *atención prioritaria* se refiere a una respuesta que se profiere antes de las respuestas de otros derechos de petición. Esta situación no significa una vulneración del derecho de igualdad de quienes presentan derechos de petición, pues la alteración del orden de respuesta establecido con fundamento en el momento de presentación de la petición se encuentra justificado por la finalidad que con dicha prelación se prevé. En cuanto al beneficiario de esa atención prioritaria, resulta razonable y proporcionado que el legislador exija que se acredite la titularidad del derecho fundamental cuyo reconocimiento se pide, así como el riesgo de producirse un perjuicio irremediable de no resolverse prontamente acerca de la petición (Corte Constitucional. Sentencia C-951 de 2014. M.P. Martha Victoria Sáchica Méndez).

Nota 3: El segundo inciso del artículo 20 establece un segundo supuesto que dispone, además del trámite que deba darse a la petición, la adopción de medidas de urgencia para conjurar el riesgo al derecho a la salud o a la vida del destinatario. Se presenta un supuesto diferente al previsto en el primero, puesto que no se altera la resolución pronta y oportuna de otras peticiones ni se concede una atención prioritaria, como quiera que el trámite ordinario de la petición debe continuar, sin perjuicio de las demás solicitudes. Para la Corte Constitucional, en tanto resulta un mecanismo previsto para la protección de derechos fundamentales, en concreción del principio de eficacia en el actuar de la administración (arts. 2 y 209 CP), el mismo se aprecia como una norma ajustada con los parámetros superiores y, en consecuencia, se declaró constitucional. La tercera hipótesis de tramite preferencial corresponde a las peticiones que formulan los periodistas para el ejercicio de su actividad. En este supuesto, la Corte advierte que, en el caso de la actividad periodística, el constituyente sí estableció un tratamiento especial, cuando consagró en el artículo 73: «*La actividad periodística gozará de protección para garantizar su libertad e* *independencia profesional*», la cual surge del papel preponderante que cumple la prensa como defensora de lo público y de sus funciones en materia de información y opinión, en una democracia participativa y pluralista. Existe un vínculo directo entre la garantía de la libertad e independencia profesional de la actividad periodística y los derechos fundamentales garantizados en el artículo 20 de la Carta. (Corte Constitucional. Sentencia C-951 de 2014. M.P. Martha Victoria Sáchica Méndez. En torno al rol preponderante de la prensa pueden revisarse las Sentencias T-602 de 1995, C-630 de 2003, T-391 de 2007 y T-904 de 2013, entre otras).

ARTÍCULO 21. FUNCIONARIO SIN COMPETENCIA. Sustituido por el artículo 1 de la Ley Estatutaria 1755 de 2015 —LEDP—

Si la autoridad a quien se dirige la petición no es la competente, se informará de inmediato al interesado si este actúa verbalmente, o dentro de los cinco (5) días siguientes al de la recepción, si obró por escrito. Dentro del término señalado remitirá la petición al competente y enviará copia del oficio remisorio al peticionario o en caso de no existir funcionario competente así se lo comunicará. Los términos para decidir o responder se contarán a partir del día siguiente a la recepción de la Petición por la autoridad competente.

Concordancias: Art. 39 del CPACA.

Nota 1: El artículo incurre en una imprecisión, pues no debe aludirse al concepto de funcionario sin competencia, sino al de autoridad o entidad sin competencia para resolver la solicitud del peticionario. Es decir, no es un argumento válido de la Administración señalar que otra dependencia de la entidad es la competente para responder la solicitud, pues la forma de redacción del artículo permite comprender que está aludiendo a autoridad o entidad pública.

Nota 2: Esta disposición entiende que la entidad que se le interpone la petición no está en la obligación de responder de fondo a la solicitud información o la consulta que la persona requiere, pero si el deber de informar su falta de competencia. Al respecto, la Sala de Consulta y Servicio Civil ha establecido unas reglas que las entidades deben cumplir de no responder el derecho de petición, tales como: i) si tiene o no competencia para responder; ii) en caso negativo, cuál es la entidad que tiene competencia para ello (concreción del mandato general de colaboración de la Administración). Con estos dos supuestos, pretende garantizarse que la remisión por incompetencia no afecte la pronta respuesta a un derecho de petición (Consejo de Estado. Sala de Consulta y Servicio Civil. Auto del 7 de febrero de 2008. Número Único 11001-03-06-000-2008-00004-00. C.P. William Zambrano Cetina)

Nota 3: La Corte Constitucional en su control previo de constitucionalidad expresó que para evitar dilaciones injustificadas y así garantizar de forma sustancial una pronta respuesta a la petición incoada debe entenderse que la obligación de informar al peticionario no se agota con la mera manifestación de que no se es competente, y de que otra autoridad lo es. Esta información debe motivarse y la respuesta debe indicar: i) por qué no es competente la autoridad ante la que se presenta la petición; y ii) por qué es competente la autoridad a la que se remite la misma (Corte Constitucional. Sentencia C-951 de 2014. M.P. Martha Victoria Sáchica Méndez).

Nota 4: El artículo dispone un término de cinco (5) días después de la recepción cuando la petición es escrita para remitir a la autoridad competente, o de inmediato cuando la petición es verbal. Al respecto, Marín Cortés expresa que lo dispuesto en este artículo es una forma de interrupción del término de respuesta de la petición que está a cargo del sujeto pasivo emisor —falta de competencia—, porque si bien comenzó a partir desde que se recepcionó la solicitud a la primera autoridad, el plazo para responder será desde que se remita a la autoridad que si es competente (MARÍN CORTÉS, Fabián Gonzalo. Derecho de petición y procedimiento administrativo. Medellín: Librería Jurídica Sánchez R Ltda y CEDA, 2017, pp. 461).

ARTÍCULO 22. ORGANIZACIÓN PARA EL TRÁMITE INTERNO Y DECISIÓN DE LAS PETICIONES. Sustituido por el artículo 1 de la Ley Estatutaria 1755 de 2015 —LEDP—

Las autoridades reglamentarán la tramitación interna de las peticiones que les corresponda resolver, y la manera de atender las quejas para garantizar el buen funcionamiento de los servicios a su cargo.

Cuando más de diez (10) personas formulen peticiones análogas, de información, de interés general o de consulta, la Administración podrá dar una única respuesta que publicará en un diario de amplia circulación, la pondrá en su página web y entregará copias de la misma a quienes las soliciten.

Concordancias: Art. 3 núm. 12 del CPACA; Art. 15 de la Ley 962 de 2005; Arts. 5 y 16 del Decreto Ley 019 de 2012.

Nota 1: El primer inciso del artículo 22 dispone un contenido acorde con el derecho de petición, el cual busca garantizar eficiencia en la atención de peticiones recibidas por la entidad. De este modo, la Corte Constitucional considera que se presenta como una garantía, puesto que el reglamento no puede modificar contenidos de la norma estatutaria del derecho de petición. En tal sentido, este inciso posibilita la creación de procesos internos para que se respondan de forma oportuna y de fondo la petición (Corte Constitucional. Sentencia C-951 de 2014. M.P. Martha Victoria Sáchica Méndez).

Nota 2: La Corte Constitucional condiciona la exequibilidad del segundo inciso, pues no es suficiente que, en las peticiones análogas, las autoridades den una única respuesta que se publique en un diario de amplia circulación y en la página web oficial, sino que también es necesario que se le comunique de forma personal la respuesta a todos los peticionarios (Corte Constitucional. Sentencia C-951 de 2014. M.P. Martha Victoria Sáchica Méndez).

Nota 3: El artículo 15 de la Ley 962 de 2005 «Por la cual se dictan disposiciones sobre racionalización de trámites y procedimientos administrativos de los organismos y entidades del Estado y de los particulares que ejercen funciones públicas o prestan servicios públicos», prescribe que los organismos y entidades de la Administración pública nacional que conozcan de peticiones, quejas, o reclamos, deben respetar estrictamente el orden de su presentación. En ese sentido, esta norma desarrolla de manera general el *derecho de turno*, definiéndolo como un deber al que les corresponde sujetarse a las entidades estatales al momento de establecer los criterios para respuestas de derechos de petición que se desarrollen en los reglamentos a los que se refería el artículo 32 del Código Contencioso Administrativo. Además, dicho artículo alude al deber de registro que también corresponde a las autoridades administrativas respecto de las solicitudes y documentos presentados por la ciudadanía, indicando además que tal registro será público y tendrá como propósito la verificación del cumplimiento del derecho de turno. De igual forma, este artículo es extensivo a los particulares que cumplen funciones administrativas, de acuerdo con el artículo 16 del Decreto Ley 019 de 2012, que preceptúa: «Los artículos 15 y 16 de la Ley 962 de 2005 serán igualmente aplicables a los particulares que cumplen funciones administrativas».

ARTÍCULO 23. DEBERES ESPECIALES DE LOS PERSONEROS DISTRITALES Y MUNICIPALES Y DE LOS SERVIDORES DE LA PROCURADURÍA Y LA DEFENSORÍA DEL PUEBLO. Sustituido por el artículo 1 de la Ley Estatutaria 1755 de 2015 —LEDP—

Los servidores de la Procuraduría General de la Nación, de la Defensoría del Pueblo, así como los personeros distritales y municipales, según la órbita de competencia, tienen el deber de prestar asistencia eficaz e inmediata a toda persona que la solicite, para garantizarle el ejercicio del derecho constitucional de petición. Si fuere necesario, deberán intervenir ante las autoridades competentes con el objeto de exigirles, en cada caso concreto, el cumplimiento de sus deberes legales. Así mismo recibirán, en sustitución de dichas autoridades, las peticiones, quejas, reclamos o recursos que aquellas se hubieren abstenido de recibir, y se cerciorarán de su debida tramitación.

Concordancias: Arts. 277 y 282 de la Const. Pol; Art. 23 de la Ley 1712 de 2014.

Nota 1: La Corte Constitucional expresa que las funciones reguladas en el artículo que se comenta fortalecen los mecanismos de acceso existentes para la garantía del derecho de petición. En esa orientación, se destaca la obligación de remitir la petición, así como de emplear, de ser necesario, los mecanismos coercitivos que el ordenamiento constitucional determine, con el fin de que la autoridad a la que se dirige la solicitud y competente para resolverla garantice de forma efectiva y sustancial los derechos fundamentales del peticionario (Corte Constitucional. Sentencia C-951 de 2014. M.P. Martha Victoria Sáchica Méndez).

CAPÍTULO II
DERECHO DE PETICIÓN ANTE AUTORIDADES. REGLAS ESPECIALES

ARTÍCULO 24. INFORMACIONES Y DOCUMENTOS RESERVADOS. Sustituido por el artículo 1 de la Ley Estatutaria 1755 de 2015 —LEDP—

Solo tendrán carácter reservado las informaciones y documentos expresamente sometidos a reserva por la Constitución Política o la ley, y en especial:

1. Los relacionados con la defensa o seguridad nacionales.
2. Las instrucciones en materia diplomática o sobre negociaciones reservadas.
3. Los que involucren derechos a la privacidad e intimidad de las personas, incluidas en las hojas de vida, la historia laboral y los expedientes pensionales y demás registros de personal que obren en los archivos de las instituciones públicas o privadas, así como la historia clínica.
4. Los relativos a las condiciones financieras de las operaciones de crédito público y tesorería que realice la nación, así como a los estudios técnicos de valoración de los activos de la nación. Estos documentos e informaciones estarán sometidos a reserva por un término de seis (6) meses contados a partir de la realización de la respectiva operación.
5. Los datos referentes a la información financiera y comercial, en los términos de la Ley Estatutaria 1266 de 2008.
6. Los protegidos por el secreto comercial o industrial, así como los planes estratégicos de las empresas públicas de servicios públicos.
7. Los amparados por el secreto profesional.
8. Los datos genéticos humanos.

PARÁGRAFO. Para efecto de la solicitud de información de carácter reservado, enunciada en los numerales 3, 5, 6 y 7 solo podrá ser solicitada por el titular de la información, por sus apoderados o por personas autorizadas con facultad expresa para acceder a esa información.

Concordancias: Arts. 23 y 74 de la Const. Pol; Ley 1266 de 2008; Ley 1581 de 2012; Ley 1621 de 2013; Arts. 18-19 de la Ley 1712 de 2014; Decreto 1080 de 2015.

Nota 1: Este artículo tiene una especial relevancia, puesto que regula materias que son restricciones al acceso a la información pública, es decir, limitaciones a las respuestas a la modalidad de petición de información. Sin embargo, se vuelve problemático, pues la Ley Estatutaria 1712 de 2014, «Por medio de la cual se crea la Ley de Transparencia y del Derecho de Acceso a la Información Pública Nacional y se dictan otras disposiciones» establece materias que son sujetas de reserva y que tienen un contenido similar al artículo que se comenta, como son los artículos 18 y 19. Ante este panorama normativo, se sostiene la necesidad de su interpretación, pues ambas son normas de igual jerarquía que regulan derechos fundamentales.

Nota 2: La Ley Estatutaria 1712 de 2014 establece dos tipos de reserva de la información: i) información pública clasificada, que es aquella información que estando en custodia de una autoridad pública o privada, pertenece al ámbito propio, particular y privado o semiprivado de una persona natural o jurídica por lo que su acceso podrá ser negado o exceptuado, siempre que se trate de las circunstancias legítimas y necesarias y los derechos particulares o privados consagrados en el artículo 18 de la precitada Ley; ii) información pública reservada, que es aquella información que estando en custodia de una autoridad pública o privada, es exceptuada a la ciudadanía por daño a intereses públicos y conforme al cumplimiento de las condiciones dispuestas en el artículo 19 de la precitada Ley. En esta línea, las materias que son objeto de reserva en el artículo pueden entenderse, ya sea como información pública clasificada o información pública reservada.

Nota 3: Las materias que se consideran reservadas se complementan con las diferentes leyes ordinarias sectoriales que regulan en estricto sentido los contenidos de los documentos públicos que tienen la calidad de reservados, ya que el inciso primero del artículo que se comenta dispone: «[…] Solo tendrán carácter reservado las informaciones y documentos expresamente sometidos a reserva por la Constitución Política o la ley, y en especial: […], por lo que infiere que otras leyes ordinarias pueden enunciar más materias».

Nota 4: La Corte Constitucional en su control previo de constitucionalidad precisa que el parágrafo único del artículo establece la facultad exclusiva de sus titulares, para solicitar información referente a datos *i)* que involucren derechos a la privacidad e intimidad de las personas, incluidas en hojas de vida, historia laboral, expedientes pensionales, la historia clínica y demás registros; *ii)* la información financiera y comercial, en os términos de la Ley Estatutaria 1266 de 2008; y *iii)* los protegidos por el secreto profesional. Sin embargo, esta facultad exclusiva también debe aplicarse a lo dispuesto en el numeral 8 del artículo que se refiere a los datos genéticos humanos, es decir, se condiciona la constitucionalidad para que también sea aplicada a esta materia sujeta de reserva (Corte Constitucional. Sentencia C-951 de 2014. M.P. Martha Victoria Sáchica Méndez).

ARTÍCULO 25. RECHAZO DE LAS PETICIONES DE INFORMACIÓN POR MOTIVO DE RESERVA. Sustituido por el artículo 1 de la Ley Estatutaria 1755 de 2015 —LEDP—

Toda decisión que rechace la petición de informaciones o documentos será motivada, indicará en forma precisa las disposiciones legales que impiden la entrega de información o documentos pertinentes y deberá notificarse al peticionario. Contra la decisión que rechace la petición de informaciones o documentos por motivos de reserva legal, no procede recurso alguno, salvo lo previsto en el artículo siguiente.

La restricción por reserva legal no se extenderá a otras piezas del respectivo expediente o actuación que no estén cubiertas por ella.

Concordancias: Arts. 21, 26, 27 y 28 de la Ley 1712 de 2014; Decreto 1080 de 2015; Acuerdo 01 del 2024 del Archivo General de la Nación.

Nota 1: La Corte Constitucional expresa que el contenido de la disposición cumple con los fines constitucionales, cuando exige que el rechazo de las peticiones de información por motivos de reserva, debe obedecer a lo que expresamente las disposiciones legales han establecido como reservada. Por tanto, la autoridad debe señalar de forma precisa la fuente legal que le permite rechazar la petición de información sometida a tal condición. En cuanto al contenido normativo que prescribe que contra la decisión que rechace la petición de información no procede recurso alguno, la Corte no encuentra reparo de orden constitucional, puesto que el legislador está facultado, conforme lo disponen los numerales 1 y 2 del artículo 150 de la Constitución Política a regular las formas propias de cada proceso, lo cual implica que tiene una amplia potestad de configuración normativa para estatuir la procedencia o no de recursos como en el presente evento. (Corte Constitucional. Sentencia C-951 de 2014. M.P. Martha Victoria Sáchica Méndez).

Nota 2: El artículo 25 del CPACA sustituido por el artículo 1 de la Ley 1755 de 2015 prescribe que toda decisión que rechace la petición de informaciones o documentos será motivada, la cual debe indicar de forma precisa las disposiciones legales que impiden la entrega de información o documentos pertinentes. No obstante, el artículo 28 de la Ley 1712 de 2014 establece que la entidad debe comprobar que la información se relaciona con un objetivo constitucionalmente válido definido en las excepciones de dicha ley estatutaria y si esta puede causar un daño presente, probable y específico que excede el interés público que representa el acceso a la información. Ambas normas tienen requisitos especiales, pero en aras de garantizar una mayor limitación al poder que se refleja en la salvaguarda del derecho de acceso a la información pública la más favorable para los solicitantes es lo dispuesto en el artículo 28 de la Ley 1712, pues no se limita a la simple invocación de reserva legal en la respuesta, sino que es necesario justificar mediante un test del daño, que implica una ponderación de los principios, teniendo en cuenta los supuestos de hecho.

Nota 3: Por último, la Corte Constitucional considera exequible el último inciso del artículo analizado que prescribe que la reserva legal no debe extenderse a otros contenidos que no están sujetos a restricción, pues garantiza el libre acceso a la información consagrado en el artículo 20 de la Constitución Política. En esta misma línea, el artículo 21 de la Ley 1712 de 2014 prescribe que en aquellas circunstancias en que la totalidad de la información no esté protegida por una excepción, debe procederse con una versión pública que mantenga la reserva en la parte indispensable (Corte Constitucional. Sentencia C-951 de 2014. M.P. Martha Victoria Sáchica Méndez).

Nota 4: En torno a las versiones públicas de los documentos que contienen información pública clasificada o información pública reservada debe tenerse en cuenta lo dispuesto en el artículo 7.1.3. del Acuerdo 01 de 2024 expedido por el Archivo General de la Nación «Por el cual se establece el Acuerdo Único de la Función Archivística, se definen los criterios técnicos y jurídicos para su implementación en el Estado Colombiano y se fijan otras disposiciones», que prescribe en el parágrafo segundo: «Parágrafo 2. Para elaborar versiones públicas de documentos que contengan información clasificada o reservada, la entidad aplicará estándares para la anonimización de datos. El proceso de anonimización de datos requiere una adecuada comprensión del propósito final y uso de la información.

Por tal motivo, es importante que el administrador de los documentos identifique los datos objeto de anonimización en articulación con la normativa vigente para la protección de datos personales y acceso a la información».

ARTÍCULO 26. INSISTENCIA DEL SOLICITANTE EN CASO DE RESERVA. Sustituido por el artículo 1 de la Ley Estatutaria 1755 de 2015 —LEDP—

Si la persona interesada insistiere en su petición de información o de documentos ante la autoridad que invoca la reserva, corresponderá al Tribunal Administrativo con jurisdicción en el lugar donde se encuentren los documentos, si se trata de autoridades nacionales, departamentales o del Distrito Capital de Bogotá, o al juez administrativo si se trata de autoridades distritales y municipales decidir en única instancia si se niega o se acepta, total o parcialmente la petición formulada.

Para ello, el funcionario respectivo enviará la documentación correspondiente al tribunal o al juez administrativo, el cual decidirá dentro de los diez (10) días siguientes. Este término se interrumpirá en los siguientes casos:

1. Cuando el tribunal o el juez administrativo solicite copia o fotocopia de los documentos sobre cuya divulgación deba decidir, o cualquier otra información que requieran, y hasta la fecha en la cual las reciba oficialmente.

2. Cuando la autoridad solicite, a la sección del Consejo de Estado que el reglamento disponga, asumir conocimiento del asunto en atención a su importancia jurídica o con el objeto de unificar criterios sobre el tema. Si al cabo de cinco (5) días la sección guarda silencio, o decide no avocar conocimiento, la actuación continuará ante el respectivo tribunal o juzgado administrativo.

PARÁGRAFO. El recurso de insistencia deberá interponerse por escrito y sustentado en la diligencia de notificación, o dentro de los diez (10) días siguientes a ella.

Concordancias: Art. 27 de la Ley 1712 de 2014.

Nota 1: La Corte Constitucional en el control previo de constitucionalidad declaró la exequibilidad de este artículo, en el entendido de que en los municipios en los que no existe juez administrativo se podrá instaurar el recurso de insistencia ante cualquier juez del lugar. (Corte Constitucional. Sentencia C-951 de 2014. M.P. Martha Victoria Sáchica Méndez). Este pronunciamiento por parte de la Corte Constitucional busca garantizar el acceso a la justicia a los solicitantes en cualquier territorio del país.

Nota 2: Para el Profesor Fabián Gonzalo Marín Cortes, el recurso de insistencia solo ampara el acceso a cierta información que, por consideración de las autoridades, debe negarse al tener la calidad de ser información pública clasificada o reservada (MARÍN CORTÉS, Fabián Gonzalo. Derecho de petición y procedimiento administrativo. Medellín: Librería Jurídica Sánchez R Ltda y CEDA, 2017, pp. 710). Al respecto, es menester precisar que hay dos condiciones para que proceda el recurso de insistencia: i) necesariamente el sujeto obligado a responder el derecho de petición debe expedir una decisión negando el acceso a la información; y ii) la negativa debe motivarse a partir de la existencia de una reserva, ya sea de carácter constitucional o legal (MARÍN CORTÉS, Fabián Gonzalo. Derecho de petición y procedimiento administrativo. Medellín: Librería Jurídica Sánchez R Ltda y CEDA, 2017, pp. 712).

Nota 3: Este artículo presenta una contrariedad con el artículo 27 de la Ley 1712 de 2014, que dispone: «Cuando la respuesta a la solicitud de información invoque la reserva de seguridad y defensa nacional o relaciones internacionales, el solicitante podrá acudir al recurso de reposición, el cual deberá interponerse por escrito y sustentando en la diligencia de notificación, o dentro de los tres (3) días siguientes a ella. Negado este recurso corresponderá al Tribunal administrativo con jurisdicción en el lugar donde se encuentren los documentos, si se trata de autoridades nacionales, departamentales o del Distrito Capital de Bogotá, o al juez administrativo si se trata de autoridades distritales y municipales, decidir en única instancia si se niega o se acepta, total o parcialmente, la petición formulada. Para ello, el funcionario respectivo enviará la documentación correspondiente al tribunal o al juez administrativo en un plazo no superior a tres (3) días. En caso de que el funcionario incumpla esta obligación el solicitante podrá hacer el respectivo envío de manera directa. El juez administrativo decidirá dentro de los diez (10) días siguientes. Este término se interrumpirá en los siguientes casos: 1. Cuando el tribunal o el juez administrativo solicite copia o fotocopia de los documentos sobre cuya divulgación deba decidir, o cualquier otra información que requieran, y hasta la fecha en la cual las reciba oficialmente. 2. Cuando la autoridad solicite, a la sección del Consejo de Estado que el reglamento disponga, asumir conocimiento del asunto en atención a su importancia jurídica o con el objeto de unificar criterios sobre el tema. Si al cabo de cinco (5) días la sección guarda silencio, o decide no avocar conocimiento, la actuación continuará ante el respectivo tribunal o juzgado administrativo. PARÁGRAFO. Será procedente la acción de tutela para aquellos casos no contemplados en el presente artículo, una vez agotado el recurso de reposición del Código Contencioso Administrativo». Este artículo de la Ley 1712 de 2014 establece primero que todo la posibilidad de inteposición del recurso de reposición cuando la respuesta a la solicitud se invoque la reserva de seguridad y defensa nacional o relaciones internacionales a diferencia de lo prescrito en el artículo que se comenta del CPACA. De igual forma, el parágrafo único del artículo 27 de la Ley 1712 de 2014 prescribe la procedencia de la acción de tutela para aquellos eventos no contemplados en dicho artículo agotado el recurso de reposición, infiriendo dos aspectos problemáticos: en primer lugar, que procede la acción de tutela en las demás causales de reserva de la información diferente a defensa y seguridad nacional o relaciones internacionales; en segundo lugar, la exigencia del recurso de reposición para una procedencia previa. En mi criterio, la Ley 1712 de 2014 por ser Ley Estatutaria especial sobre el acceso a la información pública debe primar sobre lo regulado en la Ley Estatutaria del Derecho de Petición que está incorporada en el CPACA. Sin embargo, doctrinantes como, Fabián Gonzalo Marín Cortés expresa que la LEDP derogó en este aspecto a la Ley 1712, ya que estableció mecanismos de protección del derecho de acceso de los documentos públicos cuando la respuesta es negativa por razones de reserva, y retomó el recurso de insistencia, sin restringir su procedencia a determinadas causales (MARÍN CORTÉS, Fabián Gonzalo. Derecho de petición y procedimiento administrativo. Medellín: Librería Jurídica Sánchez R Ltda y CEDA, 2017, pp. 461).

ARTÍCULO 27. INAPLICABILIDAD DE LAS EXCEPCIONES. Sustituido por el artículo 1 de la Ley Estatutaria 1755 de 2015 —LEDP—

El carácter reservado de una información o de determinados documentos, no será oponible a las autoridades judiciales, legislativas, ni a las autoridades administrativas que siendo constitucional o legalmente competentes para ello, los soliciten para el debido ejercicio de sus funciones. Corresponde a dichas autoridades asegurar la reserva de las informaciones y documentos que lleguen a conocer en desarrollo de lo previsto en este artículo.

Concordancias: Art. 10 literal a) de la Ley 1581 de 2012; Arts. 42-44 de la Ley 1621 de 2013; Art. 28 del CPACA; Art. 16 de la Ley 1909 de 2018.

Nota 1: La Corte Constitucional declara la constitucionalidad del artículo, expresando que una interpretación concordante con esos criterios conduce a considerar que la inoponibilidad de la reserva —como excepción a la excepción— en el caso de la información y documentos privados, no puede invocarse por cualquier autoridad administrativa, sino que tiene que tratarse de las funciones enumeradas en el artículo 15 de la Constitución, esto es, funciones judiciales, tributarias, de inspección, vigilancia y control del Estado y que persigan fines constitucionalmente legítimos, necesarios para el cumplimiento de sus funciones (Corte Constitucional. Sentencia C-951 de 2014. M.P. Martha Victoria Sáchica Méndez).

Nota 2: La Corte Constitucional en referencia a la facultad que se otorga a los *legisladores* para solicitar información y documentos reservados se precisa, que aunque principalmente sería propia del ejercicio de la función de control político que la Constitución le asigna al Congreso —art. 114 CP—, bien puede ocurrir que se relacione con el debido ejercicio de las funciones legislativa, constituyente o electoral, eventos en los cuales deberá existir conexidad con el objeto específico de la solicitud. En todo caso, el acceso excepcional de los legisladores a los documentos reservados tendrá las limitaciones previstas en la Constitución, en los artículos 15 y 74, en lo relativo al secreto profesional y el numeral 2 del artículo 136 de la Constitución Política (Corte Constitucional. Sentencia C-951 de 2014. M.P. Martha Victoria Sáchica Méndez).

ARTÍCULO 28. ALCANCE DE LOS CONCEPTOS. Sustituido por el artículo 1 de la Ley Estatutaria 1755 de 2015 —LEDP—

Salvo disposición legal en contrario, los conceptos emitidos por las autoridades como respuestas a peticiones realizadas en ejercicio del derecho a formular consultas no serán de obligatorio cumplimiento o ejecución.

Concordancias: Art. 13 del CPACA; Art. 226 de la Ley 1564 de 2012; Art. 113 de la Ley 1943 de 2018.

Nota 1: Las peticiones de consulta han sido entendidas como preguntas e inquietudes que realiza la persona a las autoridades y a los particulares, con el fin de que estas las resuelvan. En este sentido, Santofimio Gamboa lo considera como un mecanismo didáctico de colaboración de las autoridades con los particulares, en la que no se presenta una formación del acto administrativo o la obtención de la información, sino que su propósito es la obtención de un concepto sobre la interpretación de una disposición del ordenamiento jurídico. (SANTOFIMIO GAMBOA, Jaime Orlando. Tratado de derecho administrativo. Tomo II. Bogotá: Universidad Externado. 6° ed, pp. 206).

Nota 2: El entendimiento frente a la petición de consulta ha surgido de la tradición que estableció el Decreto-Ley 01 de 1984 —Anterior Código Contencioso Administrativo— que en su artículo 25, prescribía: «El derecho de petición incluye el de formular consultas escritas o verbales a las autoridades, en relación con las materias a su cargo, y sin perjuicio de lo que dispongan normas especiales. Estas consultas deberán tramitarse con economía, celeridad, eficacia e imparcialidad y resolverse en un plazo máximo de treinta (30) días. Las respuestas en estos casos no comprometerán la responsabilidad de las entidades que las atienden, ni serán de obligatorio cumplimiento o ejecución». Este artículo fue objeto de control de constitucionalidad, donde la Corte Constitucional expresó que los conceptos emitidos por las entidades públicas en respuesta a un derecho de petición de consultas son orientaciones, puntos de vista, consejos y cumplen tanto una función didáctica como una función de comunicación fluida y transparente. Ahora bien, si se establece una responsabilidad patrimonial por el contenido de tales conceptos, entonces, esto podría significar entre otras cosas, la ruptura del principio de legalidad y una vulneración del principio de Estado de derecho por cuanto se le otorgaría a cada autoridad pública la facultad de hacer una interpretación auténtica de la ley (Corte Constitucional. Sentencia C-542 de 2005. M.P. Humberto Antonio Sierra Porto). En esa misma línea, la Corte Constitucional en el control previo al artículo que se comenta expresa que el legislador no pretende otorgarles un carácter obligatorio a los conceptos, sino que son simples orientaciones en torno a la interpretación de las disposiciones (Corte Constitucional. Sentencia C-951 de 2014. M.P. Martha Victoria Sáchica Méndez).

Nota 3: La Corte Constitucional haciendo un control al artículo 264 de la Ley 223 de 1995 expresó que el concepto se reproduce a instancia del interesado, el cual queda en libertad de acogerlo. No obstante, advierte que cuando el concepto tiene un carácter autorregulador de la actividad administrativa y se impone su exigencia a terceros, puede considerarse como un acto administrativo. Así las cosas, la Corte entiende que los conceptos que emite la Subdirección Jurídica de la Administración de Impuestos y Aduanas

Nacionales son la manifestación de juicios y opiniones sobre la interpretación de las normas jurídicas tributarias, la cual puede nacer de un derecho de petición o para satisfacer las necesidades de las autoridades tributarias. En este sentido, cuando estos conceptos poseen un alcance obligatorio para la Administración y para los administrados, adquieren la categoría de actos administrativos que reglamentan, aunque en un rango inferior a los que expide el Presidente de la República en ejercicio de las facultades del artículo 189 numeral 11 de la Constitución Política. (Corte Constitucional. Sentencia C-487 de 1996. Magistrado Ponente: Antonio Barrera Carbonell).

Nota 4: Se destaca que los conceptos son ejercicio de la función consultiva que se caracteriza por tener una naturaleza administrativa, no siendo privativa de ningún órgano estatal. De este modo, Roberto Dromi expresa: «La función administrativa ejercida por los órganos consultivos es una actividad preparatoria de las decisiones de los órganos activos de la Administración. La actividad de los órganos consultivos se materializa en la formulación de una opinión técnica jurídica calificada, sobre la oportunidad y legalidad de la futura *voluntad administrativa*, tanto en su aspecto intrínseco como extrínseco. Consiste precisamente en una actividad de colaboración técnico-jurídica, que se manifiesta jurídicamente por informes, pareceres, opiniones, en suma, *dictámenes*» (énfasis dentro de texto) (DROMI, Roberto. El acto administrativo. Buenos Aires: Fundación Centro de Estudios Políticos y Administrativos Ediciones Ciudad Argentina. 3° ed. 2000, pp. 224).

ARTÍCULO 29. REPRODUCCIÓN DE DOCUMENTOS. Sustituido por el artículo 1 de la Ley Estatutaria 1755 de 2015 —LEDP—

En ningún caso el precio de las copias podrá exceder el valor de la reproducción. Los costos de la expedición de las copias correrán por cuenta del interesado en obtenerlas.

El valor de la reproducción no podrá ser superior al valor comercial de referencia en el mercado.

Concordancias: Art. 26 de la Ley 1712 de 2014; Art. 15 de la Ley 2052 de 2015; Decreto 1080 de 2015; Acuerdo 01 de 2024 del Archivo General de la Nación.

Nota 1: La Corte Constitucional expresa la constitucionalidad, al establecer un límite al valor de las copias que, si bien resulta razonable que sea el de la reproducción, no puede implicar que supere el valor comercial de las copias, evitándose valoraciones excesivas en cuanto al costo de la reproducción por parte de las autoridades. En tal sentido, el valor de las copias a asumirse por el peticionario debe equivaler al de la reproducción de estas, costo que debe determinarse por parte de la respectiva entidad y que, por lo general, es inferior al valor comercial (Corte Constitucional. Sentencia C-951 de 2014. M.P. Martha Victoria Sáchica Méndez).

Nota 2: La norma que se comenta tiene el mismo propósito que el artículo 26 de la Ley 1712 de 2014, el cual dispone en su inciso segundo: «La respuesta a la solicitud deberá ser gratuita o sujeta a un costo que no supere el valor de la reproducción y envío de la misma al solicitante. Se preferirá, cuando sea posible, según los sujetos pasivos y activo, la respuesta por vía electrónica, con el consentimiento del solicitante». Sin embargo, el artículo 15 de la Ley 2052 de 2015, «por medio de la cual se establecen disposiciones transversales a la rama ejecutiva del nivel nacional y territorial y a los particulares que cumplan funciones públicas y/ o administrativas en relación con la racionalización de trámites y se dictan otras disposiciones», prescribe: «Artículo 15. Consultas de acceso a la información pública. Los trámites que hayan sido establecidos o reglamentados con anterioridad a la expedición de la ley de Transparencia y Acceso a la información Pública, sobre los cuales se tenga alguna tarifa asociada y cumplan con las características de consulta de acceso a información pública, deberán ser gratuitos de inmediato, salvo que se trate de normas de carácter especial, asociados al régimen mercantil, laboral, profesional y de seguridad social».

ARTÍCULO 30. PETICIONES ENTRE AUTORIDADES. Sustituido por el artículo 1 de la Ley Estatutaria 1755 de 2015 —LEDP—

Cuando una autoridad formule una petición de información o de documentos a otra, esta deberá resolverla en un término no mayor de diez (10) días. En los demás casos, resolverá las solicitudes dentro de los plazos previstos en el artículo 14.

Concordancias: Art. 16 del Decreto Ley 2150 de 1995; Art. 14 de la Ley 964 de 2005; Art. 3 núm. 10 del CPACA; Art. 14 del CPACA; Arts. 8 y 13 del Decreto Ley 2106 de 2019.

Nota 1: La Corte Constitucional en su control previo de constitucionalidad determina que el artículo comentado es constitucional al establecer una regla especial para las peticiones de documentos e información entre entidades públicas. Las demás peticiones entre autoridades se sujetan a las mismas reglas que a las peticiones de particulares por vía directa e indirecta. Es decir, se sujetan a los términos de los tipos de petición dispuestas en la Ley Estatutaria, así como en las leyes ordinarias que establecen plazos especiales (Corte Constitucional. Sentencia C-951 de 2014. M.P. Martha Victoria Sáchica Méndez).

Nota 2: La petición entre autoridades se sujeta a los principios de coordinación y colaboración armónica que se funda en que las entidades estatales concertarán sus actividades con las de otras instancias estatales en el cumplimiento de sus cometidos y en el reconocimiento de sus derechos a los particulares. Dichas peticiones también son entendidas como iniciativa obligatoria de la Ley, en el que se señalan aquellos casos en los cuales la Ley establece imperativamente, que las entidades públicas se encuentran en la obligación de solicitar información a otra entidad pública, con el fin de solucionar una situación. Un ejemplo se halla en el Decreto Ley 2150 de 1995, norma que regulaba la supresión de trámites y procedimientos, y algunas disposiciones que concernían a peticiones de información entre entidades públicas. El artículo 16 inicial disponía un término breve para los casos de solicitud oficiosa de información entre entidades públicas, el cual fue modificado por el artículo 14 de la Ley 964 de 2005, pero ambas se centran en que la petición que ejercen las autoridades tiene como función satisfacer una solicitud presentada por un particular. La disposición prescribe: «Artículo 14. Solicitud oficiosa por parte de las entidades públicas. El artículo 16 del Decreto-ley 2150 de 1995, quedará así: "Artículo 16. Solicitud oficiosa por parte de las entidades públicas. Cuando las entidades de la Administración Pública requieran comprobar la existencia de alguna circunstancia necesaria para la solución de un procedimiento o petición de los particulares, que obre en otra entidad pública, procederán a solicitar a la entidad el envío de dicha información. En tal caso, la carga de la prueba no corresponderá al usuario". Será permitido el intercambio de información entre distintas entidades oficiales, en aplicación del principio de colaboración. El envío de la información por fax o cualquier otro medio de transmisión electrónica, proveniente de una entidad pública, prestará mérito suficiente y servirá de prueba en la actuación de que se trate siempre y cuando se encuentre debidamente certificado digitalmente por la entidad que lo expide y haya sido solicitado por el funcionario superior de aquel a quien se atribuya el trámite. Cuando una entidad pública requiera información de otra entidad de la Administración Pública, esta dará prioridad a la atención de dichas peticiones, debiendo resolverlas en un término no mayor de diez (10) días, para lo cual deben proceder a establecer sistemas telemáticos compatibles que permitan integrar y compartir información de uso frecuente por otras autoridades"».

Nota 3: La posibilidad de tutelar otra entidad pública que no responde a su solicitud se encuentra en la jurisprudencia constitucional, la cual ha entendido que impedir a una entidad pública llevar a cabo actividades propias de su competencia que realiza en ejercicio de derechos constitucionales reconocidos a los particulares puede implicar, en determinados casos, una violación de derechos fundamentales. Al respecto, la Sentencia SU-182 de 1998 expresa: «La Corte debe ahora reafirmar que, en la medida en que las personas jurídicas de Derecho Público ejercen funciones públicas, están supeditadas a la Constitución y a la ley en relación con ellas y por tanto no podrían ejercer acción de tutela para esquivar su cumplimiento ni las responsabilidades inherentes a tal ejercicio, ni tampoco por fuera del ámbito de competencias que les corresponden, pero ello no obsta para que, según ha señalado la doctrina constitucional en varias ocasiones, deba reconocer el juez de constitucionalidad la existencia de principios y derechos de carácter universal a los cuales puede apelarse indistintamente por personas naturales o jurídicas, públicas o privadas. Tal ocurre, por ejemplo, con los principios objetivos de índole procesal —que desde el punto de vista subjetivo sustentan el derecho de toda persona al debido proceso—, aplicables y exigibles a todos los trámites judiciales y administrativos, en los cuales, si las personas jurídicas de Derecho Público son partes o terceros afectados, tienen derecho fundamental a la plenitud de las garantías constitucionales». En esta sentencia la Corte expresa la procedencia de la acción de tutela por la naturaleza jurídica de la entidad, que no excluye a las personas jurídicas de Derecho Público del ejercicio de una determinada acción, por el contrario, esta puede ejercitarse para la protección de derechos fundamentales vulnerados por alguna entidad del Estado (Corte Constitucional. Sentencia SU-182 de 1998, M.P. Carlos Gaviria Díaz y José Gregorio Hernández).

ARTÍCULO 31. FALTA DISCIPLINARIA. Sustituido por el artículo 1 de la Ley Estatutaria 1755 de 2015 —LEDP—

La falta de atención a las peticiones y a los términos para resolver, la contravención a las prohibiciones y el desconocimiento de los derechos de las personas de que trata esta Parte Primera del Código, constituirán falta para el servidor público y darán lugar a las sanciones correspondientes de acuerdo con el régimen disciplinario.

Concordancias: Art. 86 del CPACA; Art. 39 núm. 8 de la Ley 1952 de 2019.

Nota 1: Frente a la legislación anterior, la Corte encontró que, si bien la calificación como falta disciplinaria de la desatención al derecho de petición y la contravención de las prohibiciones y de los derechos de las personas de que trata la Primera Parte del Código de Procedimiento Administrativo y de lo Contencioso Administrativo, no contraría con la Constitución, la connotación como gravísima de esta falta en el proyecto de la norma estatutaria quebranta el derecho a la igualdad (art. 13 C.P.) del cual se desprende el principio de proporcionalidad entre la conducta y la sanción a imponer. En consecuencia, la Corte Constitucional procede a declarar exequible el artículo 31 del proyecto de ley estatutaria revisado, salvo el vocablo «*gravísima*» (Corte Constitucional. Sentencia C-951 de 2014. M.P. Martha Victoria Sáchica Méndez).

CAPÍTULO III
DERECHO DE PETICIÓN ANTE ORGANIZACIONES E INSTITUCIONES PRIVADAS

ARTÍCULO 32. DERECHO DE PETICIÓN ANTE ORGANIZACIONES PRIVADAS PARA GARANTIZAR LOS DERECHOS FUNDAMENTALES. Sustituido por el artículo 1 de la Ley Estatutaria 1755 de 2015 —LEDP—

Toda persona podrá ejercer el derecho de petición para garantizar sus derechos fundamentales ante organizaciones privadas con o sin personería jurídica, tales como sociedades, corporaciones, fundaciones, asociaciones, organizaciones religiosas, cooperativas, instituciones financieras o clubes.

<Aparte subrayado CONDICIONALMENTE exequible> Salvo norma legal especial, el trámite y resolución de estas peticiones.

Las organizaciones privadas solo podrán invocar la reserva de la información solicitada en los casos expresamente establecidos en la Constitución Política y la ley.

Las peticiones ante las empresas o personas que administran archivos y bases de datos de carácter financiero, crediticio, comercial, de servicios y las provenientes de terceros países se regirán por lo dispuesto en la Ley Estatutaria del Hábeas Data.

PARÁGRAFO 1o. Este derecho también podrá ejercerse ante personas naturales cuando frente a ellas el solicitante se encuentre en situaciones de indefensión, subordinación o la persona natural se encuentre ejerciendo una función o posición dominante frente al peticionario.

PARÁGRAFO 2o. Los personeros municipales y distritales y la Defensoría del Pueblo prestarán asistencia eficaz e inmediata a toda persona que la solicite, para garantizarle el ejercicio del derecho constitucional de petición que hubiere ejercido o desee ejercer ante organizaciones o instituciones privadas.

PARÁGRAFO 3o. Ninguna entidad privada podrá negarse a la recepción y radicación de solicitudes y peticiones respetuosas, so pena de incurrir en sanciones y/o multas por parte de las autoridades competentes.

Concordancias: Art. 23 de la Const. Pol; Art. 5 de la Ley 1712 de 2014; Art. 33 del CPACA.

Nota 1: En torno a la posibilidad de presentar peticiones ante las organizaciones privadas, Fabián Gonzalo Marín Cortés expresa: «La extensión de este derecho, por pasiva, a las organizaciones privadas, es una medida de protección que asegura a los particulares la oportunidad de ser oídos e informados de las decisiones, medidas, actos u omisiones que un ente de esta misma naturaleza adopte; y que afecta sus intereses; sobre todo en el contexto de las nuevas relaciones económicas y sociales en el mundo, que evidencian que no el Estado amenaza y viola los derechos fundamentales [...]» (MARÍN CORTÉS, Fabián Gonzalo. Derecho de petición y procedimiento administrativo. Medellín: Librería Jurídica Sánchez R Ltda y CEDA, 2017, pp. 180). Se destaca que la necesidad de cumplir los derechos fundamentales por parte de terceros o de agentes privados, que se originan de la relación entre particulares, es conocida en la doctrina alemana como «Drittwirkung» —eficacia frente a terceros de los derechos fundamentales—. Esta doctrina se funda en que los derechos fundamentales contienen principios ordenadores de la vida social de carácter vinculante, en el que ningún acto jurídico privado puede estar en contradicción con los principios básicos de un ordenamiento jurídico (BILBAO UBILLOS, José María. La eficacia de los derechos fundamentales entre los particulares. Madrid: Centro de Estudios Constitucionales, 1997, pp. 271).

Nota 2: La Corte Constitucional en el control previo de constitucionalidad declaró la exequibilidad, salvo la expresión *«estarán sometidos a los principios y reglas establecidos en el Capítulo I de este título»* contenida en el inciso 2 que se declarará exequible bajo el entendido de que al derecho de petición ante organizaciones privadas se aplicarán, en lo pertinente, aquellas disposiciones del Capítulo I que sean compatibles con la naturaleza de las funciones que ejercen los particulares (Corte Constitucional. Sentencia C-951 de 2014. M.P. Martha Victoria Sáchica Méndez).

ARTÍCULO 33. DERECHO DE PETICIÓN DE LOS USUARIOS ANTE INSTITUCIONES PRIVADAS. Sustituido por el artículo 1 de la Ley Estatutaria 1755 de 2015 —LEDP—

Sin perjuicio de lo dispuesto en leyes especiales, a las Cajas de Compensación Familiar, a las Instituciones del Sistema de Seguridad Social Integral, a las entidades que conforman el sistema financiero y bursátil y a aquellas empresas que prestan servicios públicos y servicios públicos domiciliarios, que se rijan por el derecho privado, se les aplicarán en sus relaciones con los usuarios, en lo pertinente, las disposiciones sobre derecho de petición previstas en los dos capítulos anteriores.

Concordancias: Art. 23 de la Const. Pol; Arts. 15 y 16 de la Ley 962 de 2005; Art. 16 del Decreto Ley 019 de 2012; Art. 5 de la Ley 1712 de 2014; Art. 32 del CPACA.

Nota 1: La Corte Constitucional expresa que de esta disposición se deriva una protección especial para los usuarios de entidades que de alguna manera prestan un servicio público, donde se establece la posibilidad de efectuar peticiones respetuosas ante las diversas entidades prestadoras, que se rigen por los mismos principios y reglas aplicables al derecho de petición que se presenta ante las autoridades. En esta línea, el Alto Tribunal expresa que conforme a la redacción de la norma las entidades prestadoras quedan sometidas a los Capítulos I y II de la Ley Estatutaria de Derecho de Petición (Corte Constitucional. Sentencia C-951 de 2014. M.P. Martha Victoria Sáchica Méndez).

Nota 2: El artículo 16 del Decreto Ley 019 de 2012 extiende la aplicación de los artículos 15 y 16 de la Ley 962 de 2005 a los particulares que cumplen funciones administrativas. Al respecto, se destaca que el artículo 15 de la Ley 962 de 2005 prescribe que los organismos y entidades de la Administración pública nacional que conozcan de peticiones, quejas, o reclamos, deben respetar estrictamente el orden de su presentación. En ese sentido, esta norma desarrolla de manera general el *derecho de turno*, definiéndolo como un deber al que les corresponde sujetarse a las entidades estatales al momento de establecer los criterios para respuestas de derechos de petición que se desarrollen en los reglamentos a los que se refería el artículo 32 del Código Contencioso Administrativo. Además, dicho artículo alude al deber de registro que también corresponde a las autoridades administrativas respecto de las solicitudes y documentos presentados por la ciudadanía, indicando además que tal registro será público y tendrá como propósito la verificación del cumplimiento del derecho de turno. Por otro lado, el artículo 16 de la Ley 962 de 2005 dispone que ninguna entidad de cualquier orden podrá cobrar por la realización de sus funciones valor alguno por concepto de tasas, contribuciones, certificaciones, formularios o precio de servicios que no estén autorizados por la ley o mediante norma expedida por las corporaciones públicas del orden territorial. El cobro y la actualización de dichas tarifas deberá hacerse en lo definido en la ley, ordenanza o acuerdo que las autorizó. Así mismo, las autoridades no podrán incrementar o regular cobros por efectos de la automatización, estandarización o mejora de los procesos asociados a la gestión de los trámites.

TÍTULO III
PROCEDIMIENTO ADMINISTRATIVO GENERAL

CAPÍTULO I
REGLAS GENERALES

ARTÍCULO 34. PROCEDIMIENTO ADMINISTRATIVO COMÚN Y PRINCIPAL

Las actuaciones administrativas se sujetarán al procedimiento administrativo común y principal que se establece en este Código, sin perjuicio de los procedimientos administrativos regulados por leyes especiales. En lo no previsto en dichas leyes se aplicarán las disposiciones de esta Parte Primera del Código.

Concordancias: Art. 29 y 209 de la Const. Pol; Arts. 2 y 3 del CPACA.

Nota 1: De conformidad a lo prescrito en el artículo 2, inciso 3 de este Código las normas que regulan el procedimiento administrativo general son supletivas, es decir, solo se aplican a falta de reglas en los procedimientos administrativos especiales. En tal sentido, este artículo establece que el procedimiento común y principal es subsidiario y supletivo de leyes sectoriales que regulan sus propios procedimientos administrativos. Este aspecto permite comprender que esta primera parte del Código es una fuente supletiva ante los vacíos y lagunas de las leyes que regulan diferentes sectores administrativos, como la educación, planeación, cultura, deporte, servicios públicos, contratación, hacienda, entre otros.

ARTÍCULO 35. TRÁMITE DE LA ACTUACIÓN Y AUDIENCIAS

Los procedimientos administrativos se adelantarán por escrito, verbalmente, o por medios electrónicos de conformidad con lo dispuesto en este Código o la ley.

Cuando las autoridades procedan de oficio, los procedimientos administrativos únicamente podrán iniciarse mediante escrito, y por medio electrónico sólo cuando lo autoricen este Código o la ley, debiendo informar de la iniciación de la actuación al interesado para el ejercicio del derecho de defensa.

Las autoridades podrán decretar la práctica de audiencias en el curso de las actuaciones con el objeto de promover la participación ciudadana, asegurar el derecho de contradicción, o contribuir a la pronta adopción de decisiones. De toda audiencia se dejará constancia de lo acontecido en ella.

Concordancias: Art. 29 y 209 de la Const. Pol; Arts. 32 y 33 de la Ley 489 de 1998; Arts. 2 y 3 del CPACA.

ARTÍCULO 36. FORMACIÓN Y EXAMEN DE EXPEDIENTES

Los documentos y diligencias relacionados con una misma actuación se organizarán en un solo expediente, al cual se acumularán, con el fin de evitar decisiones contradictorias, de oficio o a petición de interesado, cualesquiera otros que se tramiten ante la misma autoridad.

Si las actuaciones se tramitaren ante distintas autoridades, la acumulación se hará en la entidad u organismo donde se realizó la primera actuación. Si alguna de ellas se opone a la acumulación, podrá acudirse, sin más trámite, al mecanismo de definición de competencias administrativas.

Con los documentos que por mandato de la Constitución Política o de la ley tengan el carácter de reservados y obren dentro de un expediente, se hará cuaderno separado.

Cualquier persona tendrá derecho a examinar los expedientes en el estado en que se encuentren, salvo los documentos o cuadernos sujetos a reserva y a obtener copias y certificaciones sobre los mismos, las cuales se entregarán en los plazos señalados en el artículo 14.

Concordancias: Ley 527 de 1999; Ley 594 de 2000; Arts. 3 y 55 del CPACA; Arts. 13, 15, 16 y 17 de la Ley 1712 de 2014; Art. 2.2.2.39.1 del Decreto 1074 de 2015; Decreto 1080 de 2015; Art. 16 del Decreto Ley 2106 de 2019; Modelo de Gestión Documental y Administración de Archivo —MGDA del Archivo General de la Nación—; Acuerdo 01 de 2024 del Archivo General de la Nación.

Nota 1: El artículo 1.3.4. del Acuerdo 01 de 2024, «Por el cual se establece el Acuerdo Único de la Función Archivística, se definen los criterios técnicos y jurídicos para su implementación en el Estado Colombiano y se fijan otras disposiciones», se complementa con el artículo en mención al disponer: «Es responsabilidad de los sujetos obligados implementar acciones en articulación con las áreas de tecnologías de la información, o quien haga sus veces, para garantizar la conformación de expedientes, organización, conservación, preservación y acceso a los documentos y archivos, que se gestionan a través de sistemas de información o plataformas transaccionales de uso común en las entidades del Estado. Por lo anterior, los sujetos obligados deben garantizar la implementación del Sistema de Gestión de Documentos Electrónicos de Archivo para la conformación y gestión de los expedientes electrónicos, atendiendo el ciclo vital de los documentos y de conformidad con los Cuadros de Clasificación Documental y Tablas de Retención Documental. Parágrafo. Las condiciones o restricciones para el acceso y seguridad aplicables a los documentos deben estar claramente señaladas en los instrumentos de acceso a la información pública, en concordancia con lo establecido en el Título 7 "Acceso y consulta de documentos" del presente Acuerdo».

Nota 2: En torno a la conformación de expedientes administrativos hay que aludir a los expedientes híbridos, por lo que es necesario tener en cuenta lo dispuesto en el artículo 4.3.3.1. del Acuerdo 01 de 2024, «Por el cual se establece el Acuerdo Único de la Función

Archivística, se definen los criterios técnicos y jurídicos para su implementación en el Estado Colombiano y se fijan otras disposiciones», que prescribe: «Artículo 4.3.3.1. Conformación de expedientes híbridos. Cuando se conformen de manera simultánea expedientes por documentos en soportes físicos y formatos electrónicos, a pesar de estar separados por ser conservados en sus formatos nativos (soportes originales), se debe garantizar que forman una sola unidad documental en razón al trámite o actuación y mantener el vínculo archivístico apoyado por el uso de herramientas tecnológicas. Parágrafo 1. Los sujetos obligados deben implementar estrategias que les permitan asegurar la completitud del expediente, cuya ordenación debe respetar el principio de orden original; así mismo, el expediente deberá cumplir los tiempos de retención y disposición final establecidos en la Tabla de Retención Documental. Parágrafo 2. En la hoja de control y en el índice electrónico, debe existir una referencia cruzada que relacione y describa los documentos de naturaleza diferente (físico y electrónico) que conforman el expediente híbrido con el fin de garantizar su integridad y vínculo archivístico».

ARTÍCULO 37. DEBER DE COMUNICAR LAS ACTUACIONES ADMINISTRATIVAS A TERCEROS

Cuando en una actuación administrativa de contenido particular y concreto la autoridad advierta que terceras personas puedan resultar directamente afectadas por la decisión, les *comunicará* la existencia de la actuación, el objeto de la misma y el nombre del peticionario, si lo hubiere, para que puedan constituirse como parte y hacer valer sus derechos.

La comunicación se remitirá a la dirección o correo electrónico que se conozca si no hay otro medio más eficaz. De no ser posible dicha *comunicación*, o tratándose de terceros indeterminados, la información se divulgará a través de un medio masivo de comunicación nacional o local, según el caso, o a través de cualquier otro mecanismo eficaz, habida cuenta de las condiciones de los posibles interesados. De tales actuaciones se dejará constancia escrita en el expediente.

Concordancias: Arts. 29 y 209 de la Const. Pol; Arts. 3° núm. 1, 9 y 38 del CPACA.

Nota 1: La comunicación al igual que la notificación es una manifestación del principio de publicidad establecido en el artículo 209 de la Constitución. El concepto comunicar en el procedimiento administrativo significa que por medio de un acto escrito u otro medio —electrónico, telefónico— se le informe a la persona de ciertos actos de trámite o preparatorios.

Nota 2: La Sentencia C-341 de 2014 se originó en la demanda de las expresiones referentes a la «*comunicación*» del artículo que se comenta, pues según el accionante se vulneraba el derecho al debido proceso de los terceros que pueden afectarse con un procedimiento administrativo, al considerar que debía ser la notificación el medio idóneo para la publicidad de los actos. Al respecto, la Corte Constitucional dispuso que: «[...] el deber de comunicar las actuaciones administrativas de que trata el artículo 37 es a "*terceras personas* *que puedan resultar directamente afectadas por la decisión"* que se adopte en la actuación y que como tal no son partes dentro de la misma, pudiéndose en algunos casos desconocer su paradero, motivo por el cual la notificación personal no es necesariamente el mecanismo idóneo para ponerle en conocimiento de la existencia de la actuación, y en modo alguno cuando se trata de terceras personas indeterminadas. En este sentido, afirma la Corte que resulta razonable que el Legislador en ejercicio de su libertad de configuración, disponga diversas formas de enteramiento, según las condiciones del tercero, de que se trate, como lo son: (i) la utilización de los medios más eficaces posibles (libertad de medios de comunicación); (ii) la remisión de la comunicación a la dirección o correo electrónico del tercero si se conoce y si no hay otro medio más eficaz y (iii) la divulgación de la comunicación en un medio masivo de comunicación local o nacional, las cuales aseguren en mayor medida que la información llegará a su destinatario, para que este último pueda como lo señala el mismo artículo 37, "*constituirse como parte y hacer valer sus derechos*", o incluso (iv) cuando luego de la ejecución de algunos actos administrativos en donde quede claro el conocimiento de los terceros, se disponga la posibilidad de contradecir la decisión» (Corte Constitucional. C-341 de 2014. M.P. Mauricio González Cuervo).

Nota 3: Este artículo establece dos reglas para comunicar a un tercero la actuaciones en un procedimiento administrativo: i) la comunicación se remite al correo electrónico si se tiene conocimiento de este, o a otro medio que se considera más eficaz, el cual está determinado por las condiciones o medios que posea la persona; ii) cuando los terceros son indeterminados o los medios que se utilizaron no fueron eficaces, es necesario que se divulgue la información en un medio masivo de comunicación nacional o local, que puede ser un periódico, una emisora, una cadena de televisión, o cualquier otro medio que sea eficaz para informarle al tercero del procedimiento administrativo que se adelanta.

ARTÍCULO 38. INTERVENCIÓN DE TERCEROS

Los terceros podrán intervenir en las actuaciones administrativas con los mismos derechos, deberes y responsabilidades de quienes son parte interesada, en los siguientes casos:

1. Cuando hayan promovido la actuación administrativa sancionatoria en calidad de denunciantes, resulten afectados con la conducta por la cual se adelanta la investigación, o estén en capacidad de aportar pruebas que contribuyan a dilucidar los hechos materia de la misma.

2. Cuando sus derechos o su situación jurídica puedan resultar afectados con la actuación administrativa adelantada en interés particular, o cuando la decisión que sobre ella recaiga pueda ocasionarles perjuicios.

3. Cuando la actuación haya sido iniciada en interés general.

PARÁGRAFO. La petición deberá reunir los requisitos previstos en el artículo 16 y en ella se indicará cuál es el interés de participar en la actuación y se allegarán o solicitarán las pruebas que el interesado pretenda hacer valer. La autoridad que la tramita la resolverá de plano y contra esta decisión no procederá recurso alguno.

Concordancias: Art. 29 de la Const. Pol; Art. 3 núms. 1 y 9, 16 del CPACA; Art. 48 del Decreto Ley 902 de 2017.

Nota 1: Este artículo está relacionado con el artículo 37, que regula la comunicación a terceros. En torno a este tema, Fabián Gonzalo Marín Cortés expresa que los terceros son partes en el procedimiento administrativo, a diferencia del proceso judicial, y su forma de vincularse es mediante una petición. Posterior a la presentación de la solicitud es que sea admitida en la actuación administrativa, y la segunda, que resuelvan de fondo a los intereses de los terceros (MARÍN CORTÉS, Fabián Gonzalo. Derecho de petición y procedimiento administrativo. Medellín: Librería Jurídica Sánchez R Ltda y CEDA, 2017, pp. 506).

ARTÍCULO 39. CONFLICTOS DE COMPETENCIA ADMINISTRATIVA

Los conflictos de competencia administrativa se promoverán de oficio o por solicitud de la persona interesada. La autoridad que se considere incompetente remitirá la actuación a la que estime competente; si esta también se declara incompetente, remitirá inmediatamente la actuación a la Sala de Consulta y Servicio Civil del Consejo de Estado en relación con autoridades del orden nacional o al Tribunal Administrativo correspondiente en relación con autoridades del orden departamental, distrital o municipal. En caso de que el conflicto involucre autoridades nacionales y territoriales, o autoridades territoriales de distintos departamentos, conocerá la Sala de Consulta y Servicio Civil del Consejo de Estado.

De igual manera se procederá cuando dos autoridades administrativas se consideren competentes para conocer y definir un asunto determinado.

<Inciso modificado por el artículo 2 de la Ley 2080 de 2021. El nuevo texto es el siguiente:> En los dos eventos descritos se observará el siguiente procedimiento: recibida la actuación en Secretaría se comunicará por el medio más eficaz a las autoridades involucradas y a los particulares interesados y se fijará un edicto por el término de cinco (5) días, plazo en el que estas podrán presentar alegatos o consideraciones. Vencido el anterior término, la Sala de Consulta y Servicio Civil del Consejo de Estado o el tribunal, según el caso, decidirá dentro de los cuarenta (40) días siguientes: Contra esta decisión no procederá recurso alguno.

Mientras se resuelve el conflicto, los términos señalados en el artículo 14 se suspenderán.

Concordancias: Art. 21 del CPACA

Nota 1: Este artículo que se comenta es igual que la Ley 954 de 2005 —modificatoria del pasado Código Contencioso Administrativo— establece que es competencia de la Sala de Consulta y Servicio Civil del Consejo de Estado cuando: i) el conflicto subyace entre autoridades de orden nacional; ii) entre autoridades nacionales y territoriales; iii) autoridades territoriales de distintos departamentos. En caso de conflicto entre entidades de orden departamental, distrital y municipal, conoce el Tribunal Administrativo de la circunscripción territorial de estas.

Nota 2: Sobre los conflictos de competencias administrativas, la Sala de Consulta y Servicio Civil ha precisado sus elementos de la siguiente manera: i) la existencia de dos autoridades, en relación con un asunto administrativo determinado, en el que manifiestan expresamente que son competentes (conflicto positivo) o incompetentes (conflicto negativo) para decidir sobre el tema; ii) el conflicto debe versar sobre un asunto concreto que sea la materia de discusión; iii) el conflicto debe tener naturaleza administrativa, excluyendo los conflictos jurisdiccionales y legislativos, en consonancia con el artículo 2° del CPACA que estipula en el ámbito de aplicación que son las autoridades que cumplen funciones administrativas (Consejo de Estado. Sala de Consulta Civil. Decisión del 14 de noviembre de 2012. C.P. Augusto Hernández Becerra. Radicación número: 11001-03-06-000-2012-00095-00(C)).

Nota 3: El único cambio normativo a este artículo que introdujo la Ley 2080 de 2021 corresponde al término de decisión que tiene la Sala de Consulta y Servicio Civil del Consejo de Estado o el tribunal para resolver el conflicto de competencia, ya que pasó de veinte (20) días a los cuarenta (40) días siguientes.

ARTÍCULO 40. PRUEBAS

Durante la actuación administrativa y hasta antes de que se profiera la decisión de fondo se podrán aportar, pedir y practicar pruebas de oficio o a petición del interesado sin requisitos especiales. *Contra el acto que decida la solicitud de pruebas no proceden recursos*. El interesado contará con la oportunidad de controvertir las pruebas aportadas o practicadas dentro de la actuación, antes de que se dicte una decisión de fondo.

Los gastos que ocasione la práctica de pruebas correrán por cuenta de quien las pidió. Si son varios los interesados, los gastos se distribuirán en cuotas iguales.

Serán admisibles todos los medios de prueba señalados en el Código de Procedimiento Civil.

Concordancias: Art. 108 de la Ley 142 de 1994; Arts. 34 y 35 del CPACA; Ley 1564 de 2012.

Nota 1*: A la fecha, entiéndase Código General del Proceso (CGP).

Nota 2: La Corte Constitucional en la Sentencia C-034 de 2014 estudió la demanda de inconstitucionalidad contra la expresión contra el acto que decida la solicitud de pruebas no proceden recursos al presuntamente vulnerar el debido proceso consagrado en el artículo 29 de la Constitución Política. Al respecto, el Alto Tribunal expresa que el aparte acusado no prohíbe el ejercicio de los derechos de aportar pruebas y controvertirlas durante la actuación administrativa ni se proyecta en las decisiones ulteriores como propone el accionante. En tal sentido, la Corte Constitucional declara la exequibilidad del artículo señalando que al legislador en su libertad de configuración le corresponde establecer los recursos que aplican en cada procedimiento, así como adoptar la decisión de preservarlos, modificarlos o eliminarlos y, por tanto, implica además una sujeción al principio democrático (Corte Constitucional. Sentencia C-034 de 2014. M.P. María Victoria Calle Correa).

ARTÍCULO 41. CORRECCIÓN DE IRREGULARIDADES EN LA ACTUACIÓN ADMINISTRATIVA

La autoridad, en cualquier momento anterior a la expedición del acto, de oficio o a petición de parte, corregirá las irregularidades que se hayan presentado en la actuación administrativa para ajustarla a derecho, y adoptará las medidas necesarias para concluirla.

Concordancias: Arts. 29, 83 y 209 de la Const. Pol; Art. 49 de la Ley 80 de 1993; Art. 3 del CPACA.

Nota 1: En aras de garantizar el debido proceso administrativo, la Administración de oficio o a solicitud de parte subsanará los errores o irregularidades que se presentan en la actuación administrativa para ajustarla, a fin de evitar vicios en la validez del acto administrativa, ya sea por falta de motivación, falsa motivación, entre otros. En esa misma línea, el artículo 49 de la Ley 80 de 1993 dispone: «[…] Ante la ocurrencia de vicios que no constituyan causales de nulidad y cuando las necesidades del servicio lo exijan o las reglas de la buena administración lo aconsejen, el jefe o representante legal de la entidad, en acto motivado, podrá sanear el correspondiente vicio».

Nota 2: El Consejo de Estado, en especial la Sección Segunda y Quinta han expresado que lo dispuesto en este artículo corresponde a una competencia, fundada en el principio de autotutela administrativa, pero no significa que se asimile a la revocación de los actos administrativos, regulada en los artículos 93 a 97 del CPACA (Consejo de Estado. Sección Quinta. Auto del 12 de noviembre de 2020. Rad. 76001-23-33-000-2020-00895-01. C.P. Carlos Enrique Moreno Rubio; Consejo de Estado. Sección Segunda. Subsección A. Sentencia del 3 de septiembre de 2020. Rad. 17001-23-33-000-2017-00100-02 Acumulado. Exp. 4103-2018. C.P. William Hernández Gómez; Consejo de Estado. Sección Segunda. Subsección A. Auto del 17 de septiembre de 2024. Rad. 11001-03-25-000-2024-00258-00. Exp. 3424-2024. C.P. Jorge Iván Duque Gutiérrez). En tal sentido, la corrección del artículo que se comenta busca anticipar la expedición de actos ilegales, subsanando los vicios previos a su emisión. En otras palabras, la corrección de errores dentro del procedimiento administrativo busca garantizar que el acto administrativo no esté viciado de nulidad.

ARTÍCULO 42. CONTENIDO DE LA DECISIÓN

Habiéndose dado oportunidad a los interesados para expresar sus opiniones, y con base en las pruebas e informes disponibles, se tomará la decisión, que será motivada.

La decisión resolverá todas las peticiones que hayan sido oportunamente planteadas dentro de la actuación por el peticionario y por los terceros reconocidos.

Concordancias: Arts. 29 y 209 de la Const. Pol; Arts. 37, 38 y 80 del CPACA.

Nota 1: Este artículo es la manifestación del principio de congruencia, es decir, que la Administración Pública resuelva las peticiones que hayan sido oportunamente planteadas, garantizando que la solicitud sea resuelta de fondo. La cuestión por plantear es la posibilidad de que las entidades puedan tomar decisiones administrativas *ultra petita* —más allá de lo solicitado— o en su defecto, *extra petita* —por fuera de lo solicitado—. Si bien, se salvaguarda el derecho de petición con el principio de congruencia, en aras de ser garantista es posible que la Administración resuelva más allá de lo pedido o fuera de lo pedido, en pro del derecho de la persona.

ARTÍCULO 43. ACTOS DEFINITIVOS

Son actos definitivos los que decidan directa o indirectamente el fondo del asunto o hagan imposible continuar la actuación.

Concordancias: Art. 74 del CPACA.

Nota 1: El concepto de acto definitivo puede entenderse como un acto de la Administración que puede constituirse en ocasiones en un acto administrativo. Al respecto, Marín Cortés expresa que los actos definitivos, ya sea administrativos o no, pueden impugnarse según las reglas del artículo 74 del CPACA. En este sentido, el mencionado doctrinante expresa que, por ejemplo, los conceptos que se originan de peticiones de consulta no son actos administrativos, pero si definitivos (MARÍN CORTÉS, Fabián Gonzalo. Derecho de petición y procedimiento administrativo. Medellín: Librería Jurídica Sánchez R Ltda y CEDA, 2017, pp. 656). Bajo esta orientación, se señala que hay actos de la Administración que no son actos administrativos, pero que son declaraciones unilaterales que en ejercicio de la función administrativa resuelven de forma directa o indirecta un asunto y ponen fin a una actuación, como puede ser el caso de los conceptos que tienen como finalidad resolver dudas o inquietudes en torno al alcance o interpretación de una disposición normativa.

Nota 2: Dentro de la Doctrina extranjera, son simples actos de la Administración las propuestas y los dictámenes. En este sentido, se plantea que la propuesta es la decisión por la que un órgano sugiere a otro que dicte un acto determinado; por otro lado, los dictámenes son el resultado de una actividad de colaboración técnico-jurídica que realicen por lo general los órganos que tienen la función consultiva (DROMI, Roberto. El acto administrativo. Buenos Aires: Fundación Centro de Estudios Políticos y Administrativos Ediciones Ciudad Argentina. 3° ed. 2000, pp. 221-224).

ARTÍCULO 44. DECISIONES DISCRECIONALES

En la medida en que el contenido de una decisión de carácter general o particular sea discrecional, debe ser adecuada a los fines de la norma que la autoriza, y proporcional a los hechos que le sirven de causa.

Concordancias: Art. 3 del CPACA.

Nota 1: Las potestades son la manifestación de poder jurídico otorgada por el orden jurídico a la Administración Pública, la cual pueden ser: i) potestades regladas, que predeterminan todas y cada una de las condiciones para la toma de decisiones; y ii) las potestades discrecionales, se concibe como el margen de apreciación para la actuación de la Administración Pública en una circunstancia particular. En torno a las potestades discrecionales, Richard Steve Ramírez Grisales expresa: «[...] las potestades discrecionales no tienen existencia ante supuestas lagunas de la disposición sino ante el silencio del legislador para precisar una solución específica para un supuesto que puede admitir varias. Así, entonces, la existencia de la potestad encuentra sustento directo en el ordenamiento jurídico, el cual permite una libertad discrecional para que la Administración elija en un caso concreto» (RAMÍREZ GRISALES, Richard S. Las potestades administrativas regladas y discrecionales en el derecho administrativo. En: Letras Jurídicas, Volumen 17, N° 1, 2012, pp. 76).

Nota 2: En torno a las decisiones discrecionales, Hugo Alberto Marín Hernández expresa: «[...] la discrecionalidad administrativa consiste básicamente en una tenue programación positiva de la actividad de la Administración pública por parte del legislador, con el consiguiente traslado a ella de la posibilidad de definir los criterios de aplicación de la norma atributiva de la potestad correspondiente, de suerte que quien aplica dicho precepto habilitante está llamado a completar su supuesto de hecho, deliberadamente inacabado o impreciso, en sede administrativa, con criterios objetivos y razonables de decisión que no son otros distintos de los que arroje —por medio de la pertinente regla de precedencia condicionada— la utilización del juicio de proporcionalidad para resolver la inevitable colisión entre principios que plantea todo caso en el cual se ejerzan facultades discrecionales» (MARÍN HERNÁNDEZ, Hugo Alberto. El principio de proporcionalidad en el derecho administrativo. Bogotá: Universidad Externado, 2018, pp. 43-44). En otras palabras, la discrecionalidad administrativa no debe concebirse como un ejercicio de libertad de la Administración, sino como facultades o potestades para que la entidad pública decida los medios que debe ejercer para la concreción de los fines respectivos.

Nota 3: La discrecionalidad de la Administración Pública para tomar decisiones no significa que pueda ir en contra de estas. Un límite a dicha discrecionalidad se evidencia en la teoría o doctrina del acto propio «venire contra factum proprium unlla conceditur» es decir, que nadie ir contra sus propios actos. Dicho principio consiste en que una persona contradiga su propia conducta, cuando esta generó una expectativa legítima en otra persona y resultó en una situación relevante. Al respecto, Lopez Mesa y Rogel Vide expresan: «[...] la llamada doctrina de los actos propios, que en realidad, constituye una inadmisibilidad o veda de ir contra los propios actos, constituye técnicamente un límite del ejercicio de un derecho subjetivo o de una facultad reconocida al sujeto que luego pretende variar de comportamiento. La doctrina de los actos propios es, entonces, una limitación al ejercicio de un derecho, que reconoce como fundamento una razón de política jurídica: la protección de la confianza suscitada por el comportamiento antecedente, que luego se pretende desconocer» (LÓPEZ MESA, Marcelo J; ROGEL VIDE, Carlos. La doctrina de los actos propios. Doctrina y jurisprudencia. Buenos Aires y Montevideo: Reus y B de F, 2005. pp. 90-91). Así mismo, Diez Sastre: «La doctrina de los actos propios se refiere a situaciones en las que existe una *conexión entre el acto anterior y posterior*, en las que, por tanto, *los sujetos afectados son los mismos*. Esto significa que la administración no puede contradecir sus actuaciones en el marco de una misma relación jurídica, por ejemplo, en el caso de realización de una promesa o una consulta» (DÍEZ SASTRE, Silvia. El precedente administrativo. Fundamentos y eficacia vinculante. Barcelona: Marcial Pons, 2008. p. 240).

ARTÍCULO 45. CORRECCIÓN DE ERRORES FORMALES

En cualquier tiempo, de oficio o a petición de parte, se podrán corregir los errores simplemente formales contenidos en los actos administrativos, ya sean aritméticos, de digitación, de transcripción o de omisión de palabras. En ningún caso la corrección dará lugar a cambios en el sentido material de la decisión, ni revivirá los términos legales para demandar el acto. Realizada la corrección, esta deberá ser notificada o comunicada a todos los interesados, según corresponda.

Concordancias: Art. 29 y 83 de la Const. Pol; Art. 866 del Decreto 624 de 1989 —Estatuto Tributario—.

Nota 1: Este artículo permite que la Administración de oficio o petición de parte pueda corregir errores formales, ya sea aritméticos, de digitación, de transcripción o de omisión de palabras, que no implican en un estricto sentido un cambio en la decisión administrativa ni revive los términos para demandar el acto administrativo. Sin embargo, establece el deber de la Entidad de notificar o comunicar a todos los interesados.

Nota 2: Con un contenido similar, el Decreto 624 de 1989 —Estatuto Tributario— dispone: «Artículo 866. Corrección de los Actos Administrativos y Liquidaciones Privadas. Podrán corregirse en cualquier tiempo, de oficio o a petición de parte, los errores aritméticos o de transcripción cometidos en las providencias, liquidaciones oficiales y demás actos administrativos, mientras no se haya ejercitado la acción Contencioso-Administrativa».

Nota 3: La corrección de errores formales no debe confundirse con la omisión de un considerando de una resolución o de uno de los destinatarios del acto administrativo, pues en estos escenarios se está ante una necesidad de modificación del acto administrativo. Es decir, en este tipo de supuestos se está ante una alteración sustancial que requiere la modificación del acto mediante otro acto administrativo que cumpla con los requisitos de motivación, competencia y procedimiento establecidos por el ordenamiento jurídico.

CAPÍTULO II
MECANISMOS DE CONSULTA PREVIA

ARTÍCULO 46. CONSULTA OBLIGATORIA

Cuando la Constitución o la ley ordenen la realización de una consulta previa a la adopción de una decisión administrativa, dicha consulta deberá realizarse dentro de los términos señalados en las normas respectivas, so pena de nulidad de la decisión que se llegare a adoptar.

Concordancias: Convenio 169 de la Organización Internacional del Trabajo —OIT—; Arts. 1, 7, 8, 9, 40, 63, 70, 171, 176, 246, 329 y 330 de la Const. Pol.; Ley 21 de 1991; Art. 3 núm. 6, Art. 8 núm. 8 del CPACA; Decreto 2353 de 2019.

Nota 1: La decisión unilateral de la Administración, que se manifiesta en el acto administrativo es el resultado de la participación de varios actores sociales, siendo necesario tener en cuenta principios, como la participación, la coordinación, entre otros. En tal sentido, se está ante una democratización de la acción administrativa, pues se requiere como condición previa y de validez de la decisión administrativa.

Nota 2: La Corte Constitucional mediante Sentencia SU-123 de 2018 exhortó al Gobierno Nacional y al Congreso de la República para que, con base en los lineamientos expuestos en dicha sentencia adopten las medidas pertinentes para regular los certificados de presencia y afectación de comunidades étnicas, que hagan efectivo el derecho a la consulta previa, de acuerdo a lo prescrito en el Convenio 169 de la OIT; y de igual modo, se realicen los ajustes para que la institución encargada de otorgar los certificados de presencia y afectación de comunidades étnicas cuente con autonomía e independencia administrativa y financieras, necesarias para cumplir su función (Corte Constitucional. Sentencia SU-123 de 2018. M.P. Alberto Rojas Ríos y Rodrigo Uprimny Yepes)

CAPÍTULO III
PROCEDIMIENTO ADMINISTRATIVO SANCIONATORIO

ARTÍCULO 47. PROCEDIMIENTO ADMINISTRATIVO SANCIONATORIO

Los procedimientos administrativos de carácter sancionatorio no regulados por leyes especiales o por el Código Disciplinario Único se sujetarán a las disposiciones de esta Parte Primera del Código. Los preceptos de este Código se aplicarán también en lo no previsto por dichas leyes.

Las actuaciones administrativas de naturaleza sancionatoria podrán iniciarse de oficio o por solicitud de cualquier persona. Cuando como resultado de averiguaciones preliminares, la autoridad establezca que existen méritos para adelantar un procedimiento sancionatorio, así lo comunicará al interesado. Concluidas las averiguaciones preliminares, si fuere del caso, formulará cargos mediante acto administrativo en el que señalará, con precisión y claridad, los hechos que lo originan, las personas naturales o jurídicas objeto de la investigación, las disposiciones presuntamente vulneradas y las sanciones o medidas que serían procedentes Este acto administrativo deberá ser notificado personalmente a los investigados. Contra esta decisión no procede recurso.

Los investigados podrán, dentro de los quince (15) días siguientes a la notificación de la formulación de cargos, presentar los descargos y solicitar o aportar las pruebas que pretendan hacer valer. Serán rechazadas de manera motivada, las inconducentes, las impertinentes y las superfluas y no se atenderán las practicadas ilegalmente.

PARÁGRAFO 1o. <Parágrafo renumerado> Las actuaciones administrativas contractuales sancionatorias, incluyendo los recursos, se regirán por lo dispuesto en las normas especiales sobre la materia.

PARÁGRAFO 2o. <Parágrafo adicionado por el artículo 3 de la Ley 2080 de 2021. El nuevo texto es el siguiente:> En los procedimientos administrativos sancionatorios fiscales el término para presentar descargos y solicitar o aportar pruebas será de cinco (5) días.

Concordancias: Art. 29 de la Const. Pol; Título IV de la Ley 1333 de 2009; Art. 86 de la Ley 1474 de 2011.

ARTÍCULO 47A. SUSPENSIÓN PROVISIONAL EN EL PROCEDIMIENTO ADMINISTRATIVO SANCIONATORIO FISCAL

<Artículo adicionado por el artículo 4 de la Ley 2080 de 2021. El nuevo texto es el siguiente:> Durante el procedimiento administrativo sancionatorio fiscal, el funcionario que lo esté adelantando podrá ordenar motivadamente la suspensión provisional del servidor público, sin derecho a remuneración alguna, siempre y cuando se evidencien serios elementos de juicio que permitan establecer que la permanencia en el cargo, función o servicio público posibilita la interferencia del

autor de la conducta en el trámite del proceso o permite que continúe cometiéndola o que la reitere.

El término de la suspensión provisional será de un (1) mes, prorrogable hasta en otro tanto. En todo caso, cuando desaparezcan los motivos que dieron lugar a la medida, la suspensión provisional deberá ser revocada por quien la profirió, o por el superior funcional del funcionario competente para dictar el fallo de primera instancia.

El acto que decreta la suspensión provisional y las decisiones de prórroga serán objeto de consulta, previo a su cumplimiento.

Para los efectos propios de la consulta, el funcionario competente comunicará la decisión al afectado, quien contará con tres (3) días para presentar alegaciones en su favor y las pruebas en las que se sustente. Vencido el término anterior, se remitirá de inmediato el proceso al superior, quien contará con diez (10) días para decidir sobre su procedencia o modificación. En todo caso, en sede de consulta no podrá agravarse la medida provisional impuesta.

Cuando la sanción impuesta fuere de suspensión, para su cumplimiento se tendrá en cuenta el lapso cumplido de la suspensión provisional.

PARÁGRAFO 1o. Quien hubiere sido suspendido provisionalmente será reintegrado a su cargo o función y tendrá derecho al reconocimiento y pago de la remuneración dejada de percibir durante el período de suspensión, cuando el procedimiento administrativo sancionatorio fiscal termine o sea archivado sin imposición de sanción.

No obstante la suspensión del pago de la remuneración, subsistirá a cargo de la entidad la obligación de hacer los aportes a la seguridad social y los parafiscales respectivos.

PARÁGRAFO 2o. La facultad prevista en el presente artículo será ejercida exclusivamente por la Contraloría General de la República.

Concordancias: Ley 610 de 2000.

Nota 1: La responsabilidad fiscal es definida en el artículo 1 de la Ley 610 de 2000 como «[...] el conjunto de actuaciones administrativas adelantadas por las Contralorías con el fin de determinar y establecer la responsabilidad de los servidores públicos y de los particulares, *cuando en el ejercicio de la gestión fiscal o con ocasión de ésta*, causen por acción u omisión y en forma dolosa o culposa un daño al patrimonio del Estado» (Énfasis fuera de texto). En efecto, este tipo de responsabilidad administrativa busca que se administre adecuadamente el patrimonio público, por lo que la doctrina ha establecido los siguientes elementos: i) vinculación con en el ejercicio de la gestión fiscal; ii) autonomía en torno a la responsabilidad civil; iii) carácter resarcitorio o reparatorio; y iv) constitución de elementos como el daño, culpa y nexo de causalidad (SÁNCHEZ TORRES, Carlos Ariel y otros. *Responsabilidad fiscal y control al gasto público*. Bogotá: Editorial Jurídica Diké y Centro Editorial Universidad del Rosario, 2004, p. 99).

Nota 2: Se señala que la condición necesaria para que se configure y le brinde autonomía frente a la responsabilidad civil es la *gestión fiscal*, la cual es el deber de orientar un manejo adecuado de los bienes y recursos públicos, siendo necesario establecer su alcance y aplicación. Al respecto, el artículo 3 de la Ley 610, la define: «Para los efectos de la presente ley, se entiende por *gestión fiscal* el conjunto de actividades económicas, jurídicas y tecnológicas, que realizan los servidores públicos y las personas de derecho privado que *manejen o administren recursos o fondos públicos, tendientes a la adecuada y correcta adquisición, planeación, conservación, administración, custodia, explotación, enajenación, consumo, adjudicación, gasto, inversión y disposición de los bienes públicos, así como a la recaudación, manejo e inversión de sus rentas* en orden a cumplir los fines esenciales del Estado, con sujeción a los principios de legalidad, eficiencia, economía, eficacia, equidad, imparcialidad, moralidad, transparencia, publicidad y valoración de los costos ambientales» (Énfasis fuera de texto). Este concepto abarca múltiples actividades de la administración, que giran en torno a las diferentes etapas de gestión del patrimonio público; sin embargo, la relación del sujeto responsable con el fisco no siempre es directa, pues un aparte del artículo 1 de la Ley 610 establece que hay responsabilidad *en el ejercicio de la gestión fiscal o con ocasión de ésta*. En torno a este tema, la Corte Constitucional en la Sentencia C-840 de 2001, haciendo un examen de constitucionalidad de esta normatividad, expresó: «El sentido unitario de la expresión o con ocasión de ésta sólo se justifica en la medida en que los actos que la materialicen comporten una relación de conexidad próxima y necesaria para con el desarrollo de la gestión fiscal. Por lo tanto, en cada caso se impone examinar si la respectiva conducta guarda alguna relación para con la noción específica de gestión fiscal, bajo la comprensión de que ésta tiene una entidad material y jurídica propia que se desenvuelve mediante planes de acción, programas, actos de recaudo, administración, inversión, disposición y gasto, entre otros, con miras a cumplir las funciones constitucionales y legales que en sus respetivos ámbitos convocan la atención de los servidores públicos y los particulares responsables del manejo de fondos o bienes del Estado.[...]». Consecuentemente, si el objeto del control fiscal comprende la vigilancia del manejo y administración de los bienes y recursos públicos, fuerza reconocer que a las contralorías les corresponde investigar, imputar cargos y deducir responsabilidades en cabeza de quienes en el manejo de tales haberes, o con ocasión de su gestión, causen daño al patrimonio del Estado por acción u omisión, tanto en forma dolosa como culposa. Y es que no tendría sentido un control fiscal desprovisto de los medios y mecanismos conducentes al establecimiento de responsabilidades fiscales con la subsiguiente recuperación de los montos resarcitorios. La defensa y protección del erario público así lo exige en aras de la moralidad y de la efectiva realización de las tareas públicas. Universo fiscal dentro del cual transitan como potenciales destinatarios, entre otros, los directivos y personas de las entidades que profieran decisiones determinantes de gestión fiscal, así como quienes desempeñen funciones de ordenación, control, dirección y coordinación, contratistas y particulares que causen perjuicios a los ingresos y bienes del Estado, siempre y cuando se sitúen dentro de la órbita de la gestión fiscal en razón de sus poderes y deberes fiscales (Énfasis dentro de texto) (Corte Constitucional. Sentencia C-840 de 2001. M.P. Jaime Araujo Rentería).

ARTÍCULO 48. PERÍODO PROBATORIO

Cuando deban practicarse pruebas se señalará un término no mayor a treinta (30) días. Cuando sean tres (3) o más investigados o se deban practicar en el exterior el término probatorio podrá ser hasta de sesenta (60) días.

Vencido el período probatorio se dará traslado al investigado por diez (10) días para que presente los alegatos respectivos.

PARÁGRAFO. <Parágrafo adicionado por el artículo 5 de la Ley 2080 de 2021. El nuevo texto es el siguiente:> En los procedimientos administrativos sancionatorios fiscales el término para la práctica de pruebas no será mayor a diez (10) días, si fueran tres (3) o más investigados o se deban practicar en el exterior podrá ser hasta de treinta (30) días. El traslado al investigado será por cinco (5) días.

ARTÍCULO 49. CONTENIDO DE LA DECISIÓN

El funcionario competente proferirá el acto administrativo definitivo dentro de los treinta (30) días siguientes a la presentación de los alegatos.

El acto administrativo que ponga fin al procedimiento administrativo de carácter sancionatorio deberá contener:

1. La individualización de la persona natural ó jurídica a sancionar.
2. El análisis de hechos y pruebas con base en los cuales se impone la sanción.
3. Las normas infringidas con los hechos probados.
4. La decisión final de archivo o sanción y la correspondiente fundamentación.

PARÁGRAFO. <Parágrafo adicionado por el artículo 6 de la Ley 2080 de 2021. El nuevo texto es el siguiente:> En los procedimientos administrativos sancionatorios fiscales se proferirá el acto administrativo definitivo dentro de los quince (15) días siguientes a la presentación de los alegatos.

Los términos dispuestos para el procedimiento administrativo sancionatorio fiscal deberán cumplirse oportunamente so pena de las sanciones disciplinarias a las que haya lugar.

ARTÍCULO 49A. RECURSOS EN EL PROCEDIMIENTO ADMINISTRATIVO SANCIONATORIO FISCAL

<Artículo adicionado por el artículo 7 de la Ley 2080 de 2021. El nuevo texto es el siguiente:> Contra las decisiones que imponen una sanción fiscal proceden

los recursos de reposición, apelación y queja. Los recursos de reposición y apelación se podrán interponer y sustentar dentro de los cinco (5) días siguientes a la notificación de la respectiva decisión al interesado.

El recurso de reposición deberá resolverse dentro de los quince (15) días siguientes a su interposición. Cuando se interponga recurso de apelación el funcionario competente lo concederá en el efecto suspensivo y enviará el expediente al superior funcional o jerárquico según el caso, dentro de los cinco (5) días siguientes a su interposición o a la última notificación del acto que resuelve el recurso de reposición, si a ello hubiere lugar.

El recurso de apelación contra el acto administrativo que impone sanción deberá ser decidido, en un término de tres (3) meses contados a partir de su debida y oportuna interposición. Si los recursos no se deciden en el término fijado en esta disposición, se entenderán fallados a favor del recurrente.

Dentro de los cinco (5) días siguientes a la notificación de la decisión que niega el recurso de apelación, se podrá interponer y sustentar el recurso de queja. Si no se hiciere oportunamente, se rechazará.

PARÁGRAFO. Contra las decisiones de simple trámite no procede recurso alguno.

Concordancias: Arts. 74 al 82 del CPACA.

ARTÍCULO 50. GRADUACIÓN DE LAS SANCIONES

Salvo lo dispuesto en leyes especiales, la gravedad de las faltas y el rigor de las sanciones por infracciones administrativas se graduarán atendiendo a los siguientes criterios, en cuanto resultaren aplicables:

1. Daño o peligro generado a los intereses jurídicos tutelados.
2. Beneficio económico obtenido por el infractor para sí o a favor de un tercero.
3. Reincidencia en la comisión de la infracción.
4. Resistencia, negativa u obstrucción a la acción investigadora o de supervisión.
5. Utilización de medios fraudulentos o utilización de persona interpuesta para ocultar la infracción u ocultar sus efectos.
6. Grado de prudencia y diligencia con que se hayan atendido los deberes o se hayan aplicado las normas legales pertinentes.
7. Renuencia o desacato en el cumplimiento de las órdenes impartidas por la autoridad competente.

8. Reconocimiento o aceptación expresa de la infracción antes del decreto de pruebas.

Concordancias: Art. 29 de la Const. Pol.

ARTÍCULO 51. DE LA RENUENCIA A SUMINISTRAR INFORMACIÓN

Las personas particulares, sean estas naturales o jurídicas, que se rehúsen a presentar los informes o documentos requeridos en el curso de las investigaciones administrativas, los oculten, impidan o no autoricen el acceso a sus archivos a los funcionarios competentes, o remitan la información solicitada con errores significativos o en forma incompleta, serán sancionadas con multa a favor del Tesoro Nacional o de la respectiva entidad territorial, según corresponda, hasta de cien (100) salarios mínimos mensuales legales vigentes al momento de la ocurrencia de los hechos. La autoridad podrá imponer multas sucesivas al renuente, en los términos del artículo 90 de este Código.

La sanción a la que se refiere el anterior inciso se aplicará sin perjuicio de la obligación de suministrar o permitir el acceso a la información o a los documentos requeridos.

Dicha sanción se impondrá mediante resolución motivada, previo traslado de la solicitud de explicaciones a la persona a sancionar, quien tendrá un término de diez (10) días para presentarlas.

La resolución que ponga fin a la actuación por renuencia deberá expedirse y notificarse dentro de los dos (2) meses siguientes al vencimiento del término para dar respuesta a la solicitud de explicaciones. Contra esta resolución procede el recurso de reposición, el cual deberá interponerse dentro de los cinco (5) días siguientes a la fecha de la notificación.

PARÁGRAFO. Esta actuación no suspende ni interrumpe el desarrollo del procedimiento administrativo sancionatorio que se esté adelantando para establecer la comisión de infracciones a disposiciones administrativas.

ARTÍCULO 52. CADUCIDAD DE LA FACULTAD SANCIONATORIA

Salvo lo dispuesto en leyes especiales, la facultad que tienen las autoridades para imponer sanciones caduca a los tres (3) años de ocurrido el hecho, la conducta u omisión que pudiere ocasionarlas, término dentro del cual el acto administrativo que impone la sanción debe haber sido expedido y notificado. Dicho acto sancionatorio es diferente de los actos que resuelven los recursos, los cuales deberán ser decididos, so pena de pérdida de competencia, en un término de un (1) año contado a partir de su debida y oportuna interposición. *Si los recursos no se deciden en el término fijado en esta disposición, se entenderán fallados a favor del recurrente,* sin perjuicio de la responsabilidad patrimonial y disciplinaria que tal abstención genere para el funcionario encargado de resolver.

Cuando se trate de un hecho o conducta continuada, este término se contará desde el día siguiente a aquel en que cesó la infracción y/o la ejecución.

La sanción decretada por acto administrativo prescribirá al cabo de cinco (5) años contados a partir de la fecha de la ejecutoria.

Concordancias: Art. 10 de la Ley 1333 de 2009.

Nota 1: La expresión «*Si los recursos no se deciden en el término fijado en esta disposición, se entenderán fallados a favor del recurrente*», fue demandada por inconstitucional al considerarse que contraría lo regulado en los artículos 2, 29, 92 y 209 de la Constitución Política, porque presuntamente hace ineficaz el derecho de la Administración a cumplir los fines del Estado, su derecho al debido proceso, el derecho que tiene toda persona a solicitar al Estado que imponga las sanciones penales y administrativas, como los principios que rigen la función pública. Al respecto, la Corte Constitucional expresa que la hipótesis del silencio administrativo positivo no puede entenderse contraria al derecho al debido proceso de la administración ni al orden social justo, pues es al Estado al que le corresponde definir la situación jurídica de las personas. Efecto diferente es la responsabilidad civil y patrimonial del funcionario que omitió resolver en tiempo, asunto que el precepto acusado consagra expresamente. Por lo tanto, la Corte decidió que la figura regulada en este artículo, salvo circunstancias excepcionales como la fuerza mayor o el caso fortuito que justifiquen la mora en la resolución del recurso, se ajusta al artículo 29 constitucional. Asimismo, consideró que este artículo no es incompatible con la facultad que se regula en el artículo 92 de la Constitución, porque su reconocimiento deja incólume la posibilidad que tiene toda persona natural o jurídica de solicitar la aplicación de sanciones penales o disciplinarias, las cuales deben sujetarse el debido proceso (Corte Constitucional. Sentencia C-875 de 2011. M.P. Jorge Ignacio Pretelt Chaljub).

CAPÍTULO IV
UTILIZACIÓN DE MEDIOS ELECTRÓNICOS EN EL PROCEDIMIENTO ADMINISTRATIVO

ARTÍCULO 53. PROCEDIMIENTOS Y TRÁMITES ADMINISTRATIVOS A TRAVÉS DE MEDIOS ELECTRÓNICOS

Los procedimientos y trámites administrativos podrán realizarse a través de medios electrónicos. Para garantizar la igualdad de acceso a la administración, la autoridad deberá asegurar mecanismos suficientes y adecuados de acceso gratuito a los medios electrónicos, o permitir el uso alternativo de otros procedimientos.

En cuanto sean compatibles con la naturaleza de los procedimientos administrativos, se aplicarán las disposiciones de la Ley 527 de 1999 y las normas que la sustituyan, adicionen o modifiquen.

Concordancias: Arts. 29 y 209 de la Const. Pol; Ley 527 de 1999; Art. 14 del Decreto Ley 019 de 2012; Arts. 8, 9, 10, 14, 15, 16 y 17 del Decreto Ley 2106 de 2019.

Nota 1: La Ley 527 de 1999, «Por medio de la cual se define y reglamenta el acceso y uso de los mensajes de datos, del comercio electrónico y de las firmas digitales, y se establecen las entidades de certificación y se dictan otras disposiciones» es un antecedente del procedimiento administrativo electrónico. Este, tiene como propósito una comunicación más cercana con el ciudadano y un tipo de sociedad postindustrial dan paso a un nuevo reto de la Administración Pública, que es garantizar que a los administrados le solucionen sus necesidades con prontitud.

Nota 2: Este artículo busca garantizar la igualdad de acceso a la Administración, por lo que debe asegurarse mecanismos suficientes y adecuados de acceso gratuito a los medios electrónicos, o facilitar el uso alternativo de otros procedimientos. Así mismo, posibilita la aplicación de las reglas de la Ley 527 de 1999, en lo que se compatible a la naturaleza de los procedimientos administrativos.

ARTÍCULO 53A. USO DE MEDIOS ELECTRÓNICOS

<Artículo adicionado por el artículo 8 de la Ley 2080 de 2021. El nuevo texto es el siguiente:> Cuando las autoridades habiliten canales digitales para comunicarse entre ellas, tienen el deber de utilizar este medio en el ejercicio de sus competencias.

Las personas naturales y jurídicas podrán hacer uso de los canales digitales cuando así lo disponga el proceso, trámite o procedimiento.

El Gobierno nacional, a través del Ministerio de Tecnologías de la Información y las Comunicaciones, podrá a través de reglamento establecer para cuáles procedimientos, trámites o servicios será obligatorio el uso de los medios electrónicos por parte de las personas y entidades públicas. El ministerio garantizará las condiciones de acceso a las autoridades para las personas que no puedan acceder a ellos.

Concordancias: Ley 527 de 1999; Art. 14 del Decreto Ley 019 de 2012; Arts. 8-10 y 14-17 del Decreto Ley 2106 de 2019.

Nota 1: Este artículo no estaba contemplado en el CPACA y fue adicionado por el artículo 8 de la Ley 2080 de 2021, en el que se pretende que las autoridades habiliten canales digitales para comunicarse entre ellas, siendo un deber el uso de este medio en el ejercicio de sus competencias. Así mismo, busca que las personas naturales y jurídicas hagan uso de los canales digitales cuando así se disponga, así como la competencia del Gobierno Nacional mediante el Ministerio de la Tecnologías de la Información y las Comunicaciones de la posibilidad de reglamentar en cuáles procedimientos, trámites o servicios son exigibles el uso de medios electrónicos por parte de las personas y entidades públicas.

Nota 2: Este artículo está en consonancia de los Decretos Leyes Antitrámites 019 de 2012 y 2106 de 2021, en los que se regula la obligación del uso de canales digitales entre entidades para el cumplimiento de sus competencias. En esta línea, se destaca el artículo 10 del Decreto Ley 2106 de 2019, que dispone: «Las autoridades deben vincular a los mecanismos que disponga la Agencia Nacional Digital, los instrumentos, programas, mecanismos, desarrollos, plataformas, aplicaciones, entre otros, que contribuyan a masificar las capacidades del Estado en la prestación de servicios digitales [...]».

ARTÍCULO 54. REGISTRO PARA EL USO DE MEDIOS ELECTRÓNICOS

<Inciso modificado por el artículo 9 de la Ley 2080 de 2021. El nuevo texto es el siguiente:> Toda persona tiene el derecho de actuar ante las autoridades utilizando medios electrónicos, caso en el cual deberá realizar sin ningún costo un registro previo como usuario ante la autoridad competente. Si así lo hace, las autoridades continuarán la actuación por este medio.

<Inciso modificado por el artículo 9 de la Ley 2080 de 2021. El nuevo texto es el siguiente:> Las peticiones de información y consulta hechas a través de correo electrónico no requerirán del referido registro y podrán ser atendidas por la misma vía. El registro del que trata el presente artículo deberá contemplar el Régimen General de Protección de Datos Personales.

Las actuaciones en este caso se entenderán hechas en término siempre que hubiesen sido registrados hasta antes de las doce de la noche y se radicarán el siguiente día hábil.

Concordancias: Ley 527 de 1999; Arts. 4, 15, 16, 53, 53A, 55, 57, 58 y 59 del CPACA; Ley 1581 de 2012; Art. 14 del Decreto Ley 019 de 2012; Arts. 8-10 y 14-17 del Decreto Ley 2106 de 2019.

Nota 1: El texto original del inciso primero de este artículo es el siguiente: «Toda persona tiene el derecho de actuar ante las autoridades utilizando medios electrónicos, caso en el cual deberá registrar su dirección de correo electrónico en la base de datos dispuesta para tal fin. Sí así lo hace, las autoridades continuarán la actuación por este medio, a menos que el interesado solicite recibir notificaciones o comunicaciones por otro medio diferente». De lo precitado, se evidencia que no se presentó una modificación sustancial, en el entendido que se prescribe que cuando la solicitud se hace de forma electrónica continuará por este mismo medio, sin embargo, la modificación de la Ley 2080 no posibilita que el interesado solicite recibir notificaciones o comunicaciones por medios diferentes.

Nota 2: El texto original del inciso segundo de este artículo es el siguiente: «Las peticiones de información y consulta hechas a través de correo electrónico no requerirán del referido registro y podrán ser atendidas por la misma vía». De lo precitado, se evidencia que la modificación de la Ley 2080 consiste en que las peticiones de información y de consulta hechas por medios electrónicos debe contemplar el Régimen General de Protección de Datos Personales, aspecto que no tenía la regulación anterior.

Nota 3: Las actuaciones que se hagan por medio electrónico se entienden hechas en término con la condición de que hubiesen sido registradas antes de las doce de la noche y se radican en el siguiente día hábil.

ARTÍCULO 55. DOCUMENTO PÚBLICO EN MEDIO ELECTRÓNICO

Los documentos públicos autorizados o suscritos por medios electrónicos tienen la validez y fuerza probatoria que le confieren a los mismos las disposiciones del Código de Procedimiento Civil.

Las reproducciones efectuadas a partir de los respectivos archivos electrónicos se reputarán auténticas para todos los efectos legales.

Concordancias: Ley 527 de 1999; Ley 594 de 2000; Arts. 3 y 36 del CPACA; Arts. 13, 15-17 de la Ley 1712 de 2014; Art. 2.2.2.39.1 del Decreto 1074 de 2015; Decreto 1080 de 2015; Art. 16 del Decreto Ley 2106 de 2019; Modelo de Gestión Documental y Administración de Archivo - MGDA del Archivo General de la Nación; Acuerdo 01 de 2024 del Archivo General de la Nación.

Nota 1*: A la fecha, entiéndase Código General del Proceso (CGP).

Nota 2: Los documentos públicos en medio electrónico deben tratarse de acuerdo a los principios y procesos archivísticos y permanecer almacenados de forma electrónica durante su ciclo y de conformidad con el Plan de Preservación Digital a largo plazo. Desde la planeación y producción de los documentos electrónicos deben incorporarse mecanismos que garanticen la fiabilidad, autenticidad, integridad, veracidad e inalterabilidad, durante el ciclo vital de los documentos, con el fin de impedir el uso no autorizada, modificación, traslado, ocultamiento o la destrucción de los documentos. Esto de conformidad con el artículo 4.1.4. del Acuerdo 01 de 2024 del Archivo General de la Nación «Por el cual se establece el Acuerdo Único de la Función Archivística, se definen los criterios técnicos y jurídicos para su implementación en el Estado Colombiano y se fijan otras disposiciones».

ARTÍCULO 56. NOTIFICACIÓN ELECTRÓNICA

<Artículo modificado por el artículo 10 de la Ley 2080 de 2021. El nuevo texto es el siguiente:> Las autoridades podrán notificar sus actos a través de medios electrónicos, siempre que el administrado haya aceptado este medio de notificación.

Sin embargo, durante el desarrollo de la actuación el interesado podrá solicitar a la autoridad que las notificaciones sucesivas no se realicen por medios electrónicos, sino de conformidad con los otros medios previstos en el Capítulo Quinto del presente Título, a menos que el uso de medios electrónicos sea obligatorio en los términos del inciso tercero del artículo 53A del presente título.

Las notificaciones por medios electrónicos se practicarán a través del servicio de notificaciones que ofrezca la sede electrónica de la autoridad.

Los interesados podrán acceder a las notificaciones en el portal único del Estado, que funcionará como un portal de acceso.

La notificación quedará surtida a partir de la fecha y hora en que el administrado acceda a la misma, hecho que deberá ser certificado por la administración.

Concordancias: Art. 29 y 209 de la Const. Pol; Art. 10 del Decreto Ley 2150 de 1995 modificado por el artículo 10 de la Ley 964 de 2005; Arts. 23-25 de la Ley 527 de 1999; Arts. 3, 53-62 y 67 del CPACA; Art. 14 del Decreto Ley 019 de 2012; Arts. 9 y 14 del Decreto Ley 2106 de 2019.

Nota 1: El texto original de este artículo previa a su modificación por la Ley 2080 de 2021, es el siguiente: «Las autoridades podrán notificar sus actos a través de medios electrónicos, siempre que el administrado haya aceptado este medio de notificación. Sin embargo, durante el desarrollo de la actuación el interesado podrá solicitar a la autoridad que las notificaciones sucesivas no se realicen por medios electrónicos, sino de conformidad con los otros medios previstos en el Capítulo Quinto del presente Título. La notificación quedará surtida a partir de la fecha y hora en que el administrado acceda al acto administrativo, fecha y hora que deberá certificar la administración». La modificación de la Ley 2080 consiste en que si bien el interesado podrá solicitar a la autoridad que las notificaciones sucesivas no se realicen por medios electrónicos, salvo lo dispuesto en el inciso tercero del Artículo 53A, que prescribe que el Gobierno Nacional mediante el Ministerio de Tecnologías de la Información y las Comunicación podrá reglamentar cuáles procedimientos, trámites o servicios son exigibles el uso de medios electrónicos por parte de las personas y entidades públicas.

Nota 2: Con el fin de garantizar la actuación de la notificación de los actos administrativos, bien sea mediante medios electrónicos o servicios postales, la Administración debe establecer los procedimientos y controles sobre los sistemas de confirmación, o sobre los documentos que permiten constatar la notificación, así como salvaguardar su archivo o vinculación con el expediente de la serie o subserie documental. Esto de conformidad con el artículo 4.2.10 del Acuerdo 01 de 2024 del Archivo General de la Nación, «Por el cual se establece el Acuerdo Único de la Función Archivística, se definen los criterios técnicos y jurídicos para su implementación en el Estado Colombiano y se fijan otras disposiciones».

ARTÍCULO 57. ACTO ADMINISTRATIVO ELECTRÓNICO

Las autoridades, en el ejercicio de sus funciones, podrán emitir válidamente actos administrativos por medios electrónicos siempre y cuando se asegure su autenticidad, integridad y disponibilidad de acuerdo con la ley.

Concordancias: Ley 527 de 1999; Ley 594 de 2000; Arts. 3, 36, 55, 58 y 59 del CPACA; Art. 2.2.2.39.1 del Decreto 1074 de 2015; Decreto 1080 de 2015; Art´. 16 del Decreto Ley 2106 de 2019; Modelo de Gestión Documental y Administración de Archivo - MGDA del Archivo General de la Nación, Acuerdo 01 de 2024 del Archivo General de la Nación.

Nota 1: Este artículo se refiere a los actos administrativos expresos y no los actos administrativos fictos o presuntos derivados del silencio administrativo negativo. Es decir, se está ante actos administrativos que son concebidos como una declaración unilateral de la Administración —en sentido orgánico o funcional— encaminados a la producción de efectos jurídicos generales o particulares, abstractos o concretos. Frente a este tipo de actos administrativos deberá garantizarse su autenticidad, integridad y disponibilidad.

Nota 2: En torno al acto administrativo electrónico, Berrocal Guerrero expresa: «Cuando se ha hecho uso de esta forma para expedir los actos administrativos, se ha de considerar que tales actos constan por escrito, es decir, que equivalen a la forma escrita de los mismos, si es accesible para su posterior consulta, según se dispone en el artículo 6° de la citada Ley 527, y no se pueden desconocer sus efectos jurídicos, validez o fuerza obligatoria por la sola circunstancia de encontrarse expedido en esa forma de mensaje de datos» (BERROCAL GUERRERO, Luis Enrique. Manual del acto administrativo. Según la Ley, la jurisprudencia y la doctrina. 7° ed. Bogotá: Librería Ediciones del Profesional Ltda, 2019, pp.192).

ARTÍCULO 58. ARCHIVO ELECTRÓNICO DE DOCUMENTOS

Cuando el procedimiento administrativo se adelante utilizando medios electrónicos, los documentos deberán ser archivados en este mismo medio. Podrán almacenarse por medios electrónicos, todos los documentos utilizados en las actuaciones administrativas.

La conservación de los documentos electrónicos que contengan actos administrativos de carácter individual, deberá asegurar la autenticidad e integridad de la información necesaria para reproducirlos, y registrar las fechas de expedición, notificación y archivo.

Concordancias: Ley 527 de 1999; Ley 594 de 2000; Arts. 3, 36, 55, 57 y 59 del CPACA; Arts. 13, 15, 16 y 17 de la Ley 1712 de 2014; Art. 2.2.2.39.1 del Decreto 1074 de 2015; Decreto 1080 de 2015; Art´. 16 del Decreto Ley 2106 de 2019; Modelo de Gestión Documental y Administración de Archivo - MGDA del Archivo General de la Nación, Acuerdo 01 del Archivo General de la Nación.

Nota 1: Este artículo adquiere relevancia al referirse al archivo electrónico de documentos, por lo que es necesario tener en cuenta lo dispuesto por el Archivo General en su Acuerdo 01 de 2024, «Por el cual se establece el Acuerdo Único de la Función Archivística, se definen los criterios técnicos y jurídicos para su implementación en el Estado Colombiano y se fijan otras disposiciones». Al respecto, el artículo 4.3.2.1. dispone: «[…] Los sujetos obligados deben conformar los expedientes electrónicos de acuerdo con el Cuadro de Clasificación Documental - CCD y las Tablas de Retención Documental - TRD e incorporarlos al Sistema de Gestión de Documentos Electrónicos de Archivo - SGDEA, desde el inicio de un trámite, actuación o procedimiento hasta su finalización o disposición final. Parágrafo 1. Durante la conformación y gestión de los expedientes, conforme al ciclo vital de documento, deberá garantizarse el almacenamiento en repositorios digitales de confianza con criterios de seguridad de la información. Parágrafo 2. Los expedientes electrónicos de archivo se conformarán con la totalidad de los documentos de archivo generados en desarrollo de un mismo trámite, actuación o procedimiento, independientemente del tipo de información y formato, respetando el principio de orden original y deben agruparse conforme a las series y subseries documentales. Parágrafo 3. Para la implementación del Sistema de Gestión de Documentos Electrónicos de Archivo - SGDEA, las entidades deben previamente elaborar el Modelo de Requisitos de Documentos Electrónicos de Archivo, atendiendo los lineamientos establecidos por el Archivo General de la Nación Jorge Palacios Preciado».

ARTÍCULO 59. EXPEDIENTE ELECTRÓNICO

<Artículo modificado por el artículo 11 de la Ley 2080 de 2021. El nuevo texto es el siguiente:> El expediente electrónico es el conjunto de documentos electrónicos correspondientes a un procedimiento administrativo, cualquiera que sea el tipo de información que contengan. El expediente electrónico deberá garantizar condiciones de autenticidad, integridad y disponibilidad.

La autoridad respectiva garantizará la seguridad digital del expediente y el cumplimiento de los requisitos de archivo y conservación en medios electrónicos, de conformidad con la ley.

Las entidades que tramiten procesos a través de expediente electrónico trabajarán coordinadamente para la optimización de estos, su interoperabilidad y el cumplimiento de estándares homogéneos de gestión documental.

Concordancias: Ley 527 de 1999; Ley 594 de 2000; Arts. 3, 36, 55, 57 y 58 del CPACA; Arts. 13, 15, 16 y 17 de la Ley 1712 de 2014; Art. 2.2.2.39.1 del Decreto 1074 de 2015; Decreto 1080 de 2015; Art. 16 del Decreto Ley 2106 de 2019; Modelo de Gestión Documental y Administración de Archivo - MGDA del Archivo General de la Nación; Acuerdo 01 de 2024 del Archivo General de la Nación.

Nota 1: El texto original de este artículo, previa a su modificación por la Ley 2080 de 2021, es el siguiente: «El expediente electrónico es el conjunto de documentos electrónicos correspondientes a un procedimiento administrativo, cualquiera que sea el tipo de información que contengan. El foliado de los expedientes electrónicos se llevará a cabo mediante un índice electrónico, firmado digitalmente por la autoridad, órgano o entidad actuante, según proceda. Este índice garantizará la integridad del expediente electrónico y permitirá su recuperación cuando se requiera. La autoridad respectiva conservará copias de seguridad periódicas que cumplan con los requisitos de archivo y conservación en medios electrónicos, de conformidad con la ley». De lo precitado y teniendo en cuenta el artículo vigente, se evidencia que se resalta la importancia de la seguridad digital del expediente y el cumplimiento de los requisitos de archivo y conservación en medios electrónicos y así mismo, se destaca que las entidades que tramiten procesos mediante expediente electrónico deben coordinarse para la optimización de estos, su interoperabilidad y la sujeción de estándares homogéneos de gestión documental.

Nota 2: Este artículo adquiere relevancia al referirse al expediente electrónico, siendo necesario tener en cuenta lo dispuesto por el Archivo General en su Acuerdo 01 de 2024, «Por el cual se establece el Acuerdo Único de la Función Archivística, se definen los criterios técnicos y jurídicos para su implementación en el Estado Colombiano y se fijan otras disposiciones». Al respecto, el artículo 4.3.2.2. dispone: «[...] El expediente electrónico tendrá mínimo los siguientes elementos: 1. Documentos electrónicos de archivo. 2. Índice electrónico. 3. Firma del índice electrónico. 4. Metadatos de contenido, estructura, contexto y los demás que se definan por la entidad para los documentos y expedientes electrónicos creados, garantizando que se conserven y se actualicen durante el ciclo de vida de los documentos. Los metadatos describen los documentos y los expedientes electrónicos. Parágrafo. Los estándares técnicos de documentos electrónicos, expediente electrónico, índice electrónico y metadatos serán establecidos por el Archivo General de la Nación Jorge Palacios Preciado en articulación con el Ministerio de Tecnologías de la Información y las Comunicaciones, a partir de los estándares internacionales. Por su parte, los estándares de gestión documental de los documentos electrónicos serán los que señale el Archivo General de la Nación Jorge Palacios Preciado».

Nota 3: En torno a este tema, el artículo 16 del Decreto Ley 2106 de 2019 dispone: Artículo 16. «*Gestión documental electrónica y preservación de la información*. Las autoridades que realicen trámites, procesos y procedimientos por medios digitales deberán disponer de sistemas de gestión documental electrónica y de archivo digital, asegurando la conformación de expedientes electrónicos con características de integridad, disponibilidad y autenticidad de la información. La emisión, recepción y gestión de comunicaciones oficiales, a través de los diversos canales electrónicos, deberá asegurar un adecuado tratamiento archivístico y estar debidamente alineado con la gestión documental electrónica y de archivo digital. Las autoridades deberán generar estrategias que permitan el tratamiento adecuado de los documentos electrónicos y garantizar la disponibilidad y acceso a largo plazo conforme a los principios y procesos archivísticos definidos por el Archivo General de la Nación en coordinación con el Ministerio de Tecnologías de la Información y las Comunicaciones. Parágrafo. Las autoridades deberán disponer de una estrategia de seguridad digital siguiendo los lineamientos que emita el Ministerio de Tecnologías de la Información y las Comunicaciones».

ARTÍCULO 60. SEDE ELECTRÓNICA

<Artículo modificado por el artículo 12 de la Ley 2080 de 2021. El nuevo texto es el siguiente:> Se entiende por sede electrónica, la dirección electrónica oficial de titularidad, administración y gestión de cada autoridad competente, dotada de las medidas jurídicas, organizativas y técnicas que garanticen calidad, seguridad, disponibilidad, accesibilidad, neutralidad e interoperabilidad de la información y de los servicios, de acuerdo con los estándares que defina el Gobierno nacional.

Toda autoridad deberá tener al menos una dirección electrónica.

Concordancias: Art. 14 del Decreto Ley 019 de 2012; Art. 60A del CPACA; Arts. 9, 10, 14 y 15 del Decreto Ley 2106 de 2019.

Nota 1: El texto original de este artículo, previa a su modificación por la Ley 2080 de 2021, era el siguiente: «Artículo 60. Sede electrónica. Toda autoridad deberá tener al menos una dirección electrónica. La autoridad respectiva garantizará condiciones de calidad, seguridad, disponibilidad, accesibilidad, neutralidad e interoperabilidad de la información de acuerdo con los estándares que defina el Gobierno Nacional. Podrá establecerse una sede electrónica común o compartida por varias autoridades, siempre y cuando se identifique claramente quién es el responsable de garantizar las condiciones de calidad, seguridad, disponibilidad, accesibilidad, neutralidad e interoperabilidad. Así mismo, cada autoridad usuaria de la sede compartida será responsable de la integridad, autenticidad y actualización de la información y de los servicios ofrecidos por este medio». De acuerdo con el texto precitado, se evidencia que el actual artículo no regula el tema de la sede electrónica compartida y establece la obligación que toda autoridad debe tener al menos una dirección electrónica.

ARTÍCULO 60A. SEDE ELECTRÓNICA COMPARTIDA

<Artículo adicionado por el artículo 13 de la Ley 2080 de 2021. El nuevo texto es el siguiente:> La sede electrónica compartida será el Portal Único del Estado colombiano a través de la cual la ciudadanía accederá a los contenidos, procedimientos, servicios y trámites disponibles por las autoridades. La titularidad, gestión y administración de la sede electrónica compartida será del Estado colombiano, a través del Ministerio de Tecnologías de la Información y las Comunicaciones.

Toda autoridad deberá integrar su dirección electrónica oficial a la sede electrónica compartida, acogiendo los lineamientos de integración que expida el Ministerio de Tecnologías de la Información y las Comunicaciones.

La sede electrónica compartida deberá garantizar las condiciones de calidad, seguridad, disponibilidad, accesibilidad, neutralidad e interoperabilidad. Las autoridades usuarias de la sede electrónica compartida serán responsables de la integridad, confidencialidad, autenticidad y actualización de la información y de la disponibilidad de los servicios ofrecidos por este medio.

Concordancias: Art. 14 del Decreto Ley 019 de 2012; Art. 60 del CPACA; Arts. 9, 10, 14 y 15 del Decreto Ley 2106 de 2019.

Nota 1: Este artículo está en consonancia de los Decretos Leyes Antitrámites 019 de 2012 y 2106 de 2021, en los que se regula la obligación del uso de canales digitales entre entidades para el cumplimiento de sus competencias. En esta línea, se destaca el artículo 14 del Decreto Ley 2106 de 2019, que dispone: «[...] Las autoridades deberán integrar a su sede electrónica todos los portales, sitios web, plataformas, ventanillas únicas, aplicaciones y soluciones existentes, que permitan la realización de trámites, procesos y procedimientos a los ciudadanos de manera eficaz. La titularidad, administración y gestión de la sede electrónica es responsabilidad de cada autoridad competente y estará dotada de las medidas jurídicas, organizativas y técnicas que garanticen calidad, seguridad, disponibilidad, accesibilidad, neutralidad e interoperabilidad de la información y de los servicios. Las autoridades deberán identificar en su sede electrónica los canales digitales oficiales de recepción de solicitudes, peticiones y de información. El Ministerio de Tecnologías de la Información y las Comunicaciones regulará la materia».

ARTÍCULO 61. RECEPCIÓN DE DOCUMENTOS ELECTRÓNICOS POR PARTE DE LAS AUTORIDADES

<Artículo modificado por el artículo 14 de la Ley 2080 de 2021. El nuevo texto es el siguiente:> Para la recepción de documentos electrónicos dentro de una actuación administrativa, las autoridades deberán contar con un registro electrónico de documentos, además de:

1. Llevar un estricto control y relación de los documentos electrónicos enviados y recibidos en los sistemas de información, a través de los diversos canales, incluyendo la fecha y hora de recepción.

2. Mantener los sistemas de información con capacidad suficiente y contar con las medidas adecuadas de protección de la información, de los datos y en general de seguridad digital.

3. Emitir y enviar un mensaje acusando el recibo o salida de las comunicaciones indicando la fecha de esta y el número de radicado asignado.

Concordancias: Art. 29 y 209 de la Const. Pol; Art. 10 del Decreto Ley 2150 de 1995 modificado por el artículo 10 de la Ley 964 de 2005; Arts. 23 a 25 de la Ley 527 de 1999; Arts. 3, 53-62 y 67 del CPACA; Art. 14 del Decreto Ley 019 de 2012; Arts. 9 y 14 del Decreto Ley 2106 de 2019; Acuerdo 01 de 2024 del Archivo General de la Nación.

Nota 1: El texto original de este artículo, previa a su modificación por la Ley 2080 de 2021, era el siguiente: «[…] Para la recepción de mensajes de datos dentro de una actuación administrativa las autoridades deberán: 1. Llevar un estricto control y relación de los mensajes recibidos en los sistemas de información incluyendo la fecha y hora de recepción. 2. Mantener la casilla del correo electrónico con capacidad suficiente y contar con las medidas adecuadas de protección de la información. 3. Enviar un mensaje acusando el recibo de las comunicaciones entrantes indicando la fecha de la misma y el número de radicado asignado». En torno al artículo vigente no hay un cambio significativo en su cotenido, pues ambos resaltan la importancia de la recepción y cuidado de la información.

Nota 2: Este artículo adquiere relevancia al referirse al expediente electrónico, siendo necesario tener en cuenta lo dispuesto por el Archivo General de la Nación en su Acuerdo 01 de 2024, «Por el cual se establece el Acuerdo Único de la Función Archivística, se definen los criterios técnicos y jurídicos para su implementación en el Estado Colombiano y se fijan otras disposiciones». Al respecto, el artículo 4.2.2. dispone: «Artículo 4.2.2. Ventanilla Única. Los sujetos obligados deben establecer, de acuerdo con su infraestructura, la ventanilla única que gestione de manera centralizada y normalizada, independientemente si es manual o automatizada, presencial o integrada a la sede electrónica, la recepción, radicación y distribución de los documentos, de tal manera que estos procedimientos contribuyan al desarrollo y control de los procesos de producción, gestión y trámite, durante su ciclo de vida. Parágrafo 1. Los sujetos obligados deben formular los procedimientos para la recepción, radicación y distribución de documentos en concordancia con los lineamientos establecidos en la normatividad vigente y demás documentos técnicos desarrollados por el Ministerio de las Tecnologías y las Comunicaciones, en el marco de los lineamientos y estándares aplicables a la Transformación Digital Pública. Parágrafo 2. La Ventanilla Única deberá contar con personal suficiente y debidamente capacitado y de los medios necesarios, que permitan de manera oportuna y ágil la recepción, radicación y distribución, así como controlar el trámite de las comunicaciones de carácter oficial, mediante servicios de mensajería interna y externa y sistemas de información, que faciliten la atención de las solicitudes presentadas por los ciudadanos y que contribuyan a la observancia plena de los principios que rigen la administración pública. Parágrafo 3. La Ventanilla Única debe habilitar los canales básicos de recepción de documentos físicos o electrónicos, en cualquier soporte, medio o formato, entre los cuales se encuentran: presencial, correo electrónico, página web, formularios electrónicos, sedes electrónicas o sistemas de información, deja ndo constancia del número de radicado, la fecha y hora de recepción y envío, con el propósito de oficializar el trámite, cumplir con los términos de respuesta que establezca la normatividad vigente y hacer seguimiento a todas las actuaciones recibidas. Sí al momento de la recepción de documentos, la Entidad receptora cambia el formato o el soporte, deberá dar aplicación a lo dispuesto en el Capítulo 3 "reproducción de documentos por otros medios técnicos", del Título 6 del presente Acuerdo».

ARTÍCULO 62. PRUEBA DE RECEPCIÓN Y ENVÍO DE MENSAJES DE DATOS POR LA AUTORIDAD

Para efectos de demostrar el envío y la recepción de comunicaciones, se aplicarán las siguientes reglas:

1. El mensaje de datos emitido por la autoridad para acusar recibo de una comunicación, será prueba tanto del envío hecho por el interesado como de su recepción por la autoridad.

2. Cuando fallen los medios electrónicos de la autoridad, que impidan a las personas enviar sus escritos, peticiones o documentos, el remitente podrá insistir en su envío dentro de los tres (3) días siguientes, o remitir el documento por otro medio dentro del mismo término, siempre y cuando exista constancia de los hechos constitutivos de la falla en el servicio.

Concordancias: Art. 29 y 209 de la Const. Pol; Art. 10 del Decreto Ley 2150 de 1995 modificado por el artículo 10 de la Ley 964 de 2005; Arts. 23-25 de la Ley 527 de 1999; Arts. 3, 53-61 y 67 del CPACA; Art. 14 del Decreto Ley 019 de 2012; Arts. 9 y 14 del Decreto Ley 2106 de 2019.

ARTÍCULO 63. SESIONES VIRTUALES

Los comités, consejos, juntas y demás organismos colegiados en la organización interna de las autoridades, podrán deliberar, votar y decidir en conferencia virtual, utilizando los medios electrónicos idóneos y dejando constancia de lo actuado por ese mismo medio con los atributos de seguridad necesarios.

Concordancias: Ley 527 de 1999; Art. 59 del CPACA; Art. 16 del Decreto Ley 2106 de 2019; Acuerdo 01 de 2024 del Archivo General de la Nación.

Nota 1: Ante la relevancia que han adquirido los sistemas virtuales de comunicación, este artículo autoriza a los organismos colegiados a deliberar, votar y decidir de forma virtual garantizando los medios y atributos de seguridad necesarios.

ARTÍCULO 64. ESTÁNDARES Y PROTOCOLOS

Sin perjuicio de la vigencia dispuesta en este Código en relación con las anteriores disposiciones, el Gobierno Nacional establecerá los estándares y protocolos que deberán cumplir las autoridades para incorporar en forma gradual la aplicación de medios electrónicos en los procedimientos administrativos.

Concordancias: Art. 14 del Decreto Ley 019 de 2012; Art. 60 del CPACA; Arts. 9, 10, 14 y 15 del Decreto Ley 2106 de 2019.

CAPÍTULO V
PUBLICACIONES, CITACIONES, COMUNICACIONES Y NOTIFICACIONES

ARTÍCULO 65. DEBER DE PUBLICACIÓN DE LOS ACTOS ADMINISTRATIVOS DE CARÁCTER GENERAL

<Artículo modificado por el artículo 15 de la Ley 2080 de 2021. El nuevo texto es el siguiente:> Los actos administrativos de carácter general no serán obligatorios mientras no hayan sido publicados en el **Diario Oficial** o en las gacetas territoriales, según el caso.

Cuando se trate de actos administrativos electrónicos a que se refiere el artículo 57 de esta Ley, se deberán publicar en el **Diario Oficial** o gaceta territorial conservando las garantías de autenticidad, integridad y disponibilidad.

Las entidades de la administración central y descentralizada de los entes territoriales que no cuenten con un órgano oficial de publicidad podrán divulgar esos actos mediante la fijación de avisos, la distribución de volantes, la inserción en otros medios, la publicación en la página electrónica, o cualquier canal digital habilitado por la entidad, o por bando, en tanto estos medios garanticen amplia divulgación.

Las decisiones que pongan término a una actuación administrativa iniciada con una petición de interés general se comunicarán por cualquier medio eficaz.

En caso de fuerza mayor que impida la publicación en el **Diario Oficial**, el Gobierno nacional podrá disponer que la misma se haga a través de un medio masivo de comunicación eficaz.

PARÁGRAFO. También deberán publicarse los actos de nombramiento y los actos de elección distintos a los de voto popular.

Concordancias: Art. 209 de la Const. Pol; Art. 27 de la Ley 136 de 1994 modificado por el artículo 17 de la Ley 1551 de 2012; Art. 119 de la Ley 489 de 1998; Arts. 3 núm. 8 y 9, 57, 60, 60A, 87 núm. 1 y 2del CPACA Art. 26 de la Ley 1480 de 2011; Arts. 2, 7, 9, 11, 12 y 13 de la Ley 1712 de 2014.

Nota 1: El artículo 209 de la Constitución Política establece que la función administrativa está al servicio de los intereses generales, entre ellos, se desarrolla el principio de «publicidad», el cual se manifiesta en dos dimensiones: i) el derecho de las personas directamente involucradas al conocimiento de las actuaciones judiciales y administrativas, que se aplica mediante instrumentos de comunicación; y ii) el reconocimiento del derecho que tiene la comunidad de conocer las actuaciones de las autoridades públicas, conforme a lo dispuesto en la ley (Corte Constitucional. Sentencia C— 341 de 2014. M.P. Mauricio González Cuervo)

Nota 2: El artículo 3° numeral 9 del CPACA dispone que uno de los principios de la actuación administrativa es el principio de publicidad, en el que: «[...] las autoridades darán a conocer al público y a los interesados, en forma sistemática y permanente, sin que medie petición alguna, sus actos, contratos y resoluciones, mediante las comunicaciones, notificaciones y publicaciones que ordene la ley [...]».

Nota 3: Este artículo garantiza el deber de publicidad de los actos administrativos de carácter general de las diferentes entidades públicas, así como la obligación de publicar los actos de nombramiento y los actos de elección diferentes a los de voto popular. De igual forma, se destaca que la publicación puede utilizarse para conocer la decisión particular que le puso fin, a terceros indeterminados que no hayan intervenido en el procedimiento administrativo, de acuerdo con lo regulado en el artículo 73 del CPACA.

Nota 4: Sobre los tiempos y fechas de publicación en el Diario Oficial, el Consejo de Estado ha ordenado a la Imprenta Nacional adelantar las gestiones pertinentes para que, en todos los casos, la fecha del Diario Oficial sea la misma del cargue del acto o norma y que también corresponda con la de su publicación en el sitio web oficial de la entidad. Sumado a lo anterior, ha precisado que, de la interpretación sistemática de las normas que regulan el tema y lo dispuesto en el artículo 54 de la Ley 4 de 1913, no podrá transcurrir más de 10 días entre la aprobación del acto o la norma y su publicación en la página web oficial de la entidad accionada. (Consejo de Estado. Sección Quinta. Sentencia del 26 de septiembre de 2024. Rad. 25000-23-41-000-2024-01064-01. C.P. Pedro Pablo Vanegas Gil)

ARTÍCULO 66. DEBER DE NOTIFICACIÓN DE LOS ACTOS ADMINISTRATIVOS DE CARÁCTER PARTICULAR Y CONCRETO

Los actos administrativos de carácter particular deberán ser notificados en los términos establecidos en las disposiciones siguientes.

Concordancias: Arts. 29 y 209 de la Const. Pol; Ley 527 de 1999; Arts. 3 núm. 9, 53, 53A, 56, 67, 68, 69, 70, 71, 72, 73 y 87 del CPACA.

Nota 1: La notificación es una de las más importantes manifestaciones del principio de publicidad de los actos de las autoridades, en la que se busca comunicar una decisión definitiva. La jurisprudencia constitucional ha prescrito que: «la notificación es un acto material de comunicación por medio de la cual se ponen en conocimiento de las partes o terceros interesados los actos de los particulares o de las decisiones proferidas por la autoridad pública» (Corte Constitucional. Sentencia T-419 de 1994. M.P. Eduardo Cifuentes Muñoz). La finalidad de la notificación es garantizar el conocimiento de un proceso o actuación administrativa, para que las partes y los interesados conozcan y controviertan las decisiones de las Autoridades.

Nota 2: Con respecto a la notificación de los actos administrativos, Raúl Bocanegra Sierra expresa: «[...] puede decirse que la notificación se corresponde con la puesta en conocimiento de los actos administrativos singulares, mientras que la publicación se refiere a la publicidad de los actos administrativos de destinatario general (sean éstos determinables o no). En ambos casos, se trata de actos independientes del propio acto administrativo notificado o publicado, pero condicionantes de su eficacia, de tal forma que si los actos administrativos no son notificados o publicados, debiendo serlo, no serán eficaces, careciendo de efecto alguno» (BOCANEGRA SIERRA, Raúl. Lecciones sobre el acto administrativo. 4° ed. Madrid: Civitas y Thomson Reuters, 2012, pp. 155).

ARTÍCULO 67. NOTIFICACIÓN PERSONAL

Las decisiones que pongan término a una actuación administrativa se notificarán personalmente al interesado, a su representante o apoderado, o a la persona debidamente autorizada por el interesado para notificarse.

En la diligencia de notificación se entregará al interesado copia íntegra, auténtica y gratuita del acto administrativo, con anotación de la fecha y la hora, los recursos que legalmente proceden, las autoridades ante quienes deben interponerse y los plazos para hacerlo.

El incumplimiento de cualquiera de estos requisitos invalidará la notificación.

La notificación personal para dar cumplimiento a todas las diligencias previstas en el inciso anterior también podrá efectuarse mediante una cualquiera de las siguientes modalidades:

1. Por medio electrónico. Procederá siempre y cuando el interesado acepte ser notificado de esta manera.

La administración podrá establecer este tipo de notificación para determinados actos administrativos de carácter masivo que tengan origen en convocatorias públicas. En la reglamentación de la convocatoria impartirá a los interesados las instrucciones pertinentes, y establecerá modalidades alternativas de notificación personal para quienes no cuenten con acceso al medio electrónico.

2. En estrados. Toda decisión que se adopte en audiencia pública será notificada verbalmente en estrados, debiéndose dejar precisa constancia de las decisiones adoptadas y de la circunstancia de que dichas decisiones quedaron notificadas. A partir del día siguiente a la notificación se contarán los términos para la interposición de recursos.

Concordancias: Arts. 29 y 209 de la Const. Pol; Ley 527 de 1999; Arts. 3 núm. 9, 53, 53A, 56, 66, 68, 69, 70, 71, 72, 73 y 87 del CPACA.

Nota 1: Este artículo prescribe que la decisión que ponga fin a una actuación administrativa se notifica personalmente al apoderado o la persona autorizada por el peticionario para notificarse. La disposición establece tres formas de notificación personal: i) presencial; ii) por medio electrónico; y iii) por estrados.

Nota 2: La notificación personal implica el contacto físico entre la autoridad y la persona, con el fin de notificar la respuesta a la petición inicial o al recurso administrativo. Al respecto, Marín Cortés expresa: «La búsqueda a la que hace referencia supone una carga para el sujeto pasivo, porque la ley no le impuso al sujeto activo averiguar proactivamente por la respuesta, a lo largo del plazo legal, así que puede permanecer inactivo con la seguridad de que el sujeto pasivo hará el esfuerzo para contactarlo y notificarlo» (MARÍN CORTÉS, Fabián Gonzalo. Derecho de petición y procedimiento administrativo. Medellín: Librería Jurídica Sánchez R Ltda y CEDA, 2017, pp. 619).

Nota 3: Una de las grandes dificultades que se presenta con la notificación personal es que en ocasiones, el peticionario o destinatario del acto administrativo se resiste a colaborar con la diligencia. En estos supuestos, este Código guarda silencio, a diferencia del Código General del Proceso, la cual dispone que el funcionario judicial que intenta notificar una demanda dejará constancia del hecho, y la providencia se entiende notificada al sujeto procesal. Al respecto, Marín Cortés plantea que ante el vacío del CPACA debe colmarse con dicha regla contenida en el artículo 291, numeral 5° (MARÍN CORTÉS, Fabián Gonzalo. Derecho de petición y procedimiento administrativo. Medellín: Librería Jurídica Sánchez R Ltda y CEDA, 2017, pp. 622). Dicha norma prescribe: «[...] Para la práctica de la notificación personal se procederá así: [...] 5. Si la persona por notificar comparece al juzgado, se le pondrá en conocimiento la providencia previa su identificación mediante cualquier documento idóneo, de lo cual se extenderá acta en la que se expresará la fecha en que se practique, el nombre del notificado y la providencia que se notifica, acta que deberá firmarse por aquel y el empleado que haga la notificación. Al notificado no se le admitirán otras manifestaciones que la de asentimiento a lo resuelto, la convalidación de lo actuado, el nombramiento prevenido en la providencia y la interposición de los recursos de apelación y casación. Si el notificado no sabe, no quiere o no puede firmar, el notificador expresará esa circunstancia en el acta».

Nota 4: El artículo comentado dispone que la notificación electrónica procede cuando el peticionario haya aceptado ese medio de notificación, es decir, debe existir una manifestación expresa del peticionario para que se notifique por este medio. Por otro lado, el artículo 56 que regula las notificaciones electrónicas dispone que en los eventos en que durante el trámite de la petición se hayan realizado comunicaciones por medios electrónicos, porque el peticionario lo permitió, durante el desarrollo de la actuación administrativa, el destinatario puede solicitar que las notificaciones subsiguientes se hagan por los otros medios contemplados en el Capítulo V, salvo que sea obligatorio el uso de medios electrónicos, de conformidad a lo dispuesto en el artículo 53A. Cuando la petición se presenta por medios electrónicos y la persona registra su dirección de correo electrónico, la entidad pública puede notificar electrónicamente, ya que cuando la petición se presenta de dicha manera, las entidades continuarán la actuación por este medio, conforme a lo dispuesto en el artículo 54 del CPACA. Ahora bien, el artículo 9 que modifica el inciso segundo del artículo 54 prescribe que las peticiones de información y consulta hechas a través de medios electrónicos no requieren de dicho registro y podrán atenderse por la misma vía.

Nota 5: La notificación por estrados es una modalidad de notificación que se hace en audiencia y de forma verbal. Hay procedimientos en los que se notifican las decisiones por estrados, como es el caso del artículo 86 de la Ley 1474 de 2011, que regula el procedimiento sancionatorio contractual, y donde la entidad procede a decidir sobre la imposición o no de la multa, sanción o declaratoria de incumplimiento.

ARTÍCULO 68. CITACIONES PARA NOTIFICACIÓN PERSONAL

Si no hay otro medio más eficaz de informar al interesado, se le enviará una citación a la dirección, al número de fax o al correo electrónico que figuren en el expediente o puedan obtenerse del registro mercantil, para que comparezca a la diligencia de notificación personal. El envío de la citación se hará dentro de los cinco (5) días siguientes a la expedición del acto, y de dicha diligencia se dejará constancia en el expediente.

Cuando se desconozca la información sobre el destinatario señalada en el inciso anterior, la citación se publicará en la página electrónica o en un lugar de acceso al público de la respectiva entidad por el término de cinco (5) días.

Concordancias: Arts. 29 y 209 de la Const. Pol; Ley 527 de 1999; Arts. 3 núm. 9, 53, 53A, 56, 66, 67, 69, 70, 71, 72, 73 del CPACA.

Nota 1: Con la citación a la notificación personal, la entidad pública no envía la decisión, sino que le indica al destinatario que la respuesta se produjo y que debe presentarse a las instalaciones para entregársela, como lo establece el artículo 68 del CPACA. La citación llama al peticionario para que acuda a notificarse personalmente, que se entenderá realizada cuando se le entregue físicamente la decisión. El CPACA admite diversas formas de citación, puesto que permite cualquier medio eficaz para informar al interesado, y señala que se hará a la dirección —de residencia u oficina, al número de fax o al correo electrónico— si el sujeto pasivo no cuenta con otro medio más eficaz. La entidad puede optar para la citación de los siguientes medios: i) una llamada al teléfono; ii) poner un mensaje en una emisora local o nacional o un periódico; o cualquier otro medio que sea eficaz para la comunicación. Para la citación por correo electrónico para notificación personal no es obligatoria la autorización del peticionario o recurrente, pues solo se le está informando que ya se ha tomado una decisión con respecto a su solicitud, por lo que no tiene un carácter vinculante.

Nota 2: En el supuesto de que no se tenga información que indique dónde enviar la citación, el CPACA dispone en el inciso 2 del artículo 68 que la entidad debe publicar la citación en su página web o en un lugar de acceso al público, como una cartelera de sus instalaciones, por el término de cinco días. Igualmente, si los datos sobre el correo electrónico, el número de fax o dirección personal no se hallan o están equivocados, es necesario aplicar la regla que la entidad publicará la citación en su página web o en lugar de acceso al público como una cartelera. Luego, se determina que enviada la citación el peticionario cuenta con cinco (5) días para presentarse a la entidad a recibir la notificación personal, si no se presenta se continuará con el trámite de la notificación por aviso.

ARTÍCULO 69. NOTIFICACIÓN POR AVISO

Si no pudiere hacerse la notificación personal al cabo de los cinco (5) días del envío de la citación, esta se hará por medio de aviso que se remitirá a la dirección, al número de fax o al correo electrónico que figuren en el expediente o puedan obtenerse del registro mercantil, acompañado de copia íntegra del acto administrativo. El aviso deberá indicar la fecha y la del acto que se notifica, la autoridad que lo expidió, los recursos que legalmente proceden, las autoridades ante quienes deben interponerse, los plazos respectivos y la advertencia de que la notificación se considerará surtida al finalizar el día siguiente al de la entrega del aviso en el lugar de destino.

Cuando se desconozca la información sobre el destinatario, el aviso, con copia íntegra del acto administrativo, se publicará en la página electrónica y en todo caso en un lugar de acceso al público de la respectiva entidad por el término de cinco (5) días, con la advertencia de que la notificación se considerará surtida al finalizar el día siguiente al retiro del aviso.

En el expediente se dejará constancia de la remisión o publicación del aviso y de la fecha en que por este medio quedará surtida la notificación personal.

Concordancias: Arts. 29 y 209 de la Const. Pol; Ley 527 de 1999; Arts. 3 núm. 9, 53, 53A, 56, 66, 67, 68, 70, 71, 72, 73 y 87 del CPACA.

Nota 1: Cuando no pudo efectuarse la notificación personal el CPACA se envía un aviso, que se remite a la dirección del peticionario, al número de fax o al correo electrónico. En este tipo de notificación, no se le permite a la autoridad que utilice cualquier medio eficaz, sino alguno de los 3 anteriores. La notificación por aviso a diferencia de la citación se incluye la respuesta. En este evento, el peticionario se entiende notificado a partir de finalizar el día siguiente a la entrega del aviso, es decir, cuando se remite a la dirección, el número de fax o al correo electrónico del peticionario o recurrente.

Nota 2: En los supuestos en que se desconozca la información del destinatario, este equivocada o haya cambiado sus datos, la entidad publicará en su página web o en lugar visible de la entidad por 5 días; vencidos, se entiende notificado al finalizar el día siguiente al del retiro del aviso. Es decir, se establece un día adicional a los días dispuestos por la norma para entenderse notificado.

ARTÍCULO 70. NOTIFICACIÓN DE LOS ACTOS DE INSCRIPCIÓN O REGISTRO

Los actos de inscripción realizados por las entidades encargadas de llevar los registros públicos se entenderán notificados el día en que se efectúe la correspondiente anotación. Si el acto de inscripción hubiere sido solicitado por entidad o persona distinta de quien aparezca como titular del derecho, la inscripción deberá comunicarse a dicho titular por cualquier medio idóneo, dentro de los cinco (5) días siguientes a la correspondiente anotación.

Concordancias: Arts. 29 y 209 de la Const. Pol; Ley 527 de 1999; Art. 6 de la Ley 1150 de 2007; Arts. 3 núm. 9, 53, 53A, 56, 66, 67, 68, 69, 70, 71, 72, 73 y 87 del CPACA.

Nota 1: Este artículo dispone que los actos de inscripción expedidos por las entidades encargadas de llevar los registros públicos se entienden notificado el día en que se efectúe la correspondiente anotación. Ahora bien, si el acto de inscripción se solicitó por una persona distinta al titular del derecho, la inscripción debe comunicarse a dicho titular por cualquier medio idóneo, dentro de los cinco (5) días hábiles siguientes a la correspondiente anotación.

Nota 2: El artículo 6 de la Ley 1150 de 2007 regula que todas las personas naturales o jurídicas nacionales o extranjeras que tengan domicilio o sucursal en Colombia, que pretendan celebrar contratos con las entidades estatales, deben inscribirse en el Registro Único de Proponentes —RUP— del Registro Único Empresarial de la Cámara de Comercio con jurisdicción en su domicilio principal. Previa verificación de la información de inscripción del RUP, la Cámara publica el acto de inscripción, contra el cual cualquier persona podrá interponer recurso de reposición ante la respectiva Cámara de Comercio, durante los diez (10) días hábiles siguientes a la publicación, sin que requiera demostrar interés alguno.

ARTÍCULO 71. AUTORIZACIÓN PARA RECIBIR LA NOTIFICACIÓN

<Aparte tachado derogado por el artículo 626 de la Ley 1564 de 2012> Cualquier persona que deba notificarse de un acto administrativo podrá autorizar a otra para que se notifique en su nombre, mediante escrito ~~que requerirá presentación personal~~. El autorizado solo estará facultado para recibir la notificación y, por tanto, cualquier manifestación que haga en relación con el acto administrativo se tendrá, de pleno derecho, por no realizada.

Lo anterior sin perjuicio del derecho de postulación.

En todo caso, será necesaria la presentación personal del poder cuando se trate de notificación del reconocimiento de un derecho con cargo a recursos públicos, de naturaleza pública o de seguridad social.

Concordancias: Arts. 29 y 209 de la Const. Pol; Arts. 3 núm. 9, 53, 53A, 56, 66, 67, 68, 69, 70, 72 y 73 del CPACA; Art. 626 del CGP.

Nota 1: Ante el cambio que estableció el artículo 626 del Código General del Proceso no se requiere de la presentación personal para notificarse de los actos administrativos. Es decir, cualquier persona, previa autorización del titular o beneficiario del acto administrativo, podrá notificarse, pero se precisa que solo está facultado para recibir notificaciones.

Ahora bien, el artículo establece una excepción al exigir la presentación personal del poder cuando se trate de notificación del reconocimiento de un derecho con cargo a recursos públicos o de seguridad social.

ARTÍCULO 72. FALTA O IRREGULARIDAD DE LAS NOTIFICACIONES Y NOTIFICACIÓN POR CONDUCTA CONCLUYENTE

Sin el lleno de los anteriores requisitos no se tendrá por hecha la notificación, ni producirá efectos legales la decisión, a menos que la parte interesada revele que conoce el acto, consienta la decisión o interponga los recursos legales.

Concordancias: Arts. 29 y 209 de la Const. Pol; Ley 527 de 1999; Arts. 3 núm. 9, 53, 53A, 56, 66, 67, 68, 69, 70, 71, 73 del CPACA.

Nota 1: La decisión que resuelve la petición se entiende notificada en virtud de la conducta realizadas por el peticionario, tales como la interposición de recursos o cualquier otra actuación que manifieste su conocimiento de la decisión. La forma más común de la notificación por conducta concluyente se configura cuando el peticionario interpone recursos contra el acto que proceden, de hecho, es uno de los supuestos que la norma incluye. Asimismo, se encuentran dos supuestos, en los que también se configura la notificación por conducta concluyente: i) la parte interesada revele que conoce el acto; o ii) consienta la decisión. En los tres supuestos de este tipo de notificación se comprende que debe haber una manifestación expresa del peticionario o recurrente.

ARTÍCULO 73. PUBLICIDAD O NOTIFICACIÓN A TERCEROS DE QUIENES SE DESCONOZCA SU DOMICILIO

Cuando, a juicio de las autoridades, los actos administrativos de carácter particular afecten en forma directa e inmediata a terceros que no intervinieron en la actuación y de quienes se desconozca su domicilio, ordenarán publicar la parte resolutiva en la página electrónica de la entidad y en un medio masivo de comunicación en el territorio donde sea competente quien expidió las decisiones. En caso de ser conocido su domicilio se procederá a la notificación personal.

Concordancias: Arts. 29 y 209 de la Const. Pol; Ley 527 de 1999; Arts. 3 num. 9, 37, 38, 53, 53A, 56, 65, 66, 67, 68, 70, 71, 72, 73 y 87 del CPACA.

Nota 1: A diferencia de los artículos 37 y 38 del CPACA, cuyos preceptos establecen la necesidad de comunicar e intervenir los terceros en la actuación administrativa, en este evento la Administración sólo está en la obligación de notificar personalmente si se conoce el domicilio, o de publicar la parte resolutiva en la página electrónica de la entidad y en un medio masivo de comunicación si se desconoce el domicilio.

CAPÍTULO VI
RECURSOS

ARTÍCULO 74. RECURSOS CONTRA LOS ACTOS ADMINISTRATIVOS

Por regla general, contra los actos definitivos procederán los siguientes recursos:

1. El de reposición, ante quien expidió la decisión para que la aclare, modifique, adicione o revoque.

2. El de apelación, para ante el inmediato superior administrativo o funcional con el mismo propósito.

No habrá apelación de las decisiones de los Ministros, Directores de Departamento Administrativo, superintendentes y representantes legales de las entidades descentralizadas ni de los directores u organismos superiores de los órganos constitucionales autónomos.

Tampoco serán apelables aquellas decisiones proferidas por los representantes legales y jefes superiores de las entidades y organismos del nivel territorial.

3. El de queja, cuando se rechace el de apelación.

El recurso de queja es facultativo y podrá interponerse directamente ante el superior del funcionario que dictó la decisión, mediante escrito al que deberá acompañarse copia de la providencia que haya negado el recurso.

De este recurso se podrá hacer uso dentro de los cinco (5) días siguientes a la notificación de la decisión.

Recibido el escrito, el superior ordenará inmediatamente la remisión del expediente, y decidirá lo que sea del caso.

Concordancias: Art. 29 y 209 de la Const. Pol; Arts. 720., 721, 723, 726, 728 y 735 del Decreto Ley 624 de 1989 —Estatuto Tributario—; Arts. 27 y 30 de la Ley 1333 de 2009; Arts. 34, 38, 43, 75, 76, 77, 78, 79, 80, 81, 82 de la Ley 1437 de 2011; Art. 27 de la Ley 1712 de 2014.

Nota 1: El inciso primero de este artículo dispone que por regla general los recursos proceden contra los actos definitivos, que son entendidos por el artículo 43 de la Ley 1437 de 2011 como: «[...] los que decidan directa o indirectamente el fondo del asunto o hagan imposible continuar la actuación». En torno a la procedencia de recursos contra los actos definitivos, Fabián Gonzalo Marín Cortés expresa: «[...] todo acto definitivo, sea o no administrativo, es susceptible de impugnarse, por dos razones: i) de tipo formal, porque el legislador dispuso en el inciso primero del art. 74 que los recursos proceden contra los actos definitivos, muy a pesar de que el título de esa misma disposición establezca que se trata de los recursos contra los actos administrativos; ii) de tipo material, porque la admisibilidad de los recursos contra las decisiones del sujeto pasivo del derecho de petición materializa el derecho de defensa, que no se justifica reducirse a un tipo de decisión»

(MARÍN CORTÉS, Fabián Gonzalo. Derecho de petición y procedimiento administrativo. Medellín: Librería Jurídica Sánchez R Ltda y CEDA, 2017, pp. 656).

Nota 2: Los recursos ante la vía administrativa son: i) reposición, es aquel recurso que se interpone ante el funcionario que tomó la decisión, con el fin de que se aclare, modifique o adicione la decisión inicial; ii) apelación, es un mecanismo de impugnación ante el inmediato superior del funcionario que adoptó la decisión y es subsidiaria de la reposición cuando se interpone; y iii) queja, puede interponerse en aquellos eventos que se rechace el de apelación. Frente al recurso de queja, Santofimio Gamboa expresa que es facultativo y se interpone de forma directa ante el superior que negó la apelación, por medio de un escrito que debe anexarse copia de la providencia a la que se haya negado el recurso (SANTOFIMIO GAMBOA, Jaime Orlando. Acto administrativo. Procedimiento, eficacia y validez. 2 ed. Bogotá: Universidad Externado de Colombia, 1994, pp. 215).

Nota 3: No procede la apelación contra las decisiones de los ministros, directores de departamento administrativo, superintendentes y representantes de las entidades descentralizadas, ni de los directores u organismos superiores de los órganos constitucionales autónomos. Asimismo, dispone que «*Tampoco serán apelables aquellas decisiones proferidas por los representantes legales y jefes superiores de las entidades y organismos del nivel territorial*», la cual fue demandada ante la Corte Constitucional, quien declaró que la libertad de configuración del Legislador le permite restringir el derecho a la doble instancia. Por otro lado, el derecho a impugnar, prescrito en la Constitución Política, es genérico, por lo que no se refiere a una forma particular de impugnación. Este argumento parte de comprender que la facultad de controvertir e impugnar una decisión administrativa, no solo se logra con el recurso de apelación, sino con el uso de diversos medios como la interposición del recurso de reposición o demandar el acto ante la jurisdicción de lo contencioso administrativo (Corte Constitucional. Sentencia C-248 de 2013. M.P. Mauricio González Cuervo).

Nota 4: Este artículo fue demandado por inconstitucional, igual que los artículos 75 al 82 y 161, incisos 2 y 6, del CPACA, pues presuntamente violan la reserva de ley estatutaria consagrada en la Carta Política en los artículos 152 y 153, al regular aspectos estructurales del derecho fundamental de petición. Al respecto, la Corte Constitucional dispuso que los recursos no son un elemento estructural del derecho de petición, sino que se trata de una manifestación o desarrollo de este. En esta línea, los recursos se guían por los principios del derecho de petición y son una modalidad de esto, pero no equivale a que sean un elemento estructural del mismo; y por tanto, es necesario distinguir la regulación general del derecho de petición y la especifica en una de sus modalidades, permitiendo concluir que las disposiciones que se revisan no pretenden regular de manera integral, completa y sistemática la pronta resolución, la respuesta de fondo y la notificación de la decisión sobre una solicitud, los cuales son elementos del núcleo esencial del derecho de petición. Así las cosas, la reglas que regulan los recursos administrativos no corresponden a elementos estructurales del derecho de petición y, por tanto, son declarados constitucionales (Corte Constitucional. Sentencia C-007 de 2017. M.P. Gloria Estella Ortíz Delgado).

Nota 5: Al respecto, Fabián Gonzalo Marín Cortés expresa que hay diferencias entre los recursos que proceden contra las respuestas al derecho de petición y los que son en sede judicial. Los primeros no solo salvaguardan el control de legalidad de las actuaciones administrativas, sino que, en ocasiones, admiten un control de conveniencia y oportunidad, dependiendo del régimen aplicable. Mientras, el impugnante en sede judicial expone argumentos de ilegalidad (MARÍN CORTÉS, Fabián Gonzalo. Derecho de petición y procedimiento administrativo. Medellín: Librería Jurídica Sánchez R Ltda y CEDA, 2017, p. 642).

ARTÍCULO 75. IMPROCEDENCIA

No habrá recurso contra los actos de carácter general, ni contra los de trámite, preparatorios, o de ejecución excepto en los casos previstos en norma expresa.

Concordancias: Arts. 29 y 209 de la Const. Pol; Art. 23 del Decreto Ley 624 de 1989; Art. 109 y 103 de la Ley 142 de 1994; Arts. 43, 74, 76, 77, 78, 79, 80 y 81 del CPACA.

Nota 1: El artículo dispone que no habrá recurso «contra los actos de carácter general, ni contra los de trámite, preparatorios o de ejecución, excepto en los casos previstos en norma expresa». En este sentido, se definen cada uno de estos actos: i) los *actos de trámite o preparatorios*, los cuales son concebidos como aquellas decisiones que no solucionan de fondo el procedimiento administrativo. En cuanto a los *actos de trámite* el Consejo de Estado ha señalado que se convierten en definitivos porque deciden directa o indirectamente el fondo del asunto o hacen imposible continuar con la actuación. Al respecto, se alude a que los actos previos que pasan a ser definitivos son susceptibles de impugnarse por la vía administrativa y la jurisdiccional, lo que implica que una misma actuación de la administración se controle el acto final, así como aquellos actos previos que son definitivos para algunos de los interesados o participes de la actuación (Consejo de Estado. Sección Quinta. Sentencia del 11 de diciembre de 2013. Rad. 11001-03-28-000-2013-00056-00. C.P. Alberto Yepes Barreiro; Consejo de Estado. Sección Tercera. Sentencia del 14 de febrero de 2012. Rad. 11001-03-26-000-2010-0036-01(IJ). C.P. Jaime Orlando Santofimio Gamboa. ii) Los *actos administrativos de ejecución*, por su parte son aquellos que se limitan a cumplir una decisión judicial o administrativa. El Consejo de Estado ha establecido que, por regla general, son los actos definitivos los únicos que son susceptibles de ser enjuiciados ante la Jurisdicción de lo Contencioso Administrativo, dado que a través de estos la administración crea, modifica o extingue situaciones jurídicas a los administrados (Consejo de Estado. Sección Segunda, Subsección A. Sentencia del 6 de agosto de 2015. Rad. 41001-23-33-000-2012-00137-01(4594-13). C.P. Sandra Lisset Ibarra Vélez (E). Consejo de Estado. Sección Segunda, Subsección A. Sentencia del 13 de agosto de 2020. C.P. Rafael Francisco Suárez Vargas. Rad. 25000-23-42-000-2014-00109-01(1997-16). iii) *Los actos generales* son la declaración unilateral de la administración que produce efectos jurídicos impersonales o abstractos (MARÍN CORTÉS, Fabián Gonzalo. Derecho de petición y procedimiento administrativo. Medellín: Librería Jurídica Sánchez R Ltda y CEDA, 2017, p. 659). Una categoría de este tipo son los reglamentos, los cuales son actos administrativos generales que tienen vocación de permanencia en el tiempo y se expiden en ejercicio de la función administrativa.

Nota 2: Dentro de la Doctrina extranjera se plantea un debate sobre la clasificación de los actos de trámite y definitivos. Al respecto, Bocanegra Sierra expresa: «Son actos definitivos las resoluciones que ponen fin a un procedimiento administrativo, mientras que son actos de trámite el resto de los actos que se van concatenando en el mismo y que tienen una función subordinada a la resolución final y preparatoria de la misma, aun cuando deba advertirse que los actos de trámite no son, con carácter general verdaderos actos administrativos (en sentido estricto)». (BOCANEGRA SIERRA, Raúl. Lecciones sobre el acto administrativo. 4° ed. Madrid: Civitas y Thomson Reuters, 2012, pp. 62).

Nota 3: El Consejo de Estado expresó que los actos administrativos expedidos en cumplimiento de fallos de tutela, aunque tengan carácter de ejecución, no están exentos del control por parte de la jurisdicción contencioso administrativa. La tesis expuesta por el Alto Tribunal es que, por su naturaleza constitucional y excepcional, no sustituye los mecanismos ordinarios de defensa judicial, siendo procedente interponer el medio de control de nulidad y restablecimiento del derecho contra dichos actos, en especial, cuando se discute su legalidad (Consejo de Estado. Sección Segunda, Subsección B. Sentencia del 17 de noviembre de 2016. C.P. Sandra Lissett Ibarra Vélez. Rad. 05001-23-33-000-2012-00819-02(3743-15)).

Nota 4: La Corte Constitucional declaró la constitucionalidad del artículo, al establecer que los recursos de la vía administrativa no son un elemento estructural del derecho de petición dispuesto en el artículo 23 de la Constitución Política, sino una manifestación de este. (Corte Constitucional. Sentencia C-007 de 2017. M.P. Gloria Estella Ortíz Delgado).

ARTÍCULO 76. OPORTUNIDAD Y PRESENTACIÓN

Los recursos de reposición y apelación deberán interponerse por escrito en la diligencia de notificación personal, o dentro de los diez (10) días siguientes a ella, o a la notificación por aviso, o al vencimiento del término de publicación, según el caso. Los recursos contra los actos presuntos podrán interponerse en cualquier tiempo, salvo en el evento en que se haya acudido ante el juez.

Los recursos se presentarán ante el funcionario que dictó la decisión, salvo lo dispuesto para el de queja, y si quien fuere competente no quisiere recibirlos podrán presentarse ante el procurador regional o ante el personero municipal, para que ordene recibirlos y tramitarlos, e imponga las sanciones correspondientes, si a ello hubiere lugar.

El recurso de apelación podrá interponerse directamente, o como subsidiario del de reposición y cuando proceda será obligatorio para acceder a la jurisdicción.

Los recursos de reposición y de queja no serán obligatorios.

Concordancias: Arts. 29 y 209 de la Const. Pol; Art. 62 Ley 4º de 1913; Arts. 724 y 725 del Decreto 624 de 1989 —Estatuto Tributario—; Art. 109 y 113 de la Ley 142 de 1994; Art. 77 del CPACA.

Nota 1: La Corte Constitucional declaró la constitucionalidad del artículo, al establecer que los recursos no son un elemento estructural del derecho de petición dispuesto en el artículo 23 de la Constitución Política, sino una manifestación de este. (Corte Constitucional. Sentencia C-007 de 2017. M.P. Gloria Estella Ortíz Delgado).

ARTÍCULO 77. REQUISITOS

Por regla general los recursos se interpondrán por escrito que no requiere de presentación personal si quien lo presenta ha sido reconocido en la actuación. Igualmente, podrán presentarse por medios electrónicos.

Los recursos deberán reunir, además, los siguientes requisitos:

1. Interponerse dentro del plazo legal, por el interesado o su representante o apoderado debidamente constituido.
2. Sustentarse con expresión concreta de los motivos de inconformidad.
3. Solicitar y aportar las pruebas que se pretende hacer valer.
4. Indicar el nombre y la dirección del recurrente, así como la dirección electrónica si desea ser fisnotificado por este medio.

Sólo los abogados en ejercicio podrán ser apoderados. Si el recurrente obra como agente oficioso, deberá acreditar la calidad de abogado en ejercicio, y prestar la caución que se le señale para garantizar que la persona por quien obra ratificará su actuación dentro del término de dos (2) meses.

Si no hay ratificación se hará efectiva la caución y se archivará el expediente.

Para el trámite del recurso el recurrente no está en la obligación de pagar la suma que el acto recurrido le exija. Con todo, podrá pagar lo que reconoce deber.

Concordancias: Art. 16 del CPACA; Arts. 722 y 724 del Decreto 624 de 1989 —Estatuto Tributario— GUIONES DIFERENTES; Arts. 109, 103 y 114 de la Ley 142 de 1994; Art. 86 de la Ley 1474 de 2011; Art. 36 del Decreto Ley 019 de 2012 que modifica el artículo 24 de la Ley 962 de 2005.

Nota 1: Aunque los recursos son manifestación del derecho de petición, los requisitos que se disponen en este artículo son condiciones especiales para interponerlos. Una de sus principales particularidades es que debe presentarse por escrito, dejando de lado la regla de informalidad que rige el derecho de petición. Sin embargo, Fabián Marín expone que las legislaciones sectoriales regulan con libertad los procedimientos administrativos, como es el caso de lo prescrito en el artículo 86 de la Ley 1474 de 2011, donde se permite al sancionado la interposición del recurso de reposición de forma verbal frente a los procedimientos sancionatorios de imposición de multas y declaratorias de incumplimiento de contratistas del Estado (MARÍN CORTÉS, Fabián Gonzalo. Derecho de petición y procedimiento administrativo. Medellín: Librería Jurídica Sánchez R Ltda y CEDA, 2017, pp. 673).

Nota 2: La Corte Constitucional declaró la constitucionalidad del artículo, al establecer que no los recursos no son un elemento estructural del derecho de petición dispuesto en el artículo 23 de la Constitución Política, sino una manifestación de este. (Corte Constitucional. Sentencia C-007 de 2017. M.P. Gloria Estella Ortíz Delgado).

ARTÍCULO 78. RECHAZO DEL RECURSO

<Aparte subrayado CONDICIONALMENTE exequible> Si el escrito con el cual se formula el recurso no se presenta con los requisitos previstos en los numerales 1, 2 y *4* del artículo anterior, el funcionario competente deberá rechazarlo. Contra el rechazo del recurso de apelación procederá el de queja.

Concordancias: Arts. 109 y 113 de la Ley 142 de 1994; Art. 74 del CPACA.

Nota 1: La Corte Constitucional declaró la constitucionalidad del artículo, al establecer que los recursos no son un elemento estructural del derecho de petición dispuesto en el artículo 23 de la Constitución Política, sino una manifestación de este. (Corte Constitucional. Sentencia C-007 de 2017. M.P. Gloria Estella Ortíz Delgado).

Nota 2: La expresión que exige a quien presenta el recurso de apelación «*indicar el nombre y la dirección del recurrente, así como la dirección electrónica si desea ser notificado por este medio*», y en el evento de no hacerlo, la consecuencia es el rechazo *del recurso*, fue demandada por presuntamente vulnerar el derecho al acceso a la administración de justicia —artículo 229— y por tanto, el debido proceso —artículo 29—, porque la exigencia al recurrente que preste su nombre y dirección so pena de rechazo resulta excesiva. Al respecto, la Corte Constitucional en la Sentencia C— 146 de 2015 decidió que el requisito establecido en la ley, frente a la presentación del recurso con el nombre y domicilio, es razonable y proporcional, ya que responde a una carga procesal amparada en la libertad de configuración del legislador. Sumado a esta premisa, el Alto Tribunal manifiesta que el rechazo del recurso, por omitirse la identificación del recurrente, es una consecuencia proporcional, que puede reconsiderarse mediante el recurso de queja. Sin embargo, en aquellos eventos donde la Administración tenga conocimiento de la persona involucrada en el acto administrativo que se recurre y esta omite su identificación, la Administración, no podrá rechazar el recurso. (Corte Constitucional. Sentencia C-146 de 2015. M.P. Jorge Ignacio Pretelt Chaljub).

ARTÍCULO 79. TRÁMITE DE LOS RECURSOS Y PRUEBAS

Los recursos se tramitarán en el efecto suspensivo.

Los recursos de reposición y de apelación deberán resolverse de plano, a no ser que al interponerlos se haya solicitado la práctica de pruebas, o que el funcionario que ha de decidir el recurso considere necesario decretarlas de oficio.

Cuando con un recurso se presenten pruebas, si se trata de un trámite en el que interviene más de una parte, deberá darse traslado a las demás por el término de cinco (5) días.

Cuando sea del caso practicar pruebas, se señalará para ello un término no mayor de treinta (30) días. Los términos inferiores podrán prorrogarse por una sola vez, sin que con la prórroga el término exceda de treinta (30) días.

En el acto que decrete la práctica de pruebas se indicará el día en que vence el término probatorio.

Concordancias: Art. 733 del Decreto Ley 624 de 1989 —Estatuto Tributario—; Art. 87 del CPACA; Art. 86 de la Ley 1474 de 2011.

Nota 1: De lo dispuesto en este artículo, pueden destacarse dos aspectos relevantes: en primer lugar, los recursos se tramitan en el efecto suspensivo, por tanto, lo que se decida o impugna no adquiere firmeza, siendo consistente con el artículo 87 numeral de este mismo código, el cual prescribe: «Los actos administrativos quedarán en firme: [...] 2. Desde el día siguiente a la publicación, comunicación o notificación de la decisión sobre los recursos interpuestos». En segundo lugar, se establece que los recursos de reposición y de apelación deben resolverse de plano, esto es, sin trámites, excepto que se practiquen pruebas. En torno a la respuesta de plano no se alude a un término para resolver el recurso, siendo un tema controvertido que se ha solucionado en ocasiones expresando que las autoridades tienen el término de dos meses, de acuerdo con el silencio administrativo negativo procedimental. No obstante, ante estos vacíos, la solución más plausible es aplicar la regla general del término de respuesta de petición regulado en el artículo 14 del CPACA, esto es, de diez, quince, treinta días, de conformidad con el tipo de petición (MARÍN CORTÉS, Fabián Gonzalo. Derecho de petición y procedimiento administrativo. Medellín: Librería Jurídica Sánchez R Ltda y CEDA, 2017, pp. 684). Ahora bien, en diferentes sentencias de la Corte Constitucional se ha establecido que el término de respuesta a la petición es de quince (15) días hábiles, acudiendo a la regla general del plazo de las peticiones de interés general o particular, tesis acogida por los comentaristas. (Corte Constitucional. Sentencia T-795 de 2002. M.P. Alfredo Beltrán Sierra; Sentencia T-1086 de 2002. M.P. Rodrigo Escobar Gil, Sentencia T-316 de 2006. M.P. Clara Inés Vargas Hernández, entre otras).

Nota 3: La Corte Constitucional declara la constitucionalidad del artículo, al establecer que los recursos no son un elemento estructural del derecho de petición dispuesto en el artículo 23 de la Constitución Política, sino una manifestación de este. (Corte Constitucional. Sentencia C-007 de 2017. M.P. Gloria Estella Ortíz Delgado).

ARTÍCULO 80. DECISIÓN DE LOS RECURSOS

Vencido el período probatorio, si a ello hubiere lugar, y sin necesidad de acto que así lo declare, deberá proferirse la decisión motivada que resuelva el recurso.

La decisión resolverá todas las peticiones que hayan sido oportunamente planteadas y las que surjan con motivo del recurso.

Concordancias: Arts. 29 y 209 de la Const. Pol; Arts. 109 y 113 de la Ley 142 de 1994; Artículos 37, 38 y 42 del CPACA; Art. 86 de la Ley 1474 de 2011.

Nota 1: La Corte Constitucional declara la constitucionalidad del artículo, al establecer que no los recursos de la vía administrativa no son un elemento estructural del derecho de petición dispuesto en el artículo 23 de la Constitución Política, sino una manifestación de este. (Corte Constitucional. Sentencia C-007 de 2017. M.P. Gloria Estella Ortíz Delgado).

Nota 2: Este artículo igual que el artículo 42 de este mismo Código es la manifestación del principio de congruencia, es decir, que la Administración Pública resuelva las peticiones que hayan sido oportunamente planteadas, garantizando que la solicitud sea resuelta de fondo. La cuestión por plantear es la posibilidad de que las entidades puedan tomar decisiones administrativas *ultra petita* —más allá de lo solicitado— o en su defecto, *extra petita* —por fuera de lo solicitado—, teniendo en cuenta según Marín Cortes que el artículo 80 dispone: «La decisión resolverá todas las peticiones que hayan sido oportunamente planteadas y las que surjan con motivo del recurso». Al respecto, Marín Cortés expresa que esta regulación no significa que, durante el trámite de la petición, sea posible la formulación de nuevas peticiones, sino que es válido que la Administración decida ligeramente por fuera de las planteadas, condicionado a que se trate de aspectos relacionados estrechamente con el recurso (MARÍN CORTÉS, Fabián Gonzalo. Derecho de petición y procedimiento administrativo. Medellín: Librería Jurídica Sánchez R Ltda y CEDA, 2017, p. 690).

Nota 3: Es importante tener en cuenta la non reformatio in pejus, esto es, la no reforma en peor no solo aplica en las decisiones judiciales, sino también administrativas. En tal sentido, cuando se deciden los recursos de reposición, apelación y queja, no es procedente que el sujeto pasivo reforme en peor la situación del recurrente, ya sea en una actuación administrativa sancionatoria o no sancionatoria.

ARTÍCULO 81. DESISTIMIENTO

De los recursos podrá desistirse en cualquier tiempo.

Concordancias: Arts. 17-18 del CPACA.

Nota 1: La Corte Constitucional declara la constitucionalidad del artículo, al establecer que los recursos de la vía administrativa no son un elemento estructural del derecho de petición dispuesto en el artículo 23 de la Constitución Política. (Corte Constitucional. Sentencia C-007 de 2017. M.P. Gloria Estella Ortiz Delgado).

Nota 2: El Doctrinante, Marín Cortés expresa que el desistimiento puede ser total o parcial. El desistiminto total se presenta cuando se desiste de todos o del único recurso interpuesto. Es parcial cuando se desiste de alguna de las solicitudes del recurso interpuesto.

(MARÍN CORTÉS, Fabián Gonzalo. Derecho de petición y procedimiento administrativo. Medellín: Librería Jurídica Sánchez R Ltda y CEDA, 2017, pp. 682).

ARTÍCULO 82. GRUPOS ESPECIALIZADOS PARA PREPARAR LA DECISIÓN DE LOS RECURSOS

La autoridad podrá crear, en su organización, grupos especializados para elaborar los proyectos de decisión de los recursos de reposición y apelación.

<Inciso adicionado por el artículo 16 de la Ley 2080 de 2021. El nuevo texto es el siguiente:> El Gobierno nacional podrá crear mesas de trabajo con carácter temporal o permanente, con funcionarios de distintas entidades públicas, para apoyarlas y asesorarlas en la decisión de los recursos de apelación interpuestos contra los actos administrativos proferidos por las entidades del orden nacional de acuerdo con la reglamentación que para el efecto se expida. Las entidades territoriales de conformidad con el reglamento podrán dar aplicación a lo previsto en el presente inciso.

<Inciso adicionado por el artículo 16 de la Ley 2080 de 2021. El nuevo texto es el siguiente:> El apoyo y asesoramiento de las mesas de trabajo no es vinculante para el funcionario que resuelve el recurso de apelación.

Concordancias: Art. 22 del CPACA.

Nota 1: La Corte Constitucional declara la constitucionalidad del artículo, al establecer que no es un elemento estructural del derecho de petición dispuesto en el artículo 23 de la Constitución Política, sino una manifestación de este. (Corte Constitucional. Sentencia C-007 de 2017. M.P. Gloria Estella Ortíz Delgado).

CAPÍTULO VII
SILENCIO ADMINISTRATIVO

ARTÍCULO 83. SILENCIO NEGATIVO

Transcurridos tres (3) meses contados a partir de la presentación de una petición sin que se haya notificado decisión que la resuelva, se entenderá que esta es negativa.

En los casos en que la ley señale un plazo superior a los tres (3) meses para resolver la petición sin que esta se hubiere decidido, el silencio administrativo se producirá al cabo de un (1) mes contado a partir de la fecha en que debió adoptarse la decisión.

La ocurrencia del silencio administrativo negativo no eximirá de responsabilidad a las autoridades. Tampoco las excusará del deber de decidir sobre la petición inicial, salvo que el interesado haya hecho uso de los recursos contra el acto presunto, o que habiendo acudido ante la Jurisdicción de lo Contencioso Administrativo se haya notificado auto admisorio de la demanda.

Concordancias: Art. 23 de la Const. Pol; Art. 14 del CPACA.

Nota 1: La Corte Constitucional, en reiteradas sentencias, ha considerado que el silencio administrativo negativo no resuelve el derecho de petición, por el contrario, es la prueba más clara de su vulneración, ya que las autoridades no cumplen con el deber de tramitar las peticiones presentadas por las personas. En este evento, los jueces constitucionales deben proteger el derecho en mención, por lo que la Corte expresó: «[...] la obligación del funcionario u organismo sobre oportuna resolución de las peticiones formuladas no se satisface con el silencio administrativo. Este tiene el objeto de abrir para el interesado la posibilidad de llevar el asunto a conocimiento del Contencioso Administrativo, lo cual se logra determinando, por la vía de la presunción, la existencia de un acto demandable. Pero de ninguna manera puede tomarse esa figura como supletoria de la obligación de resolver que tiene a su cargo la autoridad, y menos todavía entender que su ocurrencia excluye la defensa judicial del derecho de petición considerado en sí mismo». (Corte Constitucional. Sentencia T— 242 de 1993. M.P. José Gregorio Hernández. Este pronunciamiento se reproduce en sentencias T-304 de 1994. M.P. Jorge Arango Mejía; T-021. M.P. José Gregorio Hernández Galindo; Sentencia T-291 de 1998. M.P. Fabio Morón Díaz; Sentencia T-134 de 2006. M.P. Alvaro Tafur Galvis).

Nota 2: Uno de los grandes avances que se regularon de esta institución, es que se fijó el término para que se produzca el silencio administrativo negativo en aquellos procedimientos administrativos especiales, en los que la Ley establece un término superior a tres meses para resolver las peticiones, supuestos donde el acto ficto se produce al cabo de un mes, que se cuenta a partir de la fecha en que debió tomarse la decisión. (GIL BOTERO, Enrique. Recursos, silencio administrativo y revocatoria directa. En: Memorias Seminario Internacional de presentación del Nuevo Código de Procedimiento y de lo Contencioso Administrativo. Bogotá: Imprenta Nacional de Colombia, 2011, pp. 220).

Nota 3: En torno al silencio administrativo, Raúl Bocanegra Sierra expresa: «La producción de un acto presunto estimatorio no exime a la Administración de su deber de resolver, en el procedimiento que se haya iniciado a solicitud del particular, aún cuando la existencia del acto presunto condiciona la resolución expresa posterior, que solo puede consistir en un acto administrativo confirmatorio de la estimación producida por silencio administrativo, puesto que, como acabamos de ver, si la Administración entiende que estos actos son ilegales o inoportunos, debe iniciar los procedimientos legalmente previstos para proceder a su eliminación» (BOCANEGRA SIERRA, Raúl. Lecciones sobre el acto administrativo. 4° ed. Madrid: Civitas y Thomson Reuters, 2012, pp. 115).

Nota 3: La configuración del silencio administrativo implica la existencia de un acto administrativo ficto o presunto. Es decir, se establece una ficción legal, donde la omisión de responder de la Administración constituye la existencia de un acto administrativo.

ARTÍCULO 84. SILENCIO POSITIVO

Solamente en los casos expresamente previstos en disposiciones legales especiales, el silencio de la administración equivale a decisión positiva.

Los términos para que se entienda producida la decisión positiva presunta comienzan a contarse a partir del día en que se presentó la petición o recurso.

El acto positivo presunto podrá ser objeto de revocación directa en los términos de este Código.

Concordancias: Art. 23 de la Const. Pol; Art. 14 del CPACA; Art. 25 núm. 16 de la Ley 80 de 1993; Art. 99 de la Ley 388 de 1997; Art. 734 del Decreto Ley 624 de 1989 —Estatuto Tributario—.

Nota 1: El silencio administrativo positivo consagrado en el artículo 84 del CPACA es una excepción en el ordenamiento jurídico, ya que requiere consagración expresa en una Ley, sin embargo, esta figura genera un debate mucho más amplio, en el entendido de que la inactividad de la administración implica una respuesta favorable a los intereses del peticionario. En este, el silencio se trata de un castigo a la Administración, en defensa de los derechos y garantías de la persona. La Corte Constitucional ha expresado que el silencio administrativo positivo es el mecanismo más garantista de los derechos de petición, en el sentido de que da una respuesta positiva a lo que pretende el peticionario, e impone la responsabilidad a los sujetos pasivos de esta (Corte Constitucional. Sentencia T-772 de 2005. M.P. Rodrigo Escobar Gil; y Sentencia T-605 de 1996. M.P. Jorge Arango Mejía). Sin embargo, se cuestiona si esa respuesta positiva al peticionario garantiza el derecho de petición, o más bien garantiza el derecho a lo pedido, puesto que le cumple las pretensiones al peticionario, sin una actuación expresa por parte de la Administración.

ARTÍCULO 85. PROCEDIMIENTO PARA INVOCAR EL SILENCIO ADMINISTRATIVO POSITIVO

La persona que se hallare en las condiciones previstas en las disposiciones legales que establecen el beneficio del silencio administrativo positivo, protocolizará la constancia o copia de que trata el artículo 15, junto con una declaración jurada de no haberle sido notificada la decisión dentro del término previsto.

La escritura y sus copias auténticas producirán todos los efectos legales de la decisión favorable que se pidió, y es deber de todas las personas y autoridades reconocerla así.

Para efectos de la protocolización de los documentos de que trata este artículo se entenderá que ellos carecen de valor económico.

Concordancias: Art. 15 y 84 del CPACA.

Nota 1: La persona que hallare en las condiciones reguladas en las leyes que establecen el beneficio del silencio positivo debe protocolizar la constancia o copia, junto con una declaración jurada de no haberle sido notificada la decisión dentro del plazo previsto. La escritura y sus copias auténticas producen los efectos jurídicos de la decisión favorables que se pidió, y es deber de todas las personas y autoridades reconocerla. En cuanto a la protocolización de los documentos de que trata este artículo se entiende que carecen de valor económico.

ARTÍCULO 86. SILENCIO ADMINISTRATIVO EN RECURSOS

Salvo lo dispuesto en el artículo 52 de este Código, transcurrido un plazo de dos (2) meses, contados a partir de la interposición de los recursos de reposición o apelación sin que se haya notificado decisión expresa sobre ellos, se entenderá que la decisión es negativa.

El plazo mencionado se suspenderá mientras dure la práctica de pruebas.

La ocurrencia del silencio negativo previsto en este artículo no exime a la autoridad de responsabilidad, ni le impide resolver siempre que no se hubiere notificado auto admisorio de la demanda cuando el interesado haya acudido ante la Jurisdicción de lo Contencioso Administrativo.

<Aparte tachado INEXEQUIBLE> La no resolución oportuna de los recursos constituye falta disciplinaria ~~**gravísima**~~.

Concordancias: Art. 23 de la Const. Pol; Art. 14 y 31 del CPACA; Art. 79 del CPACA.

Nota 1: Como explica la Corte Constitucional, el silencio administrativo negativo es una prueba de la vulneración del derecho de petición. En tal sentido, el silencio administrativo negativo de los recursos que se configura transcurrido un plazo de dos (2) meses desde su interposición, implica una vulneración al derecho de petición y no puede comprenderse como el término para responder los recursos. En torno al término de respuesta a los recursos, Fabián Gonzalo Marín Cortés expone que debe aplicarse el término de respuesta regulado en el artículo 14 del CPACA, esto es, de diez, quince, treinta días, de conformidad con el tipo de petición (MARÍN CORTÉS, Fabián Gonzalo. Derecho de petición y procedimiento administrativo. Medellín: Librería Jurídica Sánchez R Ltda y CEDA, 2017, pp. 684). Ahora bien, en diferentes sentencias de la Corte Constitucional se ha establecido que el término de respuesta a la petición es de quince (15) días hábiles, acudiendo la regla general del plazo de las peticiones de interés general o particular. (Corte Constitucional. Sentencia T-795 de 2002. M.P. Alfredo Beltrán Sierra; Sentencia T-1086 de 2002. M.P. Rodrigo Escobar Gil; Sentencia T-316 de 2006. M.P. Clara Inés Vargas Hernández). Por tanto, el término de respuesta de los recursos no debe asimilarse al plazo que se configura el silencio administrativo en los recursos.

Nota 2: La expresión «*gravísimas*» que está tachada fue demanda ante la Corte Constitucional, al considerarse que se vulneró tres aspectos: i) el principio de unidad de materia al establecer la tipificación de una falta gravísima; ii) el principio de proporcionalidad al ser una medida estricta; y iii) el principio de buena fe, al considerar que el servidor público actuó de mala fe al no responder el recurso. Al respecto, la Corte Constitucional en la Sentencia C-721 de 2015 declaró inexequible la expresión «*gravísimas*» al establecer una sanción desproporcionada que puede imponerse por una falta disciplinaria un vencimiento de términos legales que no afecte otros bienes jurídicos, lo cual implicaría efectos drásticos respecto de los derechos políticos y laborales del servidor público (Corte Constitucional. Sentencia C-721 de 2015. M.P. Jorge Ignacio Pretelt Chaljub).

CAPÍTULO VIII
CONCLUSIÓN DEL PROCEDIMIENTO ADMINISTRATIVO

ARTÍCULO 87. FIRMEZA DE LOS ACTOS ADMINISTRATIVOS

Los actos administrativos quedarán en firme:

1. Cuando contra ellos no proceda ningún recurso, desde el día siguiente al de su notificación, comunicación o publicación según el caso.
2. Desde el día siguiente a la publicación, comunicación o notificación de la decisión sobre los recursos interpuestos.
3. Desde el día siguiente al del vencimiento del término para interponer los recursos, si estos no fueron interpuestos, o se hubiere renunciado expresamente a ellos.
4. Desde el día siguiente al de la notificación de la aceptación del desistimiento de los recursos.
5. Desde el día siguiente al de la protocolización a que alude el artículo 85 para el silencio administrativo positivo.

Concordancias: Art. 30 de la Ley 1333 de 2009; Arts. 89-92 del CPACA.

Nota 1: Para Santofimio Gamboa la firmeza del acto administrativo constituye el punto de partida de la eficacia real del acto, pues en esa etapa se presume la plena configuración de la legalidad de la decisión de la administración y se establece la obligación constitucional y legal de hacer cumplir lo prescrito en la decisión administrativa (SANTOFIMIO GAMBOA, Jaime Orlando. Tratado de derecho administrativo. Tomo II. 4 ed. Bogotá: Universidad Externado, 2006, pp.328).

Nota 2: Para el Profesor Luis Enrique Berrocal Guerrero de la firmeza del acto administrativo resulta la ejecutividad y la ejecutoriedad del acto administrativo. En esta línea, la ejecutividad implica la fuerza normativa general o particular, de lo que en él se dispone, y a su cumplimiento por parte de la autoridad que lo expide, así como para sus destinatarios. Mientras, la ejecutoriedad es la fuerza ejecutoria, que implica que sin sujeción a algún requisito adicional la autoridad que lo expidió pueda afectar de manera inmediata y directa, las actuaciones necesarias para su cumplimiento (BERROCAL GUERRERO, Luis

Enrique. Manual del acto administrativo. Según la Ley, la jurisprudencia y la doctrina. 7° ed. Bogotá: Librería Ediciones del Profesional Ltda, 2019, pp.468-469).

Nota 3: Dentro de la doctrina extranjera, Roberto Dromí plantea que la ejecutoriedad es: «[...] la posibilidad de la Administración, otorgada por el orden jurídico, de ejecutar por si misma el acto, pudiendo acudir a diversas medidas de coerción para asegurar su cumplimiento (DROMI, Roberto. El acto administrativo. Buenos Aires: Fundación Centro de Estudios Políticos y Administrativos Ediciones Ciudad Argentina. 3° ed. 2000, pp. 90).

ARTÍCULO 88. PRESUNCIÓN DE LEGALIDAD DEL ACTO ADMINISTRATIVO

Los actos administrativos se presumen legales mientras no hayan sido anulados por la Jurisdicción de lo Contencioso Administrativo. Cuando fueren suspendidos, no podrán ejecutarse hasta tanto se resuelva definitivamente sobre su legalidad o se levante dicha medida cautelar.

Concordancias: Arts. 83 y 209 de la Const. Pol; Art. 12 de la Ley 153 de 1887.

Nota 1: La presunción de legalidad o presunción de legitimidad como se entiende dentro de la doctrina extranjera implica presumir la validez del acto administrativo. Al respecto, Roberto Dromi expresa: «Es la suposición de que el acto fue emitido conforme a derecho, dictado en armonía con el ordenamiento jurídico. Es una resultante de la juridicidad con que se mueve la actividad estatal. La legalidad justifica y avala la validez de los actos administrativos, por eso crea la presunción de que son legales, es decir, que se presume válidos y que respetan las normas que regulan su producción» (DROMI, Roberto. El acto administrativo. Buenos Aires: Fundación Centro de Estudios Políticos y Administrativos Ediciones Ciudad Argentina. 3° ed. 2000, pp. 76).

Nota 2: La presunción de legalidad adquiere relevancia, pues como lo expone la Corte Constitucional en la Sentencia C-037 de 2000 no es posible aplicar la excepción de ilegalidad, pues solo se circunscribe a la posibilidad que tiene un juez administrativo de inaplicar, dentro del trámite de una acción sometida a su conocimiento, un acto administrativo que resulta lesivo del orden jurídico superior. Esta inaplicación puede derivarse de una pretensión de nulidad o de suspensión provisional formulada en la demanda. De este modo, tal inaplicación no puede decidirse por la Administración, argumentando razones de ilegalidad. (Corte Constitucional. Sentencia C-037 de 2000. M.P. Vladimiro Naranjo Mesa).

Nota 3: En torno a la presunción de legalidad, Berrocal expresa: «[...] la presunción de legalidad, entendida en sentido amplio, como presunción de juridicidad, es un atributo que no es exclusivo del acto administrativo, sino que cabe predicarse de todo acto jurídico estatal y de toda norma de derecho subconstitucional, sin que se requiera norma expresa que la establezca, por cuanto surge de un poder legal de orden público, el cual lo hace parte o lo inserta en el derecho público» (BERROCAL GUERRERO, Luis Enrique. Manual del acto administrativo. Según la Ley, la jurisprudencia y la doctrina. 7° ed. Bogotá: Librería Ediciones del Profesional Ltda, 2019, pp. 227).

ARTÍCULO 89. CARÁCTER EJECUTORIO DE LOS ACTOS EXPEDIDOS POR LAS AUTORIDADES

Salvo disposición legal en contrario, los actos en firme serán suficientes para que las autoridades, por sí mismas, puedan ejecutarlos de inmediato. En consecuencia, su ejecución material procederá sin mediación de otra autoridad. Para tal efecto podrá requerirse, si fuere necesario, el apoyo o la colaboración de la Policía Nacional.

Concordancias: Arts. 87, 90, 91 y 92 del CPACA.

Nota 1: Dentro de la doctrina extranjera se señala que, en un principio, el acto administrativo una vez perfeccionado produce los efectos jurídicos y, por tanto, cuando requiere llevarse a los hechos, está el deber de ser ejecutado. Esta característica se denomina ejecutividad. No puede confundirse con la ejecutoriedad, que es la posibilidad de la administración de ejecución el acto por sí misma, teniendo la facultad de acudir a varios medios de coerción (GORDILLO, Agustín. El acto administrativo. Medellín: Editorial Diké, 2021, pp. 490). De igual forma, Dromi plantea: «La ejecutoriedad es un carácter esencial de la actividad administrativa, que, en el caso específico del acto administrativo se manifiesta en algunas categorías o clases de actos y en otros no, dependiendo esto último del objeto y finalidad del acto administrativo» (DROMI, Roberto. El acto administrativo. Buenos Aires: Fundación Centro de Estudios Políticos y Administrativos Ediciones Ciudad Argentina. 3° ed. 2000, pp. 91).

ARTÍCULO 90. EJECUCIÓN EN CASO DE RENUENCIA

Sin perjuicio de lo dispuesto en leyes especiales, cuando un acto administrativo imponga una obligación no dineraria a un particular y este se resistiere a cumplirla, la autoridad que expidió el acto le impondrá multas sucesivas mientras permanezca en rebeldía, concediéndole plazos razonables para que cumpla lo ordenado. Las multas podrán oscilar entre uno (1) y quinientos (500) salarios mínimos mensuales legales vigentes y serán impuestas con criterios de razonabilidad y proporcionalidad.

La administración podrá realizar directamente o contratar la ejecución material de los actos que corresponden al particular renuente, caso en el cual se le imputarán los gastos en que aquella incurra.

ARTÍCULO 91. PÉRDIDA DE EJECUTORIEDAD DEL ACTO ADMINISTRATIVO

Salvo norma expresa en contrario, los actos administrativos en firme serán obligatorios mientras no hayan sido anulados por la Jurisdicción de lo Contencioso Administrativo. Perderán obligatoriedad y, por lo tanto, no podrán ser ejecutados en los siguientes casos:

1. Cuando sean suspendidos provisionalmente sus efectos por la Jurisdicción de lo Contencioso Administrativo.
2. Cuando desaparezcan sus fundamentos de hecho o de derecho.
3. Cuando al cabo de cinco (5) años de estar en firme, la autoridad no ha realizado los actos que le correspondan para ejecutarlos.
4. Cuando se cumpla la condición resolutoria a que se encuentre sometido el acto.
5. Cuando pierdan vigencia.

Concordancias: Arts. 4, 6 y 238 de la Const. Pol; Art. 11 de la Ley 1333 de 2009; Art. 87 y 231 del CPACA.

Nota 1: Este artículo es igual a lo que regulaba el artículo 66 del Decreto Ley 01 de 1984 —Anterior Código Contencioso Administrativo—, donde doctrinantes, como Santofimio Gamboa expresaban que la pérdida de la fuerza ejecutoria de los actos administrativos no es más que las alteraciones a la normal eficacia de los actos administrativos (SANTOFIMIO GAMBOA, Jaime Orlando. Tratado de derecho administrativo. Tomo II. 4 ed. Bogotá: Universidad Externado, 2006, pp. 330)

Nota 2: La Corte Constitucional en la Sentencia C-069 del 23 de febrero de 1995 estudió la demanda de inconstitucionalidad del artículo 66 del Decreto Ley 01 de 1984 —Código Contencioso Administrativo— frente a la pérdida de la fuerza ejecutoria de los actos administrativos, en el que se consideró que no contraría precepto constitucional, sino que por el contrario los desarrolla y se ajusta a estos, con fundamento en los principios de igualdad, moralidad, eficacia, economía, celeridad, imparcialidad y publicidad, para el adecuado cumplimiento de los fines del Estado, en la forma prevista en el artículo 209 de la Constitución Política. Esto sin perjuicio del cumplimiento que debe darse al mandato regulado en el artículo de la Constitución Política, el cual dispone: «En todo caso de incompatibilidad entre la Constitución y la ley u otra norma jurídica, se aplicarán las disposiciones constitucionales», en desarrollo de la supremacía de la norma constitucional y la defensa del orden jurídico superior. De este modo, el artículo que se comenta debe cumplir con el mandato del artículo 4 de la Constitución Política.

Nota 3: Berrocal plantea que a excepción de la anulación que sea en ejercicio del medio de control de nulidad por inconstitucionalidad y la revocación directa, cuyos efectos jurídicos son ex tunc, la pérdida de la fuerza ejecutoria, por las demás causales, tienen efectos ex nunc, es decir, solo a partir del momento de su ocurrencia. Con respecto, al decaimiento del acto administrativo, la extinción de los efectos jurídicos es hacia el futuro (BERROCAL GUERRERO, Luis Enrique. Manual del acto administrativo. Según la

Ley, la jurisprudencia y la doctrina. 7° ed. Bogotá: Librería Ediciones del Profesional Ltda, 2019, pp. 510)

ARTÍCULO 92. EXCEPCIÓN DE PÉRDIDA DE EJECUTORIEDAD

Cuando el interesado se oponga a la ejecución de un acto administrativo alegando que ha perdido fuerza ejecutoria, quien lo produjo podrá suspenderla y deberá resolver dentro de un término de quince (15) días. El acto que decida la excepción no será susceptible de recurso alguno, pero podrá ser impugnado por vía jurisdiccional.

Concordancias: Art. 91 del CPACA.

Nota 1: Se presenta la excepción de pérdida de ejecutoriedad cuando el interesado se oponga a la ejecución de un acto administrativo alegando que ha perdido fuerza ejecutoria, quien lo produjo podrá suspender y tiene el deber de resolver dentro de un término de quince (15) días. El acto que decida la excepción no será susceptible de recurso alguno, pero podrá impugnarse por vía jurisdiccional.

CAPÍTULO IX
REVOCACIÓN DIRECTA DE LOS ACTOS ADMINISTRATIVOS

ARTÍCULO 93. CAUSALES DE REVOCACIÓN

Los actos administrativos deberán ser revocados por las mismas autoridades que los hayan expedido o por sus inmediatos superiores jerárquicos o funcionales, de oficio o a solicitud de parte, en cualquiera de los siguientes casos:

1. Cuando sea manifiesta su oposición a la Constitución Política o a la ley.
2. Cuando no estén conformes con el interés público o social, o atenten contra él.
3. Cuando con ellos se cause agravio injustificado a una persona.

Concordancias: Arts. 29 y 209 de la Const. Pol; Art. 736 del Decreto Ley 624 de 1989 —Estatuto Tributario—; Art. 5 de la Ley 190 de 1995; Art. 19 de la Ley 797 de 2003; Art. 2.2.5.1.13 del Decreto 1083 de 2015.

Nota 1: El doctrinante y ex consejero de Estado, Enrique Gil Botero expresa que defender la revocabilidad de los actos administrativos es prescindir de una necesidad de estabilidad en los ordenamientos jurídicos de aquellas decisiones favorables; por otro lado, si todas las decisiones de la Administración son irrevocables tendrían un efecto perjudicial, al imposibilitar el retiro del orden jurídico de decisiones administrativas que declaran e imponen sanciones. De esta manera, Gil Botero manifiesta que los actos administrativos desfavorables son revocables por parte de la Administración al no alterar un derecho subjetivo, mientras, los actos administrativos favorables al incorporar condiciones de ventaja requieren un consentimiento previo y expreso del afectado (GIL BOTERO, Enrique. Recursos, silencio administrativo y revocatoria directa. En: Memorias Seminario Internacional de presentación del Nuevo Código de Procedimiento y de lo Contencioso Administrativo. Bogotá: Imprenta Nacional de Colombia, 2011, pp. 225).

Nota 2: En torno a la actividad oficiosa de la revocación de los actos administrativos pueden establecerse las siguientes reglas: a) procede en todo momento solo por las causales dispuestas en el artículo que se comenta; b) procede contra las actos administrativos que se hayan interpuesto los recursos, salvo la causal número 1°, que dispone que cuando la decisión sea contraria a la Constitución Política y la ley; y c) en la mayoría de eventos proceden los recursos si con la medida se están aduciendo hechos o circunstancias nuevas (GIL BOTERO, Enrique. Recursos, silencio administrativo y revocatoria directa. En: Memorias Seminario Internacional de presentación del Nuevo Código de Procedimiento y de lo Contencioso Administrativo. Bogotá: Imprenta Nacional de Colombia, 2011, pp. 226).

Nota 3: El artículo 19 de la Ley 797 de 2003 prevé la potestad de las administradoras de pensiones de revocar unilateralmente, sin consentimiento, previas causales legales. Dicho artículo prescribe: «Artículo 19. *Revocatoria de pensiones reconocidas irregularmente.* Los representantes legales de las instituciones de Seguridad Social o quienes respondan por el pago o hayan reconocido o reconozcan prestaciones económicas, deberán verificar de oficio el cumplimiento de los requisitos para la adquisición del derecho y la legalidad de los documentos que sirvieron de soporte para obtener el reconocimiento y pago de la suma o prestación fija o periódica a cargo del tesoro público, cuando quiera que exista motivos en razón de los cuales pueda suponer que se reconoció indebidamente una pensión o una prestación económica. En caso de comprobar el incumplimiento de los requisitos o que el reconocimiento se hizo con base en documentación falsa, debe el funcionario proceder a la revocatoria directa del acto administrativo aun sin el consentimiento del particular y compulsar copias a las autoridades competentes». Este artículo fue objeto de control constitucional, donde la Corte Constitucional en la Sentencia C-835 de 2003 declara la exequibilidad condicionada del artículo 19 de la ley 797 de 2003, en el entendido que el incumplimiento de los requisitos o que el reconocimiento se hizo con base en documentación falsa, se refiere siempre a comportamientos que estén tipificadas como delito por la ley penal. De esta manera, el Alto Tribunal manifiesta que en materia pensional la revocatoria de los actos administrativos particulares sin el consentimiento previo, sólo se establece cuando la conducta está tipificada penalmente, lo que significa que debe haber una ilegalidad, garantizando en todo caso la garantía del debido proceso (Corte Constitucional. C— 835 de 2003. M.P. Jaime Araujo Rentería).

Nota 4: En torno a la revocación, el artículo 5 de la Ley 190 de 1995 establece una regla especial, la cual dispone: «[...] En caso de haberse producido un nombramiento o posesión en un cargo o empleo público o celebrado un contrato de prestación de servicios con la administración sin el cumplimiento de los requisitos para el ejercicio del cargo o la celebración del contrato, se procederá a solicitar su revocación o terminación, según el caso, inmediatamente se advierta la infracción. Cuando se advierta que se ocultó información o se aportó documentación falsa para sustentar la información suministrada en la hoja de vida, sin perjuicio de la responsabilidad penal o disciplinaria a que halla lugar, el responsable quedará inhabilitado para ejercer funciones públicas por tres (3) años».

ARTÍCULO 94. IMPROCEDENCIA

La revocación directa de los actos administrativos a solicitud de parte no procederá por la causal del numeral 1 del artículo anterior, cuando el peticionario haya interpuesto los recursos de que dichos actos sean susceptibles, ni en relación con los cuales haya operado la caducidad para su control judicial.

Concordancias: Arts. 29 y 209 de la Const. Pol; Art. 736 del Decreto Ley 624 de 1989; Art. 19 de la Ley 797 de 2003; Art. 5 de la Ley 190 de 1995; Art. 19 de la Ley 797 de 2003; Art. 93 del CPACA; Art. 2.2.5.1.13 del Decreto 1083 de 2015.

Nota 1: La revocación es incompatible con el uso de los recursos cuando el acto pida revocarse por motivos de inconstitucionalidad o ilegalidad, de forma que la persona que haya interpuesto recursos ante los actos de la Administración, no podrá solicitar la revocatoria directa del acto administrativo por la causal 1° del artículo 93 del CPACA. Así mismo, es improcedente cuando ha caducado el medio de control para demandar ante la Jurisdicción de lo Contencioso Administrativo.

ARTÍCULO 95. OPORTUNIDAD

La revocación directa de los actos administrativos podrá cumplirse aun cuando se haya acudido ante la Jurisdicción de lo Contencioso Administrativo, siempre que no se haya notificado auto admisorio de la demanda.

Las solicitudes de revocación directa deberán ser resueltas por la autoridad competente dentro de los dos (2) meses siguientes a la presentación de la solicitud.

Contra la decisión que resuelve la solicitud de revocación directa no procede recurso.

PARÁGRAFO. No obstante, en el curso de un proceso judicial, hasta antes de que se profiera sentencia de segunda instancia, de oficio o a petición del interesado o del Ministerio Público, las autoridades demandadas podrán formular oferta de revocatoria de los actos administrativos impugnados previa aprobación del Comité de Conciliación de la entidad. La oferta de revocatoria señalará los actos y las decisiones objeto de la misma y la forma en que se propone restablecer el derecho conculcado o reparar los perjuicios causados con los actos demandados.

Si el Juez encuentra que la oferta se ajusta al ordenamiento jurídico, ordenará ponerla en conocimiento del demandante quien deberá manifestar si la acepta en el término que se le señale para tal efecto, evento en el cual el proceso se dará por terminado mediante auto que prestará mérito ejecutivo, en el que se especificarán las obligaciones que la autoridad demandada deberá cumplir a partir de su ejecutoria.

Concordancias: Arts. 737, 738, 738-1 del Decreto Ley 624 de 1989 —Estatuto Tributario—; Art. 20 de la Ley 797 de 2003.

Nota 1: La revocación directa de los actos administrativo podrá cumplirse antes de que no se haya notificado el auto admisorio de la demanda. Es decir, podrá revocarse por parte de la entidad si se presentó la demanda y no se ha proferido y notificado el auto admisorio de la demanda. En tal sentido, debe tenerse presente que las solicitudes de revocatoria directa deben resolverse por la entidad dentro de los dos (2) meses siguientes a la presentación de la solicitud.

Nota 2: En el trámite de un proceso judicial, antes de que se profiera sentencia de segunda instancia, de oficio o a petición del interesado o del Ministerio Público, las entidades demandadas podrán formular oferta de revocatoria de los actos administrativos impugnados previa aprobación del Comité de Conciliación de la respectiva entidad. La oferta de revocatoria expone los actos y las decisiones objeto de esta y la forma en que se propone restablecer el derecho conculcado o reparar los perjuicios causados con los actos demandados. Ahora bien, si el Juez encuentra que la oferta se ajusta al ordenamiento jurídico, ordena ponerla en conocimiento del demandante, quien debe manifestar si la acepta en el término que se le señale para tal efecto, supuesto en el cual el proceso se dará por terminado mediante auto que prestará mérito ejecutivo, en el que se especificarán las obligaciones que la autoridad demandada deberá cumplir a partir de su ejecutoria.

ARTÍCULO 96. EFECTOS

Ni la petición de revocación de un acto, ni la decisión que sobre ella recaiga revivirán los términos legales para demandar el acto ante la Jurisdicción de lo Contencioso Administrativo, ni darán lugar a la aplicación del silencio administrativo.

Nota 1: La petición de revocación de un acto, ni la decisión que sobre ella recaiga revivirán los términos legales para demandar el acto ante la Jurisdicción de lo Contencioso Administrativo, ni darán lugar a la aplicación del silencio administrativo.

ARTÍCULO 97. REVOCACIÓN DE ACTOS DE CARÁCTER PARTICULAR Y CONCRETO

Salvo las excepciones establecidas en la ley, cuando un acto administrativo, bien sea expreso o ficto, haya creado o modificado una situación jurídica de carácter particular y concreto o reconocido un derecho de igual categoría, no podrá ser revocado sin el consentimiento previo, expreso y escrito del respectivo titular.

Si el titular niega su consentimiento y la autoridad considera que el acto es contrario a la Constitución o a la ley, deberá demandarlo ante la Jurisdicción de lo Contencioso Administrativo.

Si la Administración considera que el acto ocurrió por medios ilegales o fraudulentos lo demandará sin acudir al procedimiento previo de conciliación y solicitará al juez su suspensión provisional.

PARÁGRAFO. En el trámite de la revocación directa se garantizarán los derechos de audiencia y defensa.

Concordancias: Arts. 29 y 209 de la Const. Pol; Arts. 736, Arts. 737, 738, 738-1 del Decreto Ley 624 de 1989 —Estatuto Tributario—; Art. 5 de la Ley 190 de 1995; Art. 19 de la Ley 797 de 2003; Art. 2.2.5.1.13 del Decreto 1083 de 2015.

Nota 1: Este artículo prescribe que si la Administración detecta que una de sus decisiones se ha obtenido por medios ilegales o fraudulentos, no tiene la facultad de retirarla del ordenamiento jurídico, sin el consentimiento del particular. De este modo, la Administración tiene el deber de demandar su propio acto y pedir la suspensión provisional del mismo, y se exime de la conciliación prejudicial como requisito de procedibilidad de la acción (GIL BOTERO, Enrique. Recursos, silencio administrativo y revocatoria directa. En: Memorias Seminario Internacional de presentación del Nuevo Código de Procedimiento y de lo Contencioso Administrativo. Bogotá: Imprenta Nacional de Colombia, 2011, pp. 227). Ante este artículo, se está una garantía de la persona que la Administración no actúe de forma unilateral sin su consentimiento previo y expreso.

Nota 2: El artículo 19 de la Ley 797 de 2003 es diferente a lo dispuesto al artículo que se comenta, puesto que prevé la potestad de las administradoras de pensiones de revocar unilateralmente sin consentimiento, previas causales legales. Dicho artículo prescribe: «Artículo 19. *Revocatoria de pensiones reconocidas irregularmente.* Los representantes legales de las instituciones de Seguridad Social o quienes respondan por el pago o hayan reconocido o reconozcan prestaciones económicas, deberán verificar de oficio el cumplimiento de los requisitos para la adquisición del derecho y la legalidad de los documentos que sirvieron de soporte para obtener el reconocimiento y pago de la suma o prestación fija o periódica a cargo del tesoro público, cuando quiera que exista motivos en razón de los cuales pueda suponer que se reconoció indebidamente una pensión o una prestación económica. En caso de comprobar el incumplimiento de los requisitos o que el reconocimiento se hizo con base en documentación falsa, debe el funcionario proceder a la revocatoria directa del acto administrativo aun sin el consentimiento del particular y compulsar copias a las autoridades competentes». Este artículo fue objeto de control constitucional, donde la Corte Constitucional en la Sentencia C-835 de 2003 declaró la exequibilidad condicionada del artículo 19 de la ley 797 de 2003, en el entendido que el incumplimiento de los requisitos o que el reconocimiento se hizo con base en documentación falsa, se refiere siempre a comportamientos que estén tipificadas como delito por la ley penal. De esta manera, el Alto Tribunal manifiesta que en materia pensional la revocatoria de los actos administrativos particulares sin el consentimiento previo, sólo se establece cuando la conducta está tipificada penalmente, lo que significa que debe haber una ilegalidad, garantizando en todo caso la garantía del debido proceso (Corte Constitucional. C— 835 de 2003. M.P. Jaime Araujo Rentería).

Nota 3: En torno a la revocatoria, el artículo 5 de la Ley 190 de 1995 establece una regla especial, la cual dispone: «[…] En caso de haberse producido un nombramiento o posesión en un cargo o empleo público o celebrado un contrato de prestación de servicios con la administración sin el cumplimiento de los requisitos para el ejercicio del cargo o la celebración del contrato, se procederá a solicitar su revocación o terminación, según el caso, inmediatamente se advierta la infracción. Cuando se advierta que se ocultó información o se aportó documentación falsa para sustentar la información suministrada en la hoja de vida, sin perjuicio de la responsabilidad penal o disciplinaria a que halla lugar, el responsable quedará inhabilitado para ejercer funciones públicas por tres (3) años».

TÍTULO IV
PROCEDIMIENTO ADMINISTRATIVO DE COBRO COACTIVO

ARTÍCULO 98. DEBER DE RECAUDO Y PRERROGATIVA DEL COBRO COACTIVO

Las entidades públicas definidas en el parágrafo del artículo 104 deberán recaudar las obligaciones creadas en su favor, que consten en documentos que presten mérito ejecutivo de conformidad con este Código. Para tal efecto, están revestidas de la prerrogativa de cobro coactivo o podrán acudir ante los jueces competentes.

Concordancias: Arts. 826, 829, 829-1, 830, 831, 833, 833-1, 834, 835, 837 y 841 del Decreto 624 de 1989 —Estatuto Tributario—; Art. 92 de la Ley 42 de 1993; Art. 75 de la Ley 80 de 1993; Ley 1066 de 2006.

Nota 1: Sobre el deber de recaudo y los mecanismos establecidos para ello, la Corte Constitucional dispuso que «para efectos del recaudo forzoso de los créditos fiscales, como función pública administrativa, el legislador cuenta con un amplio margen de discrecionalidad en el diseño de los procedimientos a los cuales deben someterse autoridades del Estado y los contribuyentes. La Constitución no exige que dicho recaudo sea gestionado mediante procedimientos de índole judicial, pues bien puede el legislador, con el fin de dinamizar la actividad de la administración, establecer mecanismos al interior de la propia entidad que aseguren el efectivo y oportuno ingreso de los recursos necesarios para cumplir los fines esenciales del Estado» (Corte Constitucional, Sentencia C-449 de 2002 M.P. Eduardo Montealegre Lynnet).

Nota 2: La Corte Constitucional ha sostenido que resulta inconstitucional trasladar integralmente a particulares la función de cobranza o cobro coactivo. Al respecto ha dispuesto el alto tribunal que «la previsión normativa que habilita a las entidades estatales para contratar apoderados encargados de adelantar los procedimientos de cobro coactivo, desconoce las limitaciones constitucionales para el ejercicio de funciones públicas por particulares, en la medida en que vacía de contenido las competencias de las autoridades públicas, en tanto les permite desprenderse integralmente de ellas, y en que transfiere una función que solo podría ser adelantada por las propias agencias estatales» (Corte Constitucional, Sentencia C-224 de 2013 M.P. Luis Guillermo Guerrero Pérez).

Nota 3: Se resalta que el numeral 1° del artículo 2º de la Ley 1066 de 2006 dispone que las entidades públicas a las que les corresponda recaudar rentas o caudales públicos del nivel nacional o territorial, deben establecer el Reglamento Interno del Recaudo de Cartera. En esta línea, el artículo 5 de la Ley 1066 de 2006 dispone: «Las entidades públicas que de manera permanente tengan a cargo el ejercicio de las actividades y funciones administrativas o prestación de servicios del Estado colombiano que en virtud de estas tengan que recaudar rentas o caudales públicos, del nivel nacional, territorial, incluidos los órganos autónomos y entidades con régimen especial otorgado por la Constitución Política, tienen jurisdicción coactiva para hacer efectivas las obligaciones exigibles a su favor para estos efectos, deberán seguir el procedimiento descrito en el Estatuto Tributario».

ARTÍCULO 99. DOCUMENTOS QUE PRESTAN MÉRITO EJECUTIVO A FAVOR DEL ESTADO

Prestarán mérito ejecutivo para su cobro coactivo, siempre que en ellos conste una obligación clara, expresa y exigible, los siguientes documentos:

1. Todo acto administrativo ejecutoriado que imponga a favor de las entidades públicas a las que alude el parágrafo del artículo 104, la obligación de pagar una suma líquida de dinero, en los casos previstos en la ley.
2. Las sentencias y demás decisiones jurisdiccionales ejecutoriadas que impongan a favor del tesoro nacional, o de las entidades públicas a las que alude el parágrafo del artículo 104, la obligación de pagar una suma líquida de dinero.
3. Los contratos o los documentos en que constan sus garantías, junto con el acto administrativo que declara el incumplimiento o la caducidad. Igualmente lo serán el acta de liquidación del contrato o cualquier acto administrativo proferido con ocasión de la actividad contractual.
4. Las demás garantías que a favor de las entidades públicas, antes indicadas, se presten por cualquier concepto, las cuales se integrarán con el acto administrativo ejecutoriado que declare la obligación.
5. Las demás que consten en documentos que provengan del deudor.

Concordancias: Art. 829 del Decreto 624 de 1989 —Estatuto Tributario—; Arts. 422 y 469 del CGP.

ARTÍCULO 100. REGLAS DE PROCEDIMIENTO

Para los procedimientos de cobro coactivo se aplicarán las siguientes reglas:

1. Los que tengan reglas especiales se regirán por ellas.

2. Los que no tengan reglas especiales se regirán por lo dispuesto en este título y en el Estatuto Tributario.

3. A aquellos relativos al cobro de obligaciones de carácter tributario se aplicarán las disposiciones del Estatuto Tributario.

En todo caso, para los aspectos no previstos en el Estatuto Tributario o en las respectivas normas especiales, en cuanto fueren compatibles con esos regímenes, se aplicarán las reglas de procedimiento establecidas en la Parte Primera de este Código y, en su defecto, el Código de Procedimiento Civil* en lo relativo al proceso ejecutivo singular.

Concordancias: Arts. 823, 824, 825, 825-1, 826, 828, 829, 830, 831, 833, 833-1, 834, 835, 837 y 841 del Decreto 624 de 1989 —Estatuto Tributario—.

Nota 1: A la fecha, entiéndase Código de Procedimiento Civil como Código General del Proceso (CGP).

Nota 2: Sobre el alcance de la remisión del numeral segundo, la Sección Cuarta del Consejo de Estado ha precisado que: «Debe recalcarse que en esta última circunstancia, la remisión hecha desde el artículo 100 del CPACA se circunscribe, exclusivamente, a las «reglas de procedimiento» para el cobro coactivo consagradas en el ET. En esa medida, la disposición del CPACA se ciñó a adoptar un procedimiento que ya había demostrado ser efectivo para encauzar las prerrogativas de autotutela administrativa. En ninguna medida tenía la vocación de derogar el procedimiento administrativo general que regula el propio CPACA. Por ende, cuando se trata de títulos ejecutivos cuya producción se rige por el CPACA, este compendio normativo constituye el punto de partida del procedimiento de cobro coactivo y, solo en lo que no resulte contradictorio con el CPACA es aplicable el Estatuto Tributario, gracias a la remisión establecida en el ordinal 2º del artículo 100 del CPACA» (Consejo de Estado. Sección Cuarta. Sentencia del 14 de agosto de 2019. Exp. 23.471. M.P. Julio Roberto Piza).

ARTÍCULO 101. CONTROL JURISDICCIONAL

Sólo serán demandables ante la Jurisdicción de lo Contencioso Administrativo, en los términos de la Parte Segunda de este Código, los actos administrativos que deciden las excepciones a favor del deudor, los que ordenan llevar adelante la ejecución y los que liquiden el crédito.

La admisión de la demanda contra los anteriores actos o contra el que constituye el título ejecutivo no suspende el procedimiento de cobro coactivo. Únicamente habrá lugar a la suspensión del procedimiento administrativo de cobro coactivo:

1. Cuando el acto administrativo que constituye el título ejecutivo haya sido suspendido provisionalmente por la Jurisdicción de lo Contencioso Administrativo; y

2. A solicitud del ejecutado, cuando proferido el acto que decida las excepciones o el que ordene seguir adelante la ejecución, según el caso, esté pendiente el resultado de un proceso contencioso administrativo de nulidad contra el título ejecutivo, salvo lo dispuesto en leyes especiales. Esta suspensión no dará lugar al levantamiento de medidas cautelares, ni impide el decreto y práctica de medidas cautelares.

PARÁGRAFO. Los procesos judiciales contra los actos administrativos proferidos en el procedimiento administrativo de cobro coactivo tendrán prelación, sin perjuicio de la que corresponda, según la Constitución Política y otras leyes para otros procesos.

Nota 1: Sobre el control a los procesos de cobro coactivo ha dispuesto la Corte Constitucional que «[e]n la medida en que la facultad [en mención] pone a la autoridad en una posición —juez y parte— que rompe el equilibrio que se alcanza en un proceso judicial como consecuencia de la intervención de un tercero neutral, el ejercicio de cobro coactivo corresponde a una actuación reglada, regida por las normas especiales establecidas para cada entidad o, en su defecto, por las previsiones correspondientes del Estatuto Tributario y del Código de Procedimiento Administrativo y de lo Contencioso Administrativo. En relación con el ejercicio del derecho de defensa en el marco del proceso coactivo es necesario destacar que, de un lado, las reglas especiales establecen las particularidades del trámite, las cuales constituyen el marco de acción de la entidad y cuya observancia demarca la garantía del debido proceso y, de otra parte, las actuaciones de las autoridades administrativas pueden ser controvertidas ante la jurisdicción contencioso administrativa. En efecto, el artículo 101 CPACA prevé el control jurisdiccional, el cual se puede impulsar con respecto al acto que constituye el título ejecutivo, el que decide las excepciones a favor del deudor, el que ordena llevar adelante la ejecución y el que liquide el crédito. De manera que existen diversas disposiciones que demarcan la actuación que se debe seguir en el ejercicio de la facultad de cobro coactivo y que constituyen los parámetros para determinar el respeto del derecho al debido proceso» (Corte Constitucional, Sentencia T-412 de 2017 M.P. Gloria Stella Ortiz Rodríguez).

TÍTULO V
EXTENSIÓN DE LA JURISPRUDENCIA DEL CONSEJO DE ESTADO

ARTÍCULO 102. EXTENSIÓN DE LA JURISPRUDENCIA DEL CONSEJO DE ESTADO A TERCEROS POR PARTE DE LAS AUTORIDADES

<Artículo modificado por el artículo 17 de la Ley 2080 de 2021. El nuevo texto es el siguiente>: Las autoridades deberán extender los efectos de una sentencia de unificación jurisprudencial dictada por el Consejo de Estado, en la que se haya reconocido un derecho, a quienes lo soliciten y acrediten los mismos supuestos fácticos y jurídicos.

Para tal efecto el interesado presentará petición ante la autoridad legalmente competente para reconocer el derecho, siempre que la pretensión judicial no haya caducado. Dicha petición contendrá, además de los requisitos generales, los siguientes:

1. Justificación razonada que evidencie que el peticionario se encuentra en la misma situación de hecho y de derecho en la que se encontraba el demandante al cual se le reconoció el derecho en la sentencia de unificación invocada.

2. Las pruebas que tenga en su poder, enunciando las que reposen en los archivos de la entidad, así como las que haría valer si hubiere necesidad de ir a un proceso.

3. La referencia de la *sentencia de unificación* que invoca a su favor.

Si se hubiere formulado una petición anterior con el mismo propósito sin haber solicitado la extensión de la jurisprudencia, el interesado deberá indicarlo así, caso en el cual, al resolverse la solicitud de extensión, se entenderá resuelta la primera solicitud.

La autoridad decidirá con fundamento en las disposiciones constitucionales, legales y reglamentarias aplicables y teniendo en cuenta la interpretación que de ellas se hizo en la *sentencia de unificación* invocada, así como los demás elementos jurídicos que regulen el fondo de la petición y el cumplimiento de todos los presupuestos para que ella sea procedente.

Esta decisión se adoptará dentro de los treinta (30) días siguientes a su recepción, y la autoridad podrá negar la petición con fundamento en las siguientes consideraciones:

1. Exponiendo las razones por las cuales considera que la decisión no puede adoptarse sin que se surta un periodo probatorio en el cual tenga la oportunidad de solicitar las pruebas para demostrar que el demandante carece del derecho invocado. En tal caso estará obligada a enunciar cuáles son tales medios de prueba

y a sustentar de forma clara lo indispensable que resultan los medios probatorios ya mencionados.

2. Exponiendo las razones por las cuales estima que la situación del solicitante es distinta a la resuelta en la sentencia de unificación invocada y no es procedente la extensión de sus efectos.

Contra el acto que reconoce el derecho no proceden los recursos administrativos correspondientes, sin perjuicio del control jurisdiccional a que hubiere lugar. Si se niega total o parcialmente la petición de extensión de la jurisprudencia o la autoridad guarda silencio sobre ella, no habrá tampoco lugar a recursos administrativos ni a control jurisdiccional respecto de lo negado. En estos casos, el solicitante podrá acudir dentro de los treinta (30) días siguientes ante el Consejo de Estado en los términos del artículo 269 de este Código.

La solicitud de extensión de la jurisprudencia suspende los términos para la presentación de la demanda que procediere ante la Jurisdicción de lo Contencioso Administrativo.

Los términos para la presentación de la demanda en los casos anteriormente señalados se reanudarán al vencimiento del plazo de treinta (30) días establecidos para acudir ante el Consejo de Estado cuando el interesado decidiere no hacerlo o, en su caso, de conformidad con lo dispuesto en el artículo 269 de este Código.

Concordancias: Arts. 13, 230, 241 y 243 de la Const. Pol; Art. 614 del CGP; Arts. 3 núm. 2 y 10, 10, 256-270 y 303 núm. 6 del CPACA.

Nota 1: La extensión de jurisprudencia tiene lugar en sede administrativa —Art. 102— y potencialmente judicial —Art. 269—. La teleología de esta regulación oscila entre la garantía efectiva de los derechos de los ciudadanos, la aplicación uniforme del derecho —en especial de la jurisprudencia— y la descongestión de los despachos judiciales. De este modo, permite que las autoridades extiendan directamente los efectos de una sentencia de unificación del Consejo de Estado a los interesados que consideren y acrediten encontrarse en una situación fáctica y jurídica similar a la que resolvió la Corporación en la sentencia invocada. Esto traslada una eventual pretensión ante la jurisdicción de lo contencioso administrativo a un escenario administrativo que se integra armónicamente a las normas sobre procedimiento general.

Nota 2: La Corte Constitucional declaró la exequibilidad condicional del inciso primero y séptimo de este artículo, «[...] entendiéndose que las autoridades, al extender los efectos de las sentencias de unificación jurisprudencial dictadas por el Consejo de Estado e interpretar las normas constitucionales base de sus decisiones, deben observar con preferencia los precedentes de la Corte Constitucional que interpreten las normas constitucionales aplicables a la resolución de los asuntos de su competencia». (Corte Constitucional. Sentencia C-816 de 2011. M.P. Mauricio González Cuervo).

Nota 3: La Corte Constitucional ponderó el derecho fundamental a la igualdad (Art. 13 de la Const. Pol) y el principio de la autonomía judicial, pues el artículo 230 de la Carta

Política dispone expresamente que la jurisprudencia es un criterio auxiliar de interpretación. La Corte se sirve de una interpretación sistemática para concluir que el acatamiento y aplicación en sede administrativa y judicial de las sentencias de unificación del Consejo de Estado se traduce en una garantía del principio de igualdad que no vulnera el principio de legalidad, sino que lo garantiza. No obstante, encuentra probado el cargo de omisión legislativa por no haber incluido en la redacción el carácter preferente de las providencias de la Corte Constitucional como intérprete autorizado en materia de derechos fundamentales. Agregó que las autoridades administrativas, al igual que los jueces, disponen de la facultad de apartarse del precedente, siempre que expresen razonablemente las razones para no extender el mismo trato a situaciones jurídicas similares. En palabras de la Corporación: «Las sentencias de los órganos judiciales de cierre y unificación de las diferentes jurisdicciones, además del valor de cosa juzgada propio de ellas frente al caso sub judice, posee fuerza vinculante como precedente respecto de posteriores decisiones judiciales que examinen casos similares, sin perjuicio de la posibilidad de apartamiento e inaplicación del mismo que tiene el juez, a partir de argumentaciones explícitas al respecto. Y tal fuerza vinculante del precedente de las denominadas altas cortes puede ser extendida a la autoridad administrativa por el Legislador. El deber legal de extensión jurisprudencial, dispuesto en la norma demandada, no desconoce la preeminencia de la Legislación como fuente de derecho para ejercer su función conforme a la Ley, al punto que la misma se halla en posibilidad de abstenerse de aplicar el precedente contenido en la sentencia de unificación del Consejo de Estado y negarse a la extensión de tal jurisprudencia —conforme a la ley—, apartamiento administrativo que tendrá que ser expreso y razonado» (Corte Constitucional. Sentencia C-816 de 2011. M.P. Mauricio González Cuervo).

Nota 4: La Corte Constitucional resolvió estarse a lo resuelto «[...] en la sentencia C-816 de 2011, en relación con las expresiones "*extensión de la jurisprudencia del consejo de estado a terceros por parte de las autoridades*", "*sentencia de unificación jurisprudencial dictada por el Consejo de Estado*" y, "*sentencia de unificación*" del artículo 102 de la Ley 1437 de 2011» (Corte Constitucional. Sentencia C-588 de 2012. M.P. Mauricio González Cuervo).

Nota 5: De los cambios introducidos por la Ley 2080 de 2021, se destaca la eliminación de: *i)* la causal para negar la extensión de jurisprudencia basándose en divergencias con la interpretación normativa hecha en la sentencia de unificación invocada y *ii)* el requisito de aportar copia de la providencia.

Nota 6: Tratándose de una petición *especial*, goza de requisitos adicionales y un trámite diferenciado. Se destaca que, por expresa disposición del legislador, el procedimiento no puede ser usado para burlar los términos de caducidad propios de cada pretensión. Por otra parte, para el cómputo del término de treinta días del que disponen las autoridades para resolver la solicitud de extensión, debe considerarse que el Art. 614 de la Ley 1564 del 2012 (C.G.P) obligó a que estas remitan la petición a la Agencia Nacional de Defensa Jurídica del Estado para que manifiesten su intención de rendir concepto. En caso afirmativo, esté deberá emitirse máximo en veinte días. Por lo tanto, el término solo empieza a correr cuando se reciba el concepto de la Agencia o, en su defecto, al vencimiento de su plazo para manifestar el interés de conceptuar.

Nota 7: El propósito de la extensión determina, a su vez, las causales que pueden invocar las autoridades para negar la solicitud: la necesidad de un debate probatorio completo y la disanalogía. En común, ambos escenarios equivalen a la imposibilidad fáctica o jurídica de anticiparse al proceso y, aunque la negativa total o parcial no es objeto de recursos ni control judicial, el interesado dispone de treinta días para solicitar la extensión al Consejo de Estado. De allí que la presentación de la solicitud suspende los términos para la presentación de la demanda, que se reanudan al vencimiento de esté plazo o según lo previsto en el artículo 269.

PARTE SEGUNDA
ORGANIZACIÓN DE LA JURISDICCIÓN DE LO CONTENCIOSO ADMINISTRATIVO Y DE SUS FUNCIONES JURISDICCIONAL Y CONSULTIVA

TÍTULO I
PRINCIPIOS Y OBJETO DE LA JURISDICCIÓN DE LO CONTENCIOSO ADMINISTRATIVO

ARTÍCULO 103. OBJETO Y PRINCIPIOS

Los procesos que se adelanten ante la jurisdicción de lo Contencioso Administrativo tienen por objeto la efectividad de los derechos reconocidos en la Constitución Política y la ley y la preservación del orden jurídico.

En la aplicación e interpretación de las normas de este Código deberán observarse los principios constitucionales y los del derecho procesal.

En virtud del principio de igualdad, todo cambio de la jurisprudencia sobre el alcance y contenido de la norma, debe ser expresa y suficientemente explicado y motivado en la providencia que lo contenga.

Quien acuda ante la Jurisdicción de lo Contencioso Administrativo, en cumplimiento del deber constitucional de colaboración para el buen funcionamiento de la administración de justicia, estará en la obligación de cumplir con las cargas procesales y probatorias previstas en este Código.

Concordancias: Arts. 13, 29 y 228 de la Const. Pol.; Art. 92 de la Ley 42 de 1993; Art. 75 de la Ley 80 de 1993.

Nota 1: La necesidad de una jurisdicción especializada para controlar la actividad de la Administración Pública es garantía de salvaguardar la democracia y los derechos de las personas. En torno a esta jurisdicción, Cristian Andrés Díaz Díez expresa: «[...] es pertinente señalar que la jurisdicción contencioso-administrativa se erige hoy por hoy como la jurisdicción de derecho común o jurisdicción natural de la administración, pues, sustrayendo de su competencia los temas que la ley expresamente ha asignado a otras jurisdicciones o que ha excluido de su conocimiento, es la jurisdicción que controla, por excelente el comportamiento de la administración y de particulares que ejercen funciones administrativas» (DÍAZ DÍEZ, Cristian Andrés. La jurisdicción de lo contencioso administrativo. El control jurisdiccional especializado de la administración pública, dentro del Estado de derecho y la democracia. Medellín: Librería Jurídica Sánchez R. Ltda, CEDA y Facultad de Derecho y Ciencias Políticas de la Universidad de Antioquia, 2013, pp. 223).

Nota 2: La jurisdicción de lo contencioso administrativo se concibe como el control de un juez especializado que tiene como función vigilar la actividad de la Administración, es decir, los actos, los contratos, hechos, operaciones y omisiones sujetos al derecho administrativo. La importancia del juez especializado radica en que se ha considerado que el derecho administrativo como rama autónoma adquirió ese nivel de especializada cuando se configuró este primero. Al respecto, Prosper Weil expresa: «El Consejo de Estado ha segregado el Derecho Administrativo como una glándula segrega su hormona: la jurisdicción ha precedido al derecho y, sin aquella, éste no hubiese nacido» (WEIL, Prosper. Derecho administrativo. Madrid: Civitas, 1986, pp. 43).

ARTÍCULO 104. DE LA JURISDICCIÓN DE LO CONTENCIOSO ADMINISTRATIVO

La Jurisdicción de lo Contencioso Administrativo está instituida para conocer, además de lo dispuesto en la Constitución Política y en leyes especiales, de las controversias y litigios originados en actos, contratos, hechos, omisiones y operaciones, sujetos al derecho administrativo, en los que estén involucradas las entidades públicas, o los particulares cuando ejerzan función administrativa.

Igualmente conocerá de los siguientes procesos:

1. Los relativos a la responsabilidad extracontractual de cualquier entidad pública, cualquiera que sea el régimen aplicable.

2. Los relativos a los contratos, cualquiera que sea su régimen, en los que sea parte una entidad pública o un particular en ejercicio de funciones propias del Estado.

3. Los relativos a contratos celebrados por cualquier entidad prestadora de servicios públicos domiciliarios en los cuales se incluyan o hayan debido incluirse cláusulas exorbitantes.

4. Los relativos a la relación legal y reglamentaria entre los servidores públicos y el Estado, y la seguridad social de los mismos, cuando dicho régimen esté administrado por una persona de derecho público.

5. Los que se originen en actos políticos o de gobierno.

6. Los ejecutivos derivados de las condenas impuestas y las conciliaciones aprobadas por esta jurisdicción, así como los provenientes de laudos arbitrales en que hubiere sido parte una entidad pública; e, igualmente los originados en los contratos celebrados por esas entidades.

7. Los recursos extraordinarios contra laudos arbitrales que definan conflictos relativos a contratos celebrados por entidades públicas o por particulares en ejercicio de funciones propias del Estado.

PARÁGRAFO. Para los solos efectos de este Código, se entiende por entidad pública todo órgano, organismo o entidad estatal, con independencia de su denominación; las sociedades o empresas en las que el Estado tenga una participación igual o superior al 50% de su capital; y los entes con aportes o participación estatal igual o superior al 50%.

Concordancias: Art. 116 de la Const. Pol.; Art. 75 de la Ley 80 de 1993; Art. 20 de la Ley 137 de 1994; Art. 12 de la Ley 270 de 1996; Art. 5 de la Ley 1289 de 2005.

Nota 1: El Congreso de la República manifestó, en la exposición de motivos del Proyecto de Ley No. 198 de 2009, lo siguiente: «[...] 2. Redefinición del objeto de la jurisdicción. Con el fin de afianzar el criterio de especialización, el proyecto en el artículo 100 considera que, para la definición del objeto de la jurisdicción, es necesario acudir a un criterio material que hace que la jurisdicción de lo Contencioso Administrativo conozca de actos, hechos, operaciones y omisiones relacionados con el ejercicio de la función administrativa. Sin embargo, la dinámica de las actividades societarias hace que en ocasiones se tenga que acudir al criterio orgánico para que el administrado tenga claridad frente a aquellos temas en donde podrían presentarse controversias sobre la jurisdicción competente, como sucede en casos de responsabilidad extracontractual y contractual, cuyo conocimiento se asigna a la Jurisdicción de lo Contencioso Administrativo siempre que una de las partes del litigio sea una entidad pública. En este orden de ideas, se precisa que corresponde a la Jurisdicción de lo Contencioso Administrativo conocer los procesos que se originan por conflictos que surgen en:

· Las controversias relativas a la responsabilidad extracontractual y a los contratos celebrados por entidades públicas excepción hecha de aquellas que tengan el carácter de instituciones financieras, aseguradoras, intermediarios de seguros o intermediarios de valores vigilados por la Superintendencia Financiera, cuando correspondan al giro ordinario de los negocios de dichas entidades.

· Los contratos celebrados por empresas de servicios públicos en que se incluyan cláusulas exorbitantes.

· La relación legal y reglamentaria entre los servidores públicos y el Estado, así como lo referente a la seguridad social de dichos servidores cuando se encuentren en un régimen administrado por una persona de derecho público.

· Los ejecutivos que surjan de condenas impuestas, conciliaciones aprobadas en esta jurisdicción, laudos arbitrales en que sea parte una entidad pública o los que se originen en contratos. Se exceptúan los procesos ejecutivos derivados de los contratos celebrados con ocasión del giro ordinario de sus negocios, por instituciones financieras, aseguradoras, intermediarios de seguros o intermediarios de valores vigilados por la Superintendencia Financiera. [...]» (Congreso de la República. Gaceta del Congreso No. 1.173 del 17 de noviembre de 2009. Proyecto de Ley No. 198 de 2009).

Nota 2: La Sección Tercera del Consejo de Estado unificó jurisprudencia, en el siguiente entendido: i) cuando no exista norma expresa legal sobre la jurisdicción que debe conocer de controversias en las que haga parte un prestador de servicios públicos domiciliarios, deberá acudirse a la cláusula general de competencia de la jurisdicción de lo contencioso administrativo consagrada en este artículo para resolver el vacío normativo y, si con base en ello no se desprende el conocimiento de esta jurisdicción, corresponderá a la jurisdicción ordinaria; ii) salvo las excepciones expresamente establecidas en la ley, los actos precontractuales de los prestadores de servicios públicos domiciliarios no son actos administrativos y se rigen por la normativa civil y comercial, así como por los principios que orientan la función administrativa; iii) salvo las excepciones expresamente establecidas en la ley, las controversias relativas a actos precontractuales de prestadores de servicios públicos domiciliarios de conocimiento de esta jurisdicción que no correspondan a actos administrativos, deberán tramitarse a través del medio de control de reparación directa; y iv) como garantía del derecho de acceso a la administración de justicia, el juzgador de conocimiento de este tipo de controversias, en relación con las demandas presentadas antes de la notificación de esta providencia, resolverá la controversia de fondo aunque no se haya empleado el medio de control que corresponda, en el marco del régimen jurídico aplicable a este tipo de actos (Consejo de Estado. Sección Tercera. Sentencia del 3 de septiembre de 2020. Rad. 25000-23-26-000-2009-00131-01. Exp. 42003. C.P. Alberto Montaña Plata).

ARTÍCULO 105. EXCEPCIONES

La Jurisdicción de lo Contencioso Administrativo no conocerá de los siguientes asuntos:

1. Las controversias relativas a la responsabilidad extracontractual y a los contratos celebrados por entidades públicas que tengan el carácter de instituciones financieras, aseguradoras, intermediarios de seguros o intermediarios de valores vigilados por la Superintendencia Financiera, cuando correspondan al giro ordinario de los negocios de dichas entidades, incluyendo los procesos ejecutivos.

2. Las decisiones proferidas por autoridades administrativas en ejercicio de funciones jurisdiccionales, sin perjuicio de las competencias en materia de recursos contra dichas decisiones atribuidas a esta jurisdicción. Las decisiones que una autoridad administrativa adopte en ejercicio de la función jurisdiccional estarán identificadas con la expresión que corresponde hacer a los jueces precediendo la parte resolutiva de sus sentencias y deberán ser adoptadas en un proveído independiente que no podrá mezclarse con decisiones que correspondan al ejercicio de función administrativa, las cuales, si tienen relación con el mismo asunto, deberán constar en acto administrativo separado.

3. Las decisiones proferidas en juicios de policía regulados especialmente por la ley.

4. Los conflictos de carácter laboral surgidos entre las entidades públicas y sus trabajadores oficiales.

Nota 1: Una interpretación literal del numeral 3 del artículo 105 de la Ley 1437 de 2011 permite concluir que los juicios de policía, es decir, aquellos donde las autoridades administrativas resuelven conflictos *inter partes*, escapan al control de la jurisdicción de lo contencioso administrativo (Consejo de Estado. Sección Tercera. Subsección A. Auto del 25 de octubre de 2019. Rad. 11001-03-26-000-2019-00007-00. Exp. 63151. C.P. María Adriana Marín). No obstante, un sector de la jurisprudencia admite la posibilidad que, en virtud del artículo 90 de la Constitución Política y la Ley 270 de 1996, estas decisiones sean objeto de control por medio de la acción de reparación directa, bajo el entendido de que se puede configurar una falla en el servicio de administración de justicia. En este sentido: «[...] si bien esta jurisdicción, en principio, no puede ejercer control de las decisiones propiamente dichas que se profieren en los juicios de policía regulados en leyes especiales, ello, per se, no impide que la jurisdicción examine en cada caso si, con ocasión del trámite impartido y las decisiones adoptadas en tales juicios, las autoridades de policía —en ejercicio de funciones jurisdiccionales— son extracontractualmente responsables, bien por error jurisdiccional o por defectuoso funcionamiento de la administración de justicia, de conformidad con el artículo 104.1 *ejusdem*» (Consejo de Estado. Sección Tercera. Subsección A. Sentencia del 13 de agosto de 2020. Rad. 20001-23-33-003-2015-00032-01. Exp. 58202. C.P. Marta Nubia Velásquez Rico). En sentido similar: Consejo de Estado. Sección Tercera. Subsección C. Sentencia del 22 de agosto de 2022. Rad. 15001-2331-000-2005-02252-02. Exp. 45360. C.P. Jaime Enrique Rodríguez Navas.

Nota 2: El Congreso de la República manifestó, en la exposición de motivos del Proyecto de Ley No. 198 de 2009, lo siguiente: «[...] Con el fin de evitar confusiones acerca de los asuntos sobre los cuales debe conocer la Jurisdicción de lo Contencioso Administrativo, siguiendo las orientaciones contenidas en Códigos recientemente expedidos, como el de Costa Rica, en el artículo 101 del proyecto se señalan expresamente algunas materias que no se comprenden dentro del objeto de la jurisdicción, como por ejemplo:
· Las controversias sobre responsabilidad contractual o extracontractual de instituciones financieras, aseguradoras, intermediarios de seguros o intermediarios de valores cuando correspondan al giro ordinario de los negocios de esas entidades, incluyendo los procesos ejecutivos, dado que tienen una connotación de derecho privado que no corresponde a la especialidad de la jurisdicción.
· Las decisiones de autoridades administrativas cuando actúan en ejercicio de una función jurisdiccional, salvo que se trate de resolver un recurso de instancia contra esas decisiones de dicha autoridad.
Los conflictos que se originan en contratos de trabajo celebrados entre las entidades públicas y sus trabajadores oficiales, cuyo conocimiento corresponde a la jurisdicción laboral. [...]» (Congreso de la República. Gaceta del Congreso No. 1.173 del 17 de noviembre de 2009. Proyecto de Ley No. 198 de 2009).

TÍTULO II
ORGANIZACIÓN DE LA JURISDICCIÓN DE LO CONTENCIOSO ADMINISTRATIVO

CAPÍTULO I
INTEGRACIÓN

ARTÍCULO 106. INTEGRACIÓN DE LA JURISDICCIÓN DE LO CONTENCIOSO ADMINISTRATIVO

La Jurisdicción de lo Contencioso Administrativo está integrada por el Consejo de Estado, los Tribunales Administrativos y los juzgados administrativos.

Concordancias: Art. 4 de la Ley 1285 de 2009.

CAPÍTULO II

ARTÍCULO 107. INTEGRACIÓN Y COMPOSICIÓN

El Consejo de Estado es el Tribunal Supremo de lo Contencioso Administrativo y Cuerpo Supremo Consultivo del Gobierno. Estará integrado por treinta y un (31) Magistrados.

Ejercerá sus funciones por medio de tres (3) salas, integradas así: la Plena, por todos sus miembros; la de lo Contencioso Administrativo, por veintisiete (27) Magistrados y la de Consulta y Servicio Civil, por los cuatro (4) Magistrados restantes.

Igualmente, tendrá una Sala de Gobierno, conformada por el Presidente y el Vicepresidente del Consejo de Estado y por los Presidentes de la Sala de Consulta y Servicio Civil y de las secciones de la Sala de lo Contencioso Administrativo.

Créanse en el Consejo de Estado las salas especiales de decisión, además de las reguladas en este Código, encargadas de decidir los procesos sometidos a la Sala Plena de lo Contencioso Administrativo, que esta les encomiende, salvo de los procesos de pérdida de investidura y de nulidad por inconstitucionalidad. Estas Salas estarán integradas por cuatro (4) Magistrados, uno por cada una de las secciones que la conforman, con exclusión de la que hubiere conocido del asunto, si fuere el caso.

La integración y funcionamiento de dichas salas especiales, se hará de conformidad con lo que al respecto establezca el reglamento interno.

Concordancias: Arts. 174, 178, 231-233, 236 y 237 de la Const. Pol.; Arts. 34 y 53 de la Ley 270 de 1996; Art. 9 de la Ley 1285 de 2009.

ARTÍCULO 108. ELECCIÓN DE DIGNATARIOS

El Presidente del Consejo de Estado será elegido por la misma corporación para el período de un (1) año y podrá ser reelegido indefinidamente y ejercerá las funciones que le confieren la Constitución, la ley y el reglamento interno.

El Consejo también elegirá un Vicepresidente, en la misma forma y para el mismo período del Presidente, encargado de reemplazarlo en sus faltas temporales y de ejercer las demás funciones que le asigne el reglamento interno.

Cada sala o sección elegirá un Presidente para el período de un (1) año y podrá ser reelegido indefinidamente.

Concordancias: Arts. 232 y 233 de la Const. Pol.; Art. 53 de la Ley 270 de 1996; Acuerdo 80 de 2019 del Consejo de Estado.

ARTÍCULO 109. ATRIBUCIONES DE LA SALA PLENA

La Sala Plena del Consejo de Estado tendrá las siguientes atribuciones:

1. Darse su propio reglamento.
2. Elegir a los Magistrados que integran la Corporación.
3. Elegir al Secretario General.
4. Elegir los demás empleados de la corporación, con excepción de los de las salas, de las secciones y de los despachos, los cuales serán designados por cada una de aquellas o por los respectivos Magistrados. Esta atribución podrá delegarse en la Sala de Gobierno.
5. <Numeral derogado tácitamente por el artículo 22 del Acto Legislativo 2 de 2015, modificatorio del inciso 6 del artículo 267 de la Constitución Política>
6. Distribuir las funciones de la Sala de lo Contencioso Administrativo que no deban ser ejercidas en pleno, entre las Salas de Decisión que organice la ley, las secciones y subsecciones que la constituyen, con base en los criterios de especialidad y de volumen de trabajo.
7. Integrar las comisiones que deba designar para el buen funcionamiento de la Corporación.
8. Hacer la evaluación del factor cualitativo de la calificación de servicios de los Magistrados de los Tribunales Administrativos, que servirá de base para la calificación integral.

9. Elegir, de terna enviada por la Corte Suprema de Justicia, para períodos de dos (2) años, al Auditor General de la República o a quien deba reemplazarlo en sus faltas temporales o absolutas, sin que en ningún caso pueda reelegirlo.

10. Elegir el integrante de la terna para la elección de Procurador General de la Nación.

11. Elegir el integrante de la terna para la elección de Contralor General de la República.

12. Elegir los integrantes de tres (3) ternas para la elección de Magistrados de la Corte Constitucional.

13. Elegir tres (3) Magistrados para la Sala Administrativa del Consejo Superior de la Judicatura.

14. Emitir concepto en el caso previsto en el inciso 2o del numeral 3 del artículo 237 de la Constitución Política.

15. Ejercer las demás funciones que le prescriban la Constitución, la ley y el reglamento.

PARÁGRAFO. El concepto de que trata el numeral 14 del presente artículo no estará sometido a reserva.

Concordancias: Arts. 174, 178, 231-233, 236 y 237 de la Const. Pol.; Art. 35 de la Ley 270 de 1996; Acuerdo 80 de 2019 del Consejo de Estado.

Nota 1: El numeral 5 del presente artículo se entiende derogado tácitamente por el Acto Legislativo 2 de 2015, «por medio del cual se adopta una reforma de equilibrio de poderes y reajuste institucional y se dictan otras disposiciones». En virtud del mismo, inciso octavo del artículo 267 de la Constitución Política dispuso: «Solo el Congreso puede admitir la renuncia que presente el Contralor y proveer las faltas absolutas y temporales del cargo». Posteriormente, el Acto Legislativo 4 de 2019, «Por medio del cual se reforma el Régimen de Control Fiscal», nuevamente reformó el artículo, estando vigente: «Solo el Congreso puede admitir la renuncia que presente el Contralor y proveer las faltas absolutas y temporales del cargo mayores de 45 días». En este sentido, la Corte Constitucional se declaró inhibida para pronunciarse sobre le exequibilidad del numeral 5, al siguiente tenor: «[…] La Corte concluyó que, producto de la expedición del Acto Legislativo 02 de 2015, sobre las normas demandas se presentaba el fenómeno jurídico de la derogatoria tácita por inconstitucionalidad sobreviniente, pues estas resultaban manifiesta y abiertamente contrarias a lo dispuesto en el artículo 22 de dicho Acto Legislativo, el cual modificó el inciso 6 del artículo 267 de la Constitución Política. Además, se constató que las normas demandas no estaban produciendo ningún efecto jurídico. La Corte también advirtió que, entre el momento en que se presentó la demanda de inconstitucionalidad y el de la emisión de esta sentencia, se profirió el Acto Legislativo 04 de 2019, mediante el cual se modificó el referido artículo 267 en aspectos relevantes para la solución del presente caso, por lo que la Corte debía declarase inhibida para emitir un pronunciamiento de fondo debido a la modificación del parámetro de control constitucional» (Corte Constitucional. Sentencia C-537 de 2019. M.P. Diana Fajardo Rivera).

ARTÍCULO 110. INTEGRACIÓN DE LA SALA DE LO CONTENCIOSO ADMINISTRATIVO

La Sala de lo Contencioso Administrativo se dividirá en cinco (5) secciones, cada una de las cuales ejercerá separadamente las funciones que de conformidad con su especialidad y cantidad de trabajo le asigne la Sala Plena del Consejo de Estado, de acuerdo con la ley y el reglamento interno de la Corporación y estarán integradas de la siguiente manera:

La Sección Primera, por cuatro (4) Magistrados.

La Sección Segunda se dividirá en dos (2) subsecciones, cada una de las cuales estará integrada por tres (3) Magistrados.

La Sección Tercera se dividirá en tres (3) subsecciones, cada una de las cuales estará integrada por tres (3) Magistrados.

La Sección Cuarta, por cuatro (4) Magistrados, y

La Sección Quinta, por cuatro (4) Magistrados.

Sin perjuicio de las específicas competencias que atribuya la ley, el Reglamento de la Corporación determinará y asignará los asuntos y las materias cuyo conocimiento corresponda a cada sección y a las respectivas subsecciones.

PARÁGRAFO. Es atribución del Presidente del Consejo de Estado, resolver los conflictos de competencia entre las secciones de la Sala de lo Contencioso de la Corporación.

Concordancias: Art. 10 de la Ley 1285 de 2009; Acuerdo 80 de 2019 del Consejo de Estado.

Nota 1: El parágrafo del presente artículo fue declarado exequible por la Corte Constitucional. El cargo estudiado consistió en la transgresión de los artículos 152 y 153 de la Constitución Política por reformar una ley estatutaria —el artículo 37 de la Ley 270 de 1996— por medio de una ley ordinaria. La Corporación concluyó que el artículo 37 de la Ley Estatutaria de Administración de Justicia no regula derechos fundamentales y, por lo tanto, se trata de una norma ordinaria, regla del mismo rango del parágrafo en cuestión (Corte Constitucional. Sentencia C-334 de 2023. M.P. Jorge Enrique Ibañez Najar).

ARTÍCULO 111. FUNCIONES DE LA SALA PLENA DE LO CONTENCIOSO ADMINISTRATIVO

La Sala de lo Contencioso administrativo en pleno tendrá las siguientes funciones:

1. Conocer de todos los procesos contenciosos administrativos cuyo juzgamiento atribuya la ley al Consejo de Estado y que específicamente no se hayan asignado a las secciones.

2. Resolver los recursos extraordinarios de revisión contra las sentencias dictadas por las secciones o subsecciones y los demás que sean de su competencia.

3. <Numeral modificado por el artículo 18 de la Ley 2080 de 2021. El nuevo texto es el siguiente:> Dictar auto o sentencia de unificación en los asuntos indicados en el artículo 271 de este código.

4. <Numeral modificado por el artículo 18 de la Ley 2080 de 2021. El nuevo texto es el siguiente:> Requerir a los tribunales el envío de determinados asuntos que estén conociendo en segunda instancia con el fin de unificar jurisprudencia en los términos del artículo 271 de este código.

5. Conocer de la nulidad por inconstitucionalidad que se promueva contra los decretos cuyo control no corresponda a la Corte Constitucional.

6. Conocer de la pérdida de investidura de los congresistas, de conformidad con el procedimiento establecido en la ley.

7. Conocer del recurso extraordinario especial de revisión de las sentencias de pérdida de investidura de los congresistas. *En estos casos, los Magistrados del Consejo de Estado que participaron en la decisión impugnada no serán recusables ni podrán declararse impedidos por ese solo hecho.*

8. Ejercer el control inmediato de legalidad de los actos de carácter general dictados por autoridades nacionales con fundamento y durante los estados de excepción.

PARÁGRAFO. La Corte Suprema de Justicia conocerá de los procesos contra los actos administrativos emitidos por el Consejo de Estado.

Concordancias: Arts. 10, 11 y 12 de la Ley 1285 de 2009; Art. 2 de la Ley 1881 de 2018; Acuerdo 80 de 2019 del Consejo de Estado.

Nota 1: El fragmento en cursiva del numeral 7 fue declarado exequible por la Corte Constitucional. El actor consideró que la norma vulnera el principio de imparcialidad y el derecho al debido proceso. No obstante, la Sala sostuvo que: «[...] el presupuesto que asegura el principio de imparcialidad judicial en el estudio de las causales antes referidas, es la imposibilidad que a través de ellas, se pretenda atacar cuestiones intrínsecas al desarrollo del proceso de pérdida de la investidura y que no se alegaron en su oportunidad a través de las acciones legales pertinentes. Es decir, tal y como acontece frente al resto de causales de revisión, esta causal específica debe tratarse, de conformidad con lo establecido en la jurisprudencia constitucional, sobre una cuestión jurídica nueva, que no pudo ser alegada dentro del proceso» (Corte Constitucional. Sentencia C-450 de 2015. M.P. Jorge Ignacio Pretelt Chaljub).

ARTÍCULO 112. INTEGRACIÓN Y FUNCIONES DE LA SALA DE CONSULTA Y SERVICIO CIVIL

<Inciso modificado por el artículo 19 de la Ley 2080 de 2021. El nuevo texto es el siguiente:> La Sala de Consulta y Servicio Civil cumplirá funciones separadas de las funciones jurisdiccionales y actuará en forma autónoma como cuerpo supremo consultivo del gobierno en asuntos de administración. Estará integrada por cuatro (4) Magistrados.

Los conceptos de la Sala no serán vinculantes, salvo que la ley disponga lo contrario.

La Sala de Consulta y Servicio Civil tendrá las siguientes atribuciones:

1. Absolver las consultas generales o particulares que le formule el Gobierno Nacional, a través de sus Ministros y Directores de Departamento Administrativo.

2. Revisar o preparar a petición del Gobierno Nacional proyectos de ley y de códigos. El proyecto se entregará al Gobierno por conducto del Ministro o Director del Departamento Administrativo correspondiente, para su presentación a la consideración del Congreso de la República.

3. Preparar a petición de la Sala Plena del Consejo de Estado o por iniciativa propia proyectos de acto legislativo y de ley.

4. Revisar a petición del Gobierno los proyectos de compilaciones de normas elaborados por este para efectos de su divulgación.

5. Realizar los estudios que sobre temas de interés para la Administración Pública la Sala estime necesarios para proponer reformas normativas.

6. Conceptuar sobre los contratos que se proyecte celebrar con empresas privadas colombianas escogidas por concurso público de méritos para efectuar el control fiscal de la gestión administrativa nacional, de conformidad con lo previsto en el artículo 267 de la Constitución Política.

7. <Modificado por el artículo 19 de la Ley 2080 de 2021. El nuevo texto es el siguiente:> Emitir concepto, a petición del Gobierno nacional *o de la Agencia Nacional de Defensa Jurídica del Estado,* en relación con las controversias jurídicas que se presenten entre entidades públicas del orden nacional, o entre estas y entidades del orden territorial, con el fin de precaver un eventual litigio o poner fin a uno existente. El concepto emitido por la Sala no está sujeto a recurso alguno.

Cuando la solicitud no haya sido presentada por la Agencia Nacional de Defensa Jurídica del Estado, esta podrá intervenir en el trámite del concepto.

La solicitud de concepto suspenderá todos los términos legales, incluida la caducidad del respectivo medio de control y la prescripción, hasta el día siguiente a la fecha de comunicación del concepto.

En el evento en que se haya interpuesto demanda por la controversia jurídica base del concepto, dentro de los dos (2) días siguientes a la radicación de la solicitud, las entidades parte del proceso judicial o la Agencia Nacional de Defensa Jurídica del Estado deberán comunicar al juez o magistrado ponente que se solicitó concepto a la Sala. La comunicación suspenderá el proceso judicial.

El ejercicio de la función está sometido a las siguientes reglas:

a) El escrito que contenga la solicitud deberá relacionar, de forma clara y completa, los hechos que dan origen a la controversia, y acompañarse de los documentos que se estimen pertinentes. Asimismo, deberán precisarse los asuntos de puro derecho objeto de la discrepancia, en relación con los cuales se pida el concepto;

b) El consejero ponente convocará audiencia a las entidades involucradas, a la Agencia Nacional de Defensa Jurídica del Estado y al Ministerio Público para que se pronuncien sobre la controversia jurídica sometida a consulta y aporten las pruebas documentales que estimen procedentes;

c) Para el ejercicio de la función prevista en este numeral, el consejero ponente podrá decretar pruebas en los términos dispuestos en este código;

d) Una vez cumplido el procedimiento anterior y se cuente con toda la información necesaria, la Sala emitirá el concepto solicitado dentro de los noventa (90) días siguientes. No obstante, este plazo podrá prorrogarse hasta por treinta (30), días más, de oficio o a petición de la Agencia Nacional de Defensa Jurídica del Estado, en el evento de presentarse hechos sobrevinientes o no conocidos por la Sala en el trámite del concepto.

8. Verificar, de conformidad con el Código Electoral, si cada candidato a la Presidencia de la República reúne o no los requisitos constitucionales y expedir la correspondiente certificación.

9. Ejercer control previo de legalidad de los Convenios de Derecho Público Interno con las Iglesias, Confesiones y Denominaciones Religiosas, sus Federaciones y Confederaciones, de conformidad con lo dispuesto en la ley.

10. <Modificado por el artículo 19 de la Ley 2080 de 2021. El nuevo texto es el siguiente:> Resolver los conflictos de competencias administrativas entre organismos del orden nacional o entre tales organismos y una entidad territorial o descentralizada, o entre cualesquiera de estas cuando no estén comprendidas en la jurisdicción territorial de un solo tribunal administrativo. Una vez el expediente ingrese al despacho para resolver el conflicto, la Sala lo decidirá dentro de los cuarenta (40) días siguientes al recibo de toda la información necesaria para el efecto.

11. Presentar anualmente un informe público de labores.

12. Ejercer las demás funciones que le prescriban la Constitución y la ley.

PARÁGRAFO 1o. Los conceptos de la Sala de Consulta y Servicio Civil estarán amparados por reserva legal de seis (6) meses. Esta podrá ser prorrogada hasta por cuatro (4) años por el Gobierno Nacional. Si transcurridos los seis (6) meses a los que se refiere este parágrafo el Gobierno Nacional no se ha pronunciado en ningún sentido, automáticamente se levantará la reserva.

En todo caso, el Gobierno Nacional podrá levantar la reserva en cualquier tiempo.

PARÁGRAFO 2o. A invitación de la Sala, los Ministros, los Jefes de Departamento Administrativo, y los funcionarios que unos y otros requieran, podrán concurrir a las deliberaciones del Consejo de Estado cuando este haya de ejercer su función consultiva, pero la votación de los Magistrados se hará una vez que todos se hayan retirado. La Sala realizará las audiencias y requerirá las informaciones y documentación que considere necesarias para el ejercicio de sus funciones.

Concordancias: Art. 38 de la Ley 270 de 1996; Acuerdo 80 de 2019 del Consejo de Estado.

Nota 1: El fragmento en cursiva en el numeral 7 fue declarado exequible por la Corte Constitucional. El demandante consideró que la disposición presuntamente vulneraba los artículos 237 y 115 de la Constitución Política, toda vez que habilita un órgano que no hace parte del Gobierno nacional para solicitar conceptos a la Sala de Consulta y Servicio Civil del Consejo de Estado. No obstante, la Corporación sostuvo: «Al decidir la demanda de inconstitucionalidad contra el artículo 19 (parcial) de la Ley 2080 de 2021, por los cargos de desconocimiento de los artículos 237.3 y 115 de la Constitución, en cuanto asignó a la Agencia Nacional de Defensa Jurídica del Estado (ANDJE), a pesar de que no hace parte del Gobierno nacional, competencia para solicitar concepto a la Sala de Consulta y Servicio Civil (SCSC) del Consejo de Estado, en relación con las controversias jurídicas que se presenten entre entidades públicas del orden nacional o entre estas y entidades del orden territorial, con el fin de precaver un eventual litigio o poner fin a uno existente, la Corte concluyó que dicha norma no amplió la competencia de la SCSC, sino que extendió la legitimación para activar la mencionada función consultiva que se encontraba prevista en el numeral 7 del artículo 112 de la Ley 1437 de 2011 solo a favor del Gobierno nacional» (Corte Constitucional. Sentencia C-031 de 2023. M.P. Antonio José Lizarazo Ocampo).

ARTÍCULO 113. CONCEPTO PREVIO DE LA SALA DE CONSULTA Y SERVICIO CIVIL

La Sala de Consulta y Servicio Civil deberá ser previamente oída en los siguientes asuntos:

1. Proyectos de ley o proyectos de disposiciones administrativas, cualquiera que fuere su rango y objeto, que afecten la organización, competencia o funcionamiento del Consejo de Estado.

2. Todo asunto en que por precepto expreso de una ley, haya de consultarse a la Sala de Consulta y Servicio Civil.

PARÁGRAFO. En los casos contemplados en el anterior y en el presente artículo, los conceptos serán remitidos al Presidente de la República o al Ministro o jefe Departamento Administrativo que los haya solicitado, así como a la Secretaría Jurídica de la Presidencia de la República.

Concordancias: Acuerdo 80 de 2019 del Consejo de Estado.

ARTÍCULO 114. FUNCIONES DE LA SALA DE GOBIERNO

Corresponde a la Sala de Gobierno:

1. Examinar la hoja de vida de los candidatos para desempeñar cualquier empleo cuya elección corresponda a la Sala Plena e informar a esta sobre el resultado respectivo.

2. Elegir conforme a la delegación de la Sala Plena los empleados de la corporación, con excepción de los que deban elegir las salas, secciones y despachos.

3. Asesorar al Presidente de la Corporación cuando este lo solicite.

4. Estudiar la hoja de vida de los candidatos al premio José Ignacio de Márquez y presentar las evaluaciones a la Sala Plena.

5. Cumplir las comisiones que le confiera la Sala Plena.

6. Cumplir las demás funciones que le señalen la ley y el reglamento interno.

Concordancias: Acuerdo 80 de 2019 del Consejo de Estado.

ARTÍCULO 115. CONJUECES

Los conjueces suplirán las faltas de los Magistrados por impedimento o recusación, dirimirán los empates que se presenten en la Sala Plena de lo Contencioso Administrativo, en la Sala de lo Contencioso Administrativo en sus diferentes secciones y en Sala de Consulta y Servicio Civil, e intervendrán en las mismas para completar la mayoría decisoria, cuando esta no se hubiere logrado.

Serán designados conjueces, por sorteo y según determine el reglamento de la corporación, los Magistrados de las Salas de lo Contencioso Administrativo y de Consulta y Servicio Civil de la Corporación.

Cuando por cualquier causa no fuere posible designar a los Magistrados de la Corporación, se nombrarán como conjueces, de acuerdo con las leyes procesales y el reglamento interno, a las personas que reúnan los requisitos y calidades para desempeñar los cargos de Magistrado en propiedad, sin que obste el haber llegado a la edad de retiro forzoso, las cuales en todo caso no podrán ser miembros de las corporaciones públicas, empleados o trabajadores de ninguna entidad que cumpla funciones públicas, durante el período de sus funciones. Sus servicios serán remunerados.

Los conjueces tienen los mismos deberes y atribuciones que los Magistrados y estarán sujetos a las mismas responsabilidades de estos.

La elección y el sorteo de los conjueces se harán por la Sala Plena de lo Contencioso Administrativo, por la Sala de lo Contencioso Administrativo en sus diferentes secciones y por la Sala de Consulta y Servicio Civil, según el caso.

PARÁGRAFO. En los Tribunales Administrativos, cuando no pueda obtenerse la mayoría decisoria en sala, por impedimento o recusación de uno de sus Magistrados o por empate entre sus miembros, se llamará por turno a otro de los Magistrados de la respectiva corporación, para que integre la Sala de Decisión, y solo en defecto de estos, de acuerdo con las leyes procesales y el reglamento de la corporación, se sortearán los conjueces necesarios.

Concordancias: Art. 61 de la Ley 270 de 1996; Acuerdo 80 de 2019 del Consejo de Estado.

Nota 1: La Corte Constitucional se declaró inhibida para pronunciarse sobre la constitucionalidad del segundo inciso y algunos apartes del tercero (Corte Constitucional. Sentencia C-688 de 2017. M.P. Carlos Bernal Pulido).

ARTÍCULO 116. POSESIÓN Y DURACIÓN DEL CARGO DE CONJUEZ

Designado el conjuez, deberá tomar posesión del cargo ante el Presidente de la sala o sección respectiva, por una sola vez, y cuando fuere sorteado bastará la simple comunicación para que asuma sus funciones.

Cuando los Magistrados sean designados conjueces sólo se requerirá la comunicación para que asuman su función de integrar la respectiva sala.

Los conjueces que entren a conocer de un asunto deberán actuar hasta que termine completamente la instancia o recurso, aunque concluya el período para el cual fueron elegidos, pero si se modifica la integración de la sala, los nuevos Magistrados desplazarán a los conjueces, siempre que respecto de aquellos no se les predique causal de impedimento o recusación que dé lugar al nombramiento de estos.

Nota 1: La Corte Constitucional se declaró inhibida para pronunciarse sobre la constitucionalidad de apartes del segundo inciso (Corte Constitucional. Sentencia C-688 de 2017. M.P. Carlos Bernal Pulido).

ARTÍCULO 117. COMISIÓN PARA LA PRÁCTICA DE PRUEBAS Y DILIGENCIAS

El Consejo de Estado podrá comisionar a los Magistrados Auxiliares, a los Tribunales Administrativos y a los jueces para la práctica de pruebas y de diligencias necesarias para el ejercicio de sus funciones.

Igualmente, podrá comisionar mediante exhorto directamente a los cónsules o a los agentes diplomáticos de Colombia en el país respectivo para que practiquen la diligencia, de conformidad con las leyes nacionales y la devuelvan directamente.

Concordancias: Arts. 136-141 de la Ley 270 de 1996.

ARTÍCULO 118. LABORES DEL CONSEJO DE ESTADO EN VACACIONES

El Consejo de Estado deberá actuar, aún en época de vacaciones, por convocatoria del Gobierno Nacional, cuando sea necesario su dictamen, por disposición de la Constitución Política. También podrá el Gobierno convocar a la Sala de Consulta y Servicio Civil, cuando a juicio de aquel las necesidades públicas lo exijan.

Concordancias: Art. 146 de la Ley 270 de 1996.

ARTÍCULO 119. LICENCIAS Y PERMISOS

El Consejo de Estado podrá conceder licencia a los Magistrados del Consejo de Estado y de los Tribunales Administrativos para separarse de sus destinos hasta por noventa (90) días en un año y designar los interinos a que haya lugar.

El Presidente del Consejo de Estado o del respectivo tribunal administrativo podrá conceder permiso, hasta por cinco (5) días en cada mes, a los magistrados de la corporación correspondiente.

ARTÍCULO 120. AUXILIARES DE LOS MAGISTRADOS DEL CONSEJO DE ESTADO

Cada Magistrado del Consejo de Estado tendrá al menos dos Magistrados auxiliares de su libre nombramiento y remoción.

ARTÍCULO 121. ÓRGANO OFICIAL DE DIVULGACIÓN DEL CONSEJO DE ESTADO

El Consejo de Estado tendrá los medios de divulgación necesarios para realizar la publicidad de sus actuaciones. Para cada vigencia fiscal se deberá incluir en el presupuesto de gastos de la Nación una apropiación especial destinada a ello.

Concordancias: Acuerdo 80 de 2019 del Consejo de Estado.

CAPÍTULO III
DE LOS TRIBUNALES ADMINISTRATIVOS

ARTÍCULO 122. JURISDICCIÓN

Los Tribunales Administrativos son creados por la Sala Administrativa del Consejo Superior de la Judicatura para el cumplimiento de las funciones que determine la ley procesal en cada distrito judicial administrativo. Tienen el número de Magistrados que determine la Sala Administrativa del Consejo Superior de la Judicatura que, en todo caso, no será menor de tres (3).

Los Tribunales Administrativos ejercerán sus funciones por conducto de la Sala Plena, integrada por la totalidad de los Magistrados; por la Sala de Gobierno, por las salas especializadas y por las demás salas de decisión plurales e impares, de acuerdo con la ley.

Concordancias: Arts. 40, 127 y 128 de la Ley 270 de 1996.

ARTÍCULO 123. SALA PLENA

La Sala Plena de los Tribunales Administrativos ejercerá las siguientes funciones:

1. Elegir los jueces de lo contencioso administrativo de listas que, conforme a las normas sobre carrera judicial le remita la Sala Administrativa del respectivo Consejo Seccional de la Judicatura.

2. Nominar los candidatos que han de integrar las ternas correspondientes a las elecciones de contralor departamental y de contralores distritales y municipales, dentro del mes inmediatamente anterior a la elección.

3. Hacer la evaluación del factor cualitativo de la calificación de servicios de los jueces del respectivo distrito judicial, que servirá de base para la calificación integral.

4. Dirimir los conflictos de competencias que surjan entre las secciones o subsecciones del mismo tribunal y aquellos que se susciten entre dos jueces administrativos del mismo distrito.

5. Las demás que le asigne la ley.

Concordancias: Art. 41 de la Ley 270 de 1996.

CAPÍTULO IV
DE LOS JUECES ADMINISTRATIVOS

ARTÍCULO 124. RÉGIMEN

Los juzgados administrativos que de conformidad con las necesidades de la administración de justicia establezca la Sala Administrativa del Consejo Superior de la Judicatura para el cumplimiento de las funciones que prevea la ley procesal en cada circuito o municipio, integran la Jurisdicción de lo Contencioso Administrativo. Sus características, denominación y número serán fijados por esa misma Corporación, de conformidad con lo dispuesto en la Ley Estatutaria de la Administración de Justicia.

Concordancias: Art. 41 de la Ley 270 de 1996.

CAPÍTULO V
DECISIONES EN LA JURISDICCIÓN DE LO CONTENCIOSO ADMINISTRATIVO

ARTÍCULO 125. DE LA EXPEDICIÓN DE PROVIDENCIAS

<Artículo modificado por el artículo 20 de la Ley 2080 de 2021. El nuevo texto es el siguiente:> La expedición de las providencias judiciales se sujetará a las siguientes reglas:

1. Corresponderá a los jueces proferir los autos y las sentencias.

2. Las salas, secciones y subsecciones dictarán las sentencias y las siguientes providencias:

a) Las que decidan si se avoca conocimiento o no de un asunto de acuerdo con los numerales 3 y 4 del artículo 111 y con el artículo 271 de este código;

b) Las que resuelvan los impedimentos y recusaciones, de conformidad con los artículos 131 y 132 de este código;

c) Las que resuelvan los recursos de súplica. En este caso, queda excluido el despacho que hubiera proferido el auto recurrido;

d) Las que decreten pruebas de oficio, en el caso previsto en el inciso segundo del artículo 213 de este código;

e) Las que decidan de fondo las solicitudes de extensión de jurisprudencia;

f) En las demandas contra los actos de elección y los de contenido electoral, la decisión de las medidas cautelares será de sala;

g) Las enunciadas en los numerales 1 a 3 y 6 del artículo 243 cuando se profieran en primera instancia o decidan el recurso de apelación contra estas;

h) El que resuelve la apelación del auto que decreta, deniega o modifica una medida cautelar. En primera instancia esta decisión será de ponente.

3. Será competencia del magistrado ponente dictar las demás providencias interlocutorias y de sustanciación en el curso de cualquier instancia, incluida la que resuelva el recurso de queja.

ARTÍCULO 126. QUÓRUM DELIBERATORIO EN EL CONSEJO DE ESTADO

El Consejo de Estado en pleno o cualquiera de sus salas, secciones o subsecciones necesitará para deliberar válidamente la asistencia de la mayoría de sus miembros.

Concordancias: Art. 54 de la Ley 270 de 1996; Acuerdo 80 de 2019 del Consejo de Estado.

ARTÍCULO 127. QUÓRUM PARA ELECCIONES EN EL CONSEJO DE ESTADO

El quórum para las elecciones que realice el Consejo de Estado en pleno o cualquiera de sus salas, secciones o subsecciones será el establecido por el reglamento de la Corporación.

Concordancias: Acuerdo 80 de 2019 del Consejo de Estado.

ARTÍCULO 128. QUÓRUM PARA OTRAS DECISIONES EN EL CONSEJO DE ESTADO

Toda decisión de carácter jurisdiccional o no, diferente de la indicada en el artículo anterior, que tomen el Consejo de Estado en Pleno o cualquiera de sus salas, secciones, o subsecciones o los Tribunales Administrativos, o cualquiera de sus secciones, requerirá para su deliberación y decisión, de la asistencia y voto favorable de la mayoría de sus miembros.

Si en la votación no se lograre la mayoría absoluta, se repetirá aquella, y si tampoco se obtuviere, se procederá al sorteo de conjuez o conjueces, según el caso, para dirimir el empate o para conseguir tal mayoría.

Es obligación de todos los Magistrados participar en la deliberación y decisión de los asuntos que deban ser fallados por la corporación en pleno y, en su caso, por la sala o sección a la que pertenezcan, salvo cuando medie causa legal de impedimento aceptada por la corporación, enfermedad o calamidad doméstica debidamente comprobadas, u otra razón legal que imponga separación temporal del cargo. El incumplimiento sin justa causa de este deber es causal de mala conducta.

El reglamento interno señalará los días y horas de cada semana en que ella, sus salas y sus secciones celebrarán reuniones para la deliberación y decisión de los asuntos de su competencia.

Cuando quiera que el número de los Magistrados que deban separarse del conocimiento de un asunto por impedimento o recusación o por causal legal de separación del cargo disminuya el quórum decisorio, para completarlo se acudirá a la designación de conjueces.

Concordancias: Art. 39 de la Ley 270 de 1996; Acuerdo 80 de 2019 del Consejo de Estado.

ARTÍCULO 129. FIRMA DE PROVIDENCIAS, CONCEPTOS, DICTÁMENES, SALVAMENTOS DE VOTO Y ACLARACIONES DE VOTO

Las providencias, conceptos o dictámenes del Consejo de Estado, o de sus salas, secciones, subsecciones, o de los Tribunales Administrativos, o de cualquiera de sus secciones, una vez acordados, deberán ser firmados por los miembros de la corporación que hubieran intervenido en su adopción, aún por los que hayan disentido. Al pie de la providencia, concepto o dictamen se dejará constancia de los Magistrados ausentes. Quienes participaron en las deliberaciones, pero no en la votación del proyecto, no tendrán derecho a votarlo.

Los Magistrados discrepantes tendrán derecho a salvar o aclarar el voto. Para ese efecto, una vez firmada y notificada la providencia, concepto o dictamen, el expediente permanecerá en secretaría por el término común de cinco (5) días. La decisión, concepto o dictamen tendrá la fecha en que se adoptó. El salvamento o aclaración deberá ser firmado por su autor y se agregará al expediente.

Si dentro del término legal el Magistrado discrepante no sustentare el salvamento o la aclaración de voto, sin justa causa, perderá este derecho.

Concordancias: Arts. 55 y 56 de la Ley 270 de 1996.

CAPÍTULO VI
IMPEDIMENTOS Y RECUSACIONES

ARTÍCULO 130. CAUSALES

Los magistrados y jueces deberán declararse impedidos, o serán recusables, en los casos señalados en el artículo 150 del Código de Procedimiento Civil y, además, en los siguientes eventos:

1. Cuando el juez, su cónyuge, compañero o compañera permanente, o alguno de sus parientes hasta el segundo grado de consanguinidad, segundo de afinidad o único civil, hubieren participado en la expedición del acto enjuiciado, en la formación o celebración del contrato o en la ejecución del hecho u operación administrativa materia de la controversia.

2. Cuando el juez, su cónyuge, compañero o compañera permanente, o alguno de sus parientes hasta el segundo grado de consanguinidad, segundo de afinidad o único civil, hubieren intervenido en condición de árbitro, de parte, de tercero interesado, de apoderado, de testigo, de perito o de agente del Ministerio Público, en el proceso arbitral respecto de cuyo laudo se esté surtiendo el correspondiente recurso de anulación ante la Jurisdicción de lo Contencioso Administrativo.

3. Cuando el cónyuge, compañero o compañera permanente, o alguno de los parientes del juez hasta el segundo grado de consanguinidad, segundo de afinidad o único civil, tengan la condición de servidores públicos en los niveles directivo, asesor o ejecutivo en una de las entidades públicas que concurran al respectivo proceso en calidad de parte o de tercero interesado.

4. Cuando el cónyuge, compañero o compañera permanente, o alguno de los parientes del juez hasta el segundo grado de consanguinidad, segundo de afinidad o único civil, tengan la calidad de asesores o contratistas de alguna de las partes o de los terceros interesados vinculados al proceso, o tengan la condición de representantes legales o socios mayoritarios de una de las sociedades contratistas de alguna de las partes o de los terceros interesados.

Concordancias: Art. 140 del CGP.

Nota 1: La Corte Constitucional declaró exequible la disposición. En dicha oportunidad, el demandante propuso la existencia de una omisión legislativa relativa por no incluir una causal de recusación contra jueces o conjueces por «haber sido o ser contraparte de alguna de las partes o sus apoderados». A juicio de la Corte, esta omisión no pone en riesgo el principio de imparcialidad y no supera los estándares jurisprudenciales definidos para estimarse una omisión legislativa (Corte Constitucional. Sentencia C-496 de 2016. M.P. María Victoria Calle Correa).

ARTÍCULO 131. TRÁMITE DE LOS IMPEDIMENTOS

Para el trámite de los impedimentos se observarán las siguientes reglas:

1. El juez administrativo en quien concurra alguna de las causales de que trata el artículo anterior deberá declararse impedido cuando advierta su existencia, expresando los hechos en que se fundamenta, en escrito dirigido al juez que le siga en turno para que resuelva de plano si es o no fundado y, de aceptarla, asumirá el conocimiento del asunto; si no, lo devolverá para que aquel continúe con el trámite. Si se trata de juez único, ordenará remitir el expediente al correspondiente tribunal para que decida si el impedimento es fundado, caso en el cual designará el juez *ad hoc* que lo reemplace. En caso contrario, devolverá el expediente para que el mismo juez continúe con el asunto.

2. Si el juez en quien concurra la causal de impedimento estima que comprende a todos los jueces administrativos, pasará el expediente al superior expresando los hechos en que se fundamenta. De aceptarse el impedimento, el tribunal designará conjuez para el conocimiento del asunto.

3. <Numeral modificado por el artículo 21 de la Ley 2080 de 2021. El nuevo texto es el siguiente:> Cuando en un Magistrado concurra alguna de las causales señaladas en el artículo anterior, deberá declararse impedido en escrito dirigido al ponente, o a quien le siga en turno si el impedido es este, expresando los hechos en que se fundamenta tan pronto como advierta su existencia, para que la sala, sección o subsección resuelva de plano sobre la legalidad del impedimento. Si lo encuentra fundado, lo aceptará. Cuando se afecte el quórum decisorio, se integrará la nueva sala con los magistrados que integren otras subsecciones o secciones de conformidad con el reglamento interno.

Sólo se ordenará sorteo de conjuez, cuando lo anterior no fuere suficiente.

4. <Numeral modificado por el artículo 21 de la Ley 2080 de 2021. El nuevo texto es el siguiente:> Si el impedimento comprende a todos los integrantes de la sección o subsección del Consejo de Estado o del tribunal, el expediente se enviará a la sección o subsección que le siga de conformidad con el reglamento, para que decida de plano sobre el impedimento; si lo declara fundado, avocará el conocimiento del proceso. En caso contrario, devolverá el expediente para que la misma sección o subsección continúe el trámite del mismo.

5. <Numeral modificado por el artículo 21 de la Ley 2080 de 2021. El nuevo texto es el siguiente:> Si el impedimento comprende a todo el Tribunal Administrativo, el expediente se enviará a la Sección o Subsección del Consejo de Estado que conoce la materia objeto de controversia, para que decida de plano. Si se declara fundado, devolverá el expediente al tribunal de origen para el sorteo de conjueces, quienes deberán conocer del asunto. En caso contrario, devolverá el expediente al referido tribunal para que continúe su trámite.

6. Si el impedimento comprende a todos los miembros de la Sala Plena de lo Contencioso Administrativo, o de la Sala de Consulta y Servicio Civil del Consejo de Estado, sus integrantes deberán declararse impedidos en forma conjunta o separada, expresando los hechos en que se fundamenta. Declarado el impedimento por la sala respectiva se procederá al sorteo de conjueces quienes de encontrar fundado el impedimento asumirán el conocimiento del asunto.

7. Las decisiones que se profieran durante el trámite de los impedimentos no son susceptibles de recurso alguno.

Concordancias: Art. 140 del CGP.

ARTÍCULO 132. TRÁMITE DE LAS RECUSACIONES

Para el trámite de las recusaciones se observarán las siguientes reglas:

1. La recusación se propondrá por escrito ante el juez o Magistrado Ponente con expresión de la causal legal y de los hechos en que se fundamente, acompañando las pruebas que se pretendan hacer valer.

2. Cuando el recusado sea un juez administrativo, mediante auto expresará si acepta los hechos y la procedencia de la causal y enviará el expediente al juez que le siga en turno para que resuelva de plano si es o no fundada la recusación; en caso positivo, asumirá el conocimiento del asunto, si lo encuentra infundado, lo devolverá para que aquel continúe el trámite. Si se trata de juez único, remitirá el expediente al correspondiente tribunal para que decida si la recusación es fundada, caso en el cual designará juez *ad hoc* que lo reemplace; en caso contrario, devolverá el expediente para que el mismo juez continúe el trámite del proceso. Si la recusación comprende a todos los jueces administrativos, el juez recusado pasará el expediente al superior expresando los hechos en que se fundamenta. De aceptarse, el tribunal designará conjuez para el conocimiento del asunto.

3. <Numeral modificado por el artículo 22 de la Ley 2080 de 2021. El nuevo texto es el siguiente:> Cuando el recusado sea un Magistrado, mediante escrito dirigido al ponente, o a quien le siga en turno si el recusado es este, expresará si acepta o no la procedencia de la causal y los hechos en que se fundamenta, para que la sala, sección o subsección resuelva de plano sobre la recusación. Si la encuentra fundada, la aceptará. Cuando se afecte el quórum decisorio, se integrará la nueva sala con los magistrados de otras subsecciones o secciones que indique el reglamento interno. Solo se ordenará sorteo de conjuez, cuando lo anterior no fuere suficiente.

4. Si la recusación comprende a toda la sección o subsección del Consejo de Estado o del tribunal, se presentará ante los recusados para que manifiesten conjunta o separadamente si aceptan o no la recusación. El expediente se enviará a la sección o subsección que le siga en turno, para que decida de plano sobre la recusación; si la declara fundada, avocará el conocimiento del proceso, en caso contrario, devolverá el expediente para que la misma sección o subsección continúe el trámite del mismo.

5. <Numeral modificado por el artículo 21 de la Ley 2080 de 2021. El nuevo texto es el siguiente:> Si la recusación comprende a todo el Tribunal Administrativo, se presentará ante los recusados para que manifiesten conjunta o separadamente si aceptan o no la recusación. El expediente se enviará a la Sección o Subsección del Consejo de Estado que conoce la materia objeto de controversia,

para que decida de plano. Si se declara fundada la recusación, enviará el expediente al tribunal de origen para el sorteo de conjueces, quienes deberán conocer del asunto. En caso contrario, devolverá el expediente al referido tribunal para que continúe su trámite.

6. Cuando la recusación comprenda a todos los miembros de la Sala Plena de lo Contencioso Administrativo o de la Sala de Consulta y Servicio Civil del Consejo de Estado, se presentará a los recusados para que manifiesten en forma conjunta o separada si la aceptan o no. Aceptada la recusación por la sala respectiva, se procederá al sorteo de Conjueces para que asuman el conocimiento del proceso, en caso contrario, la misma sala continuará el trámite del proceso.

7. Las decisiones que se profieran durante el trámite de las recusaciones no son susceptibles de recurso alguno.

En el mismo auto mediante el cual se declare infundada la recusación, si se encontrare que la parte recusante y su apoderado han actuado con temeridad o mala fe, se les condenará solidariamente a pagar una multa en favor del Consejo Superior de la Judicatura de cinco (5) a diez (10) salarios mínimos mensuales legales vigentes, sin perjuicio de la investigación disciplinaria a que hubiere lugar.

La decisión, en cuanto a la multa, será susceptible únicamente de reposición.

Concordancias: Art. 140 del CGP.

CAPÍTULO VII
IMPEDIMENTOS Y RECUSACIONES DE LOS AGENTES DEL MINISTERIO PÚBLICO

ARTÍCULO 133. IMPEDIMENTOS Y RECUSACIONES DE LOS AGENTES DEL MINISTERIO PÚBLICO ANTE ESTA JURISDICCIÓN

Las causales de recusación y de impedimento previstas en este Código para los Magistrados del Consejo de Estado, Magistrados de los Tribunales y jueces administrativos, también son aplicables a los agentes del Ministerio Público cuando actúen ante la Jurisdicción de lo Contencioso Administrativo.

ARTÍCULO 134. OPORTUNIDAD Y TRÁMITE

El agente del Ministerio Público, en quien concurra algún motivo de impedimento, deberá declararse impedido expresando la causal y los hechos en que se fundamente, mediante escrito dirigido al juez, sala, sección o subsección que esté conociendo del asunto para que decida si se acepta o no el impedimento. En caso positivo, se dispondrá su reemplazo por quien le siga en orden numérico atendiendo a su especialidad. Si se tratare de agente único se solicitará a la Procuraduría General de la Nación, la designación del funcionario que lo reemplace.

La recusación del agente del Ministerio Público se propondrá ante el juez, sala, sección o subsección del tribunal o del Consejo de Estado que conozca del asunto, para que resuelva de plano, previa manifestación del recusado, sobre si acepta o no la causal y los hechos. Si se acepta la recusación, dispondrá su reemplazo por quien le siga en orden numérico atendiendo a su especialidad. Si se tratare de agente único, se solicitará a la Procuraduría General de la Nación la designación del funcionario que lo reemplace.

PARÁGRAFO. Si el Procurador General de la Nación es separado del conocimiento del proceso, por causa de impedimento o recusación, lo reemplazará el Viceprocurador.

TÍTULO III
MEDIOS DE CONTROL

ARTÍCULO 135. NULIDAD POR INCONSTITUCIONALIDAD

Los ciudadanos podrán, en cualquier tiempo, solicitar por sí, o por medio de representante, que se declare la nulidad de los decretos de carácter general dictados por el Gobierno Nacional, cuya revisión no corresponda a la Corte Constitucional en los términos de los artículos 237 y 241 de la Constitución Política, por infracción directa de la Constitución.

También podrán pedir la nulidad por inconstitucionalidad de los actos de carácter general que por expresa disposición constitucional sean expedidos por entidades u organismos distintos del Gobierno Nacional.

PARÁGRAFO. El Consejo de Estado no estará limitado para proferir su decisión a los cargos formulados en la demanda. En consecuencia, podrá fundar la declaración de nulidad por inconstitucionalidad en la violación de cualquier norma constitucional. Igualmente podrá pronunciarse en la sentencia sobre las normas que, a su juicio, conforman unidad normativa con aquellas otras demandadas que declare nulas por inconstitucionales.

Concordancias: Art. 237 núm. 2 de la Const. Pol; Art. 111 núm. 5 del CPACA.

Nota 1: El inciso segundo fue declarado exequible. El actor consideró que con esta disposición el legislador desbordó el objeto de la acción de nulidad por inconstitucionalidad sin autorización del Constituyente (Art. 237 núm. 2 de la Cons. Pol); no obstante, la Corporación sostuvo que no existe norma ni actuación exenta del control de constitucionalidad, asimismo, que la distribución de competencias sobre los actos objeto de control descritos en la norma es clara y recae en la jurisdicción de lo contencioso administrativo. Precisó: «Así, la disposición del legislador ordinario, prevista en el inciso 2° del artículo 135 de la Ley 1437 de 2011, respeta los principios y las reglas establecidas para el tribunal supremo de lo contencioso administrativo, pero entendiéndose que corresponde a la Corte Constitucional el conocimiento de los actos de carácter general con contenido material de ley, esto es, con virtualidad de modificar, subrogar o derogar la ley, expedidos por entidades u organismos distintos del Gobierno Nacional» (Corte Constitucional. Sentencia C-400 de 2013. M.P. Nilson Pinilla Pinilla).

Nota 2: El parágrafo fue declarado exequible. El actor sostuvo que la competencia del Consejo de Estado para decidir más allá de los cargos formulados en la demanda vulnera el derecho al debido proceso y al acceso a la administración de justicia, pues el productor del acto solo se defiende respecto de los argumentos jurídicos expuestos en la demanda. No obstante, la Corte Constitucional indicó que: «[...] en los procesos de constitucionalidad no es exacto hablar de partes en el sentido en que este término se aplica en otra clase de procesos contenciosos. El demandante activa la jurisdicción constitucional en ejercicio de un derecho fundamental de contenido político, que tiene como pretensión la defensa de la integridad y supremacía de la Constitución y no tiene como parte contendiente a la autoridad que expidió el acto demandado, ya que la confrontación se da entre la Constitución y las normas demandadas como violatorias de aquella. Tan ello es así, que no existe por parte de la autoridad que expidió el acto demandado la obligación de concurrir al proceso y su no comparecencia no tiene la virtud de producir nulidad alguna por ausencia de parte contradictoria. No es este medio de control —la nulidad por inconstitucionalidad—, la institución procesal para tramitar las demandas contra actos de carácter particular y concreto, en los cuales sí podría hablarse, en estricto sentido, de partes procesales. En suma, se trata de un conflicto constitucional internormativo y no intersubjetivo» (Corte Constitucional. Sentencia C-415 de 2012. M.P. Mauricio González Cuervo).

Nota 3: El Consejo de Estado ha interpretado en reiteradas ocasiones el artículo 135 de la Ley 1437 de 2011. Entre estas, ha sostenido que: «[...] En cuanto a los requisitos para la procedencia de la acción de nulidad por inconstitucionalidad, la Corporación ha decantado los siguientes: En primer lugar, que la disposición acusada sea un decreto de carácter general, dictado por el Gobierno Nacional o por otra entidad u organismo, en ejercicio de una expresa atribución constitucional. En segundo lugar, que el juicio de validez se realice mediante la confrontación directa con la Constitución Política, no respecto de la ley. Sobre el particular ha dicho la Corporación que tampoco procede el medio de control de nulidad por inconstitucionalidad cuando las normas constitucionales son objeto de desarrollo legal, porque en estos casos el análisis de la norma demandada "[n]ecesariamente involucrará el análisis de las disposiciones de rango legal [...]", además de la Constitución. En tercer lugar, que la disposición acusada no sea un decreto ley expedido en ejercicio de facultades extraordinarias ni un decreto legislativo, porque éstos, conforme a los numerales 5 y 7 del artículo 241 constitucional, son de competencia de la Corte Constitucional. En cuarto lugar, se ha establecido que el acto acusado debe tratarse de un reglamento constitucional autónomo, es decir, aquel que se expide en ejercicio de atribuciones permanentes o propias que le permiten aplicar o desarrollar de manera directa la Constitución [...]» (Consejo de Estado. Sala Plena de lo Contencioso Administrativo. Sentencia del 7 de septiembre de 2021. Rad. 11001-03-24-000-2018-00441-00 [AI]. C.P. Roberto Augusto Serrato Valdés). La providencia solo reitera un criterio ya expuesto en decisiones precedentes, como: Consejo de Estado. Sala Plena de lo Contencioso Administrativo. Sentencia del 30 de julio de 2019. Rad. 11001-03-15-000-2012-00211-00 [AI]. C.P. Oswaldo Giraldo López).

Nota 4: La Corte Constitucional declaró exequible la interpretación judicial del Consejo de Estado respecto de las cargas procesales predicables de las demandas de nulidad por inconstitucional en los términos mencionados en la nota anterior. Al respecto, la Corte consideró que con dicha interpretación se logra (i) evitar la realización de pronunciamientos sobre normas no demandadas; (ii) escindir los juicios de constitucionalidad y de legalidad, en función de la norma directamente transgredida; y, (iii) garantizar la efectividad de los distintos medios de control y por ende la supremacía de la Constitución. (Corte Constitucional. Sentencia C-060 de 2023. M.P. Alejandro Linares Cantillo).

Nota 5: La Corte Constitucional estableció, como regla general, que la acción de tutela no procede para controvertir providencias judiciales producto del medio de control de nulidad por inconstitucionalidad del Consejo de Estado. Sin embargo, ha previsto dos excepciones cuando: (i) desconoce la cosa juzgada constitucional; o (ii) su interpretación genera un «bloqueo institucional inconstitucional al autorizar la pérdida de operatividad de órganos del poder público y/o la eficacia de normas constitucionales o incluso de órganos que articulan la estructura misma de la Carta, de tal forma que le quiten su sentido útil. En tales casos, sostiene la Corte que la acción de tutela debe ser procedente, precisamente por la necesidad inexcusable que tiene esta Corporación como guardiana de la Carta, de proteger la estructura constitucional y su fuerza normativa, así como el esquema de control previsto por la Norma superior". (Corte Constitucional. Sentencia SU-355 de 2020. M.P. Gloria Stella Ortiz Delgado).

ARTÍCULO 136. CONTROL INMEDIATO DE LEGALIDAD

Las medidas de carácter general que sean dictadas en ejercicio de la función administrativa y como desarrollo de los decretos legislativos durante los Estados de Excepción, tendrán un control inmediato de legalidad, ejercido por la Jurisdicción de lo Contencioso Administrativo en el lugar donde se expidan, si se tratare de entidades territoriales, o del Consejo de Estado si emanaren de autoridades nacionales, de acuerdo con las reglas de competencia establecidas en este Código.

Las autoridades competentes que los expidan enviarán los actos administrativos a la autoridad judicial indicada, dentro de las cuarenta y ocho (48) horas siguientes a su expedición. Si no se efectuare el envío, la autoridad judicial competente aprehenderá de oficio su conocimiento.

Concordancias: Art. 20 de la Ley 137 de 1994; Art. 185 del CPACA.

Nota 1: El Consejo de Estado ha definido como características del medio de control inmediato de legalidad a las siguientes: (i) Tiene carácter jurisdiccional, ya que el examen del acto respectivo se realiza a través de un proceso judicial, y por tanto la decisión se toma en una sentencia; (ii) El estudio que se hace es integral, ya que los actos enjuiciados "deben confrontarse con todo el ordenamiento jurídico" y el análisis abarca «la revisión de aspectos como la competencia para expedirlo, el cumplimiento de los requisitos de forma y de fondo, la conexidad de las medidas que se dicten con las causas que dieron origen a su implantación, el carácter transitorio y la proporcionalidad de las mismas, así como su conformidad con el resto del ordenamiento jurídico, siempre bajo el entendido de que ellas hacen parte de un conjunto de medidas proferidas con la exclusiva finalidad de «conjurar la crisis e impedir la extensión de sus efectos"; (iii) Es autónomo porque la revisión se puede hacer antes de que la Corte Constitucional se pronuncie sobre la exequibilidad del decreto declaratorio del estado de excepción y de los decretos legislativos que lo desarrollan. En este punto se precisa que si la Corte Constitucional se ha pronunciado previamente deben acatarse y respetarse los efectos del fallo de constitucionalidad, pero sin que suponga la existencia de prejudicialidad alguna del juicio de constitucionalidad que adelanta la Corte Constitucional en relación con el proceso que adelante el Juez Administrativo; cosa distinta es que, en el evento de ser declarado(s) inexequible(s) el(los) decreto(s) legislativo(s) desarrollado(s) por el acto administrativo cuya conformidad a derecho puede incluso haber sido decidida ya por la Jurisdicción de lo Contencioso Administrativo, esta última decisión administrativa pierda fuerza ejecutoria; (iv) El control es automático e inmediato como consecuencia de la obligación de las autoridades de que lo remitan a la Jurisdicción de lo Contencioso Administrativo dentro de las cuarenta y ocho horas siguientes a su expedición; (v) Es oficioso, si la entidad no envía el acto a la jurisdicción, el juez competente queda facultado para asumir el conocimiento de las decisiones respectivas de forma oficiosa "o, incluso, como resultado del ejercicio del derecho constitucional de petición formulado ante él por cualquier persona"; (vi) La sentencia hace tránsito a cosa juzgada relativa, esto es solo en relación con las normas que se estudian en la providencia y en consecuencia es posible que cualquier ciudadano cuestione la legalidad de los actos administrativos a través del medio de control de nulidad por razones diferentes a las analizadas en el control automático. Por lo tanto, la sentencia solo es definitiva frente a los aspectos a los aspectos analizados y decididos, en virtud del control inmediato de legalidad (Consejo de Estado. Sala Especial de Decisión No. 6. Rad. 11001-03-15-000-2020-01012-00. C.P. Carlos Enrique Moreno Rubio).

ARTÍCULO 136A. CONTROL AUTOMÁTICO DE LEGALIDAD DE FALLOS CON RESPONSABILIDAD FISCAL

<Artículo INEXEQUIBLE>

Nota 1: El texto del artículo 136A fue adicionado por el artículo 23 de la Ley 2080 de 2021. Disponía: «Los fallos con responsabilidad fiscal tendrán control automático e integral de legalidad ante la Jurisdicción de lo Contencioso Administrativo, ejercido por salas especiales conformadas por el Consejo de Estado cuando sean expedidos por la Contraloría General de la República o la Auditoría General de la República, o por los Tribunales Administrativos cuando emanen de las contralorías territoriales.
Para el efecto, el fallo con responsabilidad fiscal y el antecedente administrativo que lo contiene, serán remitidos en su integridad a la secretaría del respectivo despacho judicial para su reparto, dentro de los cinco (5) días siguientes a la firmeza del acto definitivo».

Nota 2: La disposición fue declarada inexequible tras considerar que la norma vulnera «[...] el derecho de acceso a la administración de justicia en condiciones de igualdad y las garantías del debido proceso, en la medida en que privan a los responsables fiscales de la posibilidad de cuestionar el fallo a través de los medios de control judiciales que consideren adecuados para defender sus intereses». Respecto a los efectos del fallo, ordenó: «SEGUNDO. OTORGAR EFECTOS RETROACTIVOS a la presente sentencia a partir de la fecha de promulgación de la Ley 2080 de 2021 (25 de enero de 2021), por lo que: (i) El control judicial de los procesos de responsabilidad fiscal que se fallen a partir de la notificación de esta sentencia deberá regirse por las disposiciones vigentes antes de la promulgación de la Ley 2080 de 2021; (ii) En los procesos de control automático e integral de fallos con responsabilidad fiscal que se encuentren en curso al momento de notificación de esta sentencia deberán ser declarados nulos de oficio o a petición de parte, y serán devueltos a la autoridad fiscal que profirió el fallo. Recibido el expediente, se deberá notificar nuevamente el fallo para que su eventual control judicial se lleve a cabo conforme las normas vigentes antes de la promulgación de la Ley 2080 de 2021; (iii) En los procesos de control judicial automático e integral de fallos con responsabilidad fiscal que cuenten con sentencia ejecutoriada, los interesados podrán acudir a la autoridad judicial dentro de los cuatro (4) meses siguientes a la notificación de la presente providencia para solicitar la nulidad del fallo y la devolución del expediente a la autoridad fiscal. Recibido este se procederá nuevamente a la notificación del fallo para que su eventual control judicial se lleve a cabo conforme las normas vigentes antes de la promulgación de la Ley 2080 de 2021. En estos casos la nulidad no procederá de oficio» (Corte Constitucional. Sentencia C-091 de 2022. M.P. Cristina Pardo Schlesinger).

Nota 3: Adicionalmente, en las Sentencias C-147 de 2022, M.P. Paola Andrea Meneses Mosquera y C-237A de 2022, M.P. Cristina Pardo Schlesinger, decidió estarse a lo resuelto en la Sentencia C-091 de 2022.

ARTÍCULO 137. NULIDAD

Toda persona podrá solicitar por sí, o por medio de representante, que se declare la nulidad de los actos administrativos de carácter general.

Procederá cuando hayan sido expedidos con infracción de las normas en que deberían fundarse, o sin competencia, o en forma irregular, o con desconocimiento del derecho de audiencia y defensa, o mediante falsa motivación, o con desviación de las atribuciones propias de quien los profirió.

También puede pedirse que se declare la nulidad de las circulares de servicio y de los actos de certificación y registro.

Excepcionalmente podrá pedirse la nulidad de actos administrativos de contenido particular en los siguientes casos:

1. Cuando con la demanda no se persiga o de la sentencia de nulidad que se produjere no se genere el restablecimiento automático de un derecho subjetivo a favor del demandante o de un tercero.

2. Cuando se trate de recuperar bienes de uso público.

3. Cuando los efectos nocivos del acto administrativo afecten en materia grave el orden público, político, económico, social o ecológico.

4. Cuando la ley lo consagre expresamente.

PARÁGRAFO. *Si de la demanda se desprendiere que se persigue el restablecimiento automático de un derecho, se tramitará conforme a las reglas del artículo siguiente.*

Nota 1: La Corte Constitucional declaró exequibles los apartes en cursiva. En la providencia se destaca la positivización de la teoría de los móviles y las finalidades, desestimando así el cargo de cosa juzgada material en relación con la Sentencia C-426 de 2002. En palabras de la Corporación: «Por todo lo anterior, es claro que el Legislador tenía la potestad libre de determinar los alcances del artículo 137 del CPACA y de considerar pertinente la positivización de la teoría de los móviles y las finalidades consolidada por el Consejo de Estado, junto con las recomendaciones propuestas por la Corte Constitucional en relación con el acceso a la justicia. Lo anterior permite comprender, porqué a la luz de la sentencia C-426 de 2002, la existencia del artículo 137 de la Ley 1437 de 2011, en sí mismo considerado, no ofrece resistencia: ahora es el Legislador, en su autonomía, quien define el alcance del derecho de acceso a la administración de justicia, para facilitar la tutela judicial efectiva de los derechos en materia del medio de control de nulidad, y no el juez, en su hermenéutica propia, desligada del Legislador, cualquiera que esta sea» (Corte Constitucional. Sentencia C-259 de 2015. M.P. Gloria Stella Ortiz Delgado).

Nota 2: Sobre la procedencia del medio de control de nulidad contra circulares del servicio ha dispuesto el Consejo de Estado que «[T]oda clase de circulares, con independencia de su objeto, por ser expresión del ejercicio de la función administrativa a cargo de las autoridades que la expiden, se encuentra sujeta al control de los jueces de la Administración». (Consejo de Estado, Sección Primera. Sentencia del 27 de noviembre de 2017. Rad. 05001-23-33-000-2012-00533-01. Exp. 2073557. M.P. Guillermo Vargas Ayala.)

Nota 3: Sobre la procedencia del medio de control de nulidad frente a actos administrativos de contenido particular ha dispuesto el Consejo de Estado que «[...] es posible ejercer la acción de nulidad para cuestionar la legalidad de actos de contenido particular con la finalidad exclusiva de restablecer el imperio de la legalidad, empero, debe verificarse que a través de dicho mecanismo judicial el interés del demandante sea única y exclusivamente ejercer un control en abstracto y no el restablecimiento de algún derecho que estime vulnerado por el acto demandado, que genere el restablecimiento automático del mismo como consecuencia de la anulación del acto acusado, pues en estos casos lo procedente es la acción de nulidad y restablecimiento del derecho». (Consejo de Estado, Sección Quinta. Sentencia del 26 de abril de 2018. Rad. 68001-23-31-000-1995-11120-01. M.P. Rocío Araujo Oñate.)

ARTÍCULO 138. NULIDAD Y RESTABLECIMIENTO DEL DERECHO

Toda persona que se crea lesionada en un derecho subjetivo amparado en una norma jurídica, podrá pedir que se declare la nulidad del acto administrativo particular, expreso o presunto, y se le restablezca el derecho; también podrá solicitar que se le repare el daño. La nulidad procederá por las mismas causales establecidas en el inciso segundo del artículo anterior.

Igualmente podrá pretenderse la nulidad del acto administrativo general y pedirse el restablecimiento del derecho directamente violado por este al particular demandante o la reparación del daño causado a dicho particular por el mismo, siempre y cuando la demanda se presente en tiempo, esto es, dentro de los cuatro (4) meses siguientes a su publicación. Si existe un acto intermedio, de ejecución o cumplimiento del acto general, el término anterior se contará a partir de la notificación de aquel.

Nota 1: Debe advertirse que cualquier tipo de pretensión que suponga el restablecimiento de un derecho subjetivo debe tramitarse por el medio de control previsto en este artículo. En este sentido, el Consejo de Estado ha precisado que, en ocasiones, dicho interés se encuentra ínsito en la demanda y no se desprende de la literalidad de las pretensiones, sino del contexto en que estas se insertan y las consecuencias eventuales de su prosperidad. Así por ejemplo: «De conformidad con esta información suministrada por el propio demandante, queda claro que con la demanda de nulidad de la referencia él no persigue propiamente la defensa objetiva del ordenamiento jurídico "*in abstracto*", sino un restablecimiento en el derecho que se desprendería frente a su situación particular de llegarse a declarar la nulidad del acto demandado, pues ello implicaría que el demandante quedaría habilitado para continuar con las etapas del concurso, sin la necesidad de someterse a un nuevo proceso de evaluación de conocimientos y aptitudes. Por lo anterior, es claro que el presente asunto no debió tramitarse a través del medio de control de nulidad de que trata el artículo 137 del CPACA, sino que debió adelantarse de conformidad con el medio de control de nulidad y restablecimiento del derecho previsto en el artículo 138 *ibidem*» (Consejo de Estado. Sección Segunda. Subsección B. Auto del 22 de marzo de 2024. Rad. 11001-03-25-000-2021-00169-00. Exp. 0985-2021. M.P. Juan Enrique Bedoya Escobar). En sentido similar: Consejo de Estado. Sección Segunda. Subsección A. Auto del 26 de agosto de 2024. Rad. 11001-03-24-000-2024-00062-00. Exp. 4450-2024. M.P. Jorge Iván Duque Gutiérrez.

Nota 2: Sobre el alcance del medio de control de nulidad y restablecimiento ha señalado la Corte Constitucional que «cuando el juez administrativo adelanta, entre otros asuntos, el control de legalidad de los actos expedidos por la administración, su labor no se restringe únicamente a verificar la conformidad de dichos actos con el ordenamiento jurídico, sino que, además, debe garantizar la efectividad de los derechos de los sujetos involucrados en la controversia, entre ellos, sus derechos fundamentales. Es decir, que, contrario a lo sostenido por la tutelante, el juez de lo contencioso administrativo es garante de los derechos fundamentales de las partes, sobre todo si se tiene en cuenta que según el artículo 2.º de la Constitución "las autoridades de la República están instituidas para proteger a todas las personas residentes en Colombia, en su vida, honra, bienes, creencias, y demás derechos y libertades, y para asegurar el cumplimiento de los deberes sociales del Estado y de los particulares" y de conformidad con el artículo 103 del CPACA el objeto de los procesos que se adelantan ante la jurisdicción de lo contencioso administrativo es "la efectividad de los derechos reconocidos en la Constitución Política y la ley y la preservación del orden jurídico". Además, la misma disposición prevé que en la aplicación e interpretación de las normas de ese código se deben observar "los principios constitucionales y los del derecho procesal". (Corte Constitucional. Sentencia T-034 de 2025. M.P. Antonio José Lizarazo Ocampo).

ARTÍCULO 139. NULIDAD ELECTORAL

Cualquier persona podrá pedir la nulidad de los actos de elección por voto popular o por cuerpos electorales, así como de los actos de nombramiento que expidan las entidades y autoridades públicas de todo orden. Igualmente podrá pedir la nulidad de los actos de llamamiento para proveer vacantes en las corporaciones públicas.

En elecciones por voto popular, las decisiones adoptadas por las autoridades electorales que resuelvan sobre reclamaciones o irregularidades respecto de la votación o de los escrutinios, deberán demandarse junto con el acto que declara la elección. El demandante deberá precisar en qué etapas o registros electorales se presentan las irregularidades o vicios que inciden en el acto de elección.

En todo caso, las decisiones de naturaleza electoral no serán susceptibles de ser controvertidas mediante la utilización de los mecanismos para proteger los derechos e intereses colectivos regulados en la Ley 472 de 1998.

Concordancias: Art. 237 núm 7 de la Const. Pol.; Arts. 137 y 275 del CPACA.

Nota 1: Este medio de control tiene sus raíces en los artículos 179 y siguientes de la Ley 85 de 1916.

Nota 2: El medio de control de nulidad electoral:
«[…] es una especie del género acción de simple nulidad.
Tiene por objeto asegurar el respeto al principio de legalidad en el ejercicio de las funciones electorales y de la facultad nominadora.
Procede contra actos mediante los cuales se hace una designación por elección (popular o no) o por nombramiento» (Consejo de Estado. Sección Quinta. Sentencia del 29 de agosto de 2012. Rads. 11001-03-28-000-2010-00050-00 y 11001-03-28-000-2010-00051-00. C.P. Mauricio Torres Cuervo).

Nota 3: El Consejo de Estado unificó su jurisprudencia «[…] en el sentido de que si el acto demandado no produjo efectos jurídicos opera la carencia de objeto por sustracción de materia, caso en el cual el funcionario judicial deberá terminar el proceso en su etapa inicial evitando dictar sentencia inhibitoria. Por el contrario, si el acto acusado produjo efectos, el juez contencioso administrativo deberá decidir si se desvirtúa o no la presunción de legalidad cuando el acto tuvo eficacia, estudio que se hará en la sentencia» (Consejo de Estado. Sección Quinta. Sentencia de unificación del 24 de mayo de 2018. Rad. 47001-23-33-000-2017-00191-02(SU). C.P. Rocío Araujo Oñate).

Nota 4: Para la Corte Constitucional, «[e]l medio de control de nulidad electoral es una acción pública que se caracteriza porque puede ser interpuesta por cualquier persona y, porque primordialmente su objeto va en la misma dirección del interés general. Con la pretensión de nulidad electoral no se puede buscar nada distinto a salvaguardar el ordenamiento jurídico en sentido objetivo, y por ello, el control jurisdiccional a que se someten los actos electorales se realiza mediante la confrontación del acto con respecto a las normas jurídicas invocadas y el concepto de violación. […] El medio de control de nulidad electoral es independiente y se debe tramitar y decidir a través de un proceso especial cuyo objeto es determinar la legalidad y conformidad con la Constitución de los actos de elección por voto popular o por cuerpos electorales. El juicio de legalidad no está atado a las decisiones del Consejo Nacional Electoral y mucho menos a los conceptos que emitan las entidades de la Rama Ejecutiva.» (Corte Constitucional. Sentencia SU-329 de 2024. M.P. Natalia Ángel Cabo).

ARTÍCULO 140. REPARACIÓN DIRECTA

En los términos del artículo 90 de la Constitución Política, la persona interesada podrá demandar directamente la reparación del daño antijurídico producido por la acción u omisión de los agentes del Estado.

De conformidad con el inciso anterior, el Estado responderá, entre otras, cuando la causa del daño sea un hecho, una omisión, una operación administrativa o la ocupación temporal o permanente de inmueble por causa de trabajos públicos o por cualquiera otra causa imputable a una entidad pública *o a un particular que haya obrado siguiendo una expresa instrucción de la misma.*

Las entidades públicas deberán promover la misma pretensión cuando resulten perjudicadas por la actuación de un particular o de otra entidad pública.

En todos los casos en los que en la causación del daño estén involucrados particulares y entidades públicas, en la sentencia se determinará la proporción por la cual debe responder cada una de ellas, teniendo en cuenta la influencia causal del hecho o la omisión en la ocurrencia del daño.

Concordancias: Arts. 90 y 91 de la Const. Pol.; Arts. 65-71 y 74 de la Ley 270 de 1996.

Nota 1: La Corte Constitucional declaró la exequibilidad de la expresión «[...] o a un particular que haya obrado siguiendo una expresa instrucción de la misma [...]» del inciso segundo de este artículo, en el entendido de que no contraviene las disposiciones constitucionales del preámbulo y los artículos 1, 2, 6 y 90 de la Constitución, así como tampoco limita o desconoce los pilares de la responsabilidad patrimonial del Estado (Corte Constitucional. Sentencia C-644 de 2011. M.P. Jorge Iván Palacios Palacios).

Nota 2: La Corte Constitucional se declaró inhibida para emitir pronunciamiento de fondo en relación con el inciso 4 de este artículo, por ineptitud sustancial de la demanda respecto de los cargos invocados (Corte Constitucional. Sentencia C-055 de 2016. M.P. Luis Ernesto Vargas Silva).

Nota 3: Sobre el alcance de la reparación directa ha dispuesto la Corte Constitucional que «el Legislador ordinario dispuso que el medio de control de reparación directa fuese la vía judicial idónea para reconocer y reparar el daño antijurídico causado por acción u omisión de los agentes del Estado que causan graves violaciones a los derechos humanos. Es el canal judicial efectivo a través del cual las víctimas realizan sus derechos a la justicia material y a la reparación, y se puede lograr un acercamiento relevante al derecho a la verdad y a la garantía de no repetición en procura que actos así jamás se repitan por parte de los agentes estatales. Esto se conecta con lo que consagra el artículo 63.1 de la Convención Americana sobre los Derechos Humanos, el cual señala que, cuando se reconozca que existió violación a un derecho o libertad convencional, el juez debe disponer que a la persona lesionada se le reparen las consecuencias de la medida o situación que configuró la vulneración de los derechos, para que de esa forma se materialice el pago de una indemnización justa a la víctima.» (Corte Constitucional. Sentencia SU-081 de 2024. M.P. Diana Fajardo Rivera).

Nota 4: La Corte Constitucional unificó jurisprudencia en el entendido que: «[...] por regla general, resulta legal y jurisprudencialmente válido que el juez de alzada se pronuncie únicamente sobre los reparos formulados por los apelantes, pues son las partes las que tienen la carga procesal de exponer las razones por las cuales consideran que la decisión judicial resulta contraria a sus derechos e intereses. No obstante lo anterior, la aplicación del principio de justicia rogada, en materia de lo contencioso administrativo, no puede llegar al extremo de conducir a la adopción de una decisión judicial que resulte abiertamente incompatible con el ordenamiento jurídico, especialmente cuando su interpretación restringe *(i)* el goce efectivo de los derechos fundamentales de aplicación inmediata previstos en el Texto Superior, *(ii)* normas y principios consagrados en la Constitución Política, *(iii)* la real comprensión de la relación jurídica-procesal trabada por las partes, *(iv)* el cumplimiento de derechos humanos y normas de derecho internacional humanitario ratificadas por el Estado colombiano y, finalmente, *(v)* leyes relevantes para la resolución del asunto comprometido» (Corte Constitucional. Sentencia SU-061 de 2018. M.P. Luis Guillermo Guerrero Pérez).

Nota 5: La Sección Tercera del Consejo de Estado unificó jurisprudencia en el entendido que «[...] en los procesos de reparación directa ante la jurisdicción de lo contencioso administrativo, en los que se demanda la responsabilidad patrimonial del Estado por la pérdida de la vida de seres queridos, los perjuicios por lucro cesante ocasionados a las personas que percibían ayuda económica del fallecido, se reconocerán y liquidarán teniendo en cuenta la unidad familiar, esto es con acrecimiento, en los términos de esta decisión» (Consejo de Estado. Sección Tercera. Sentencia del 22 de abril de 2015. Rad. 15001-23-31-000-2000-03838-01. Exp. 19146. C.P. Stella Conto Díaz del Castillo).

Nota 6: La Sección Tercera del Consejo de Estado unificó jurisprudencia «[...] en relación con los parámetros que se deben tener en cuenta para la tasación de los perjuicios morales en casos de privación injusta de la libertad y el criterio para reconocer indemnización de perjuicios en la modalidad de lucro cesante a la persona que fue privada injustamente de su libertad» (Consejo de Estado. Sección Tercera. Sentencia del 28 de agosto de 2014. Rad. 68001-23-31-000-2002-02548-01. Exp. 36149. C.P. Hernán Andrade Rincón).

Nota 7: La Sección Tercera del Consejo de Estado unificó jurisprudencia «[...] en cuanto a la reparación de los perjuicios inmateriales derivados de afectaciones relevantes a bienes o derechos convencional y constitucionalmente amparados, de conformidad con las consideraciones de la presente sentencia» y «[...] en relación con el tope indemnizatorio de los perjuicios morales en casos en los que el daño antijurídico imputable al Estado tenga origen en graves violaciones a los derechos humanos e infracciones al Derecho Internacional Humanitario, en los términos de la parte considerativa de la presente sentencia» (Consejo de Estado. Sección Tercera. Sentencia del 28 de agosto de 2014. Rad. 05001-23-25-000-1999-01063-01. Exp. 32988. C.P. Ramiro de Jesús Pazos Guerrero).

Nota 8: La Sección Tercera del Consejo de Estado unificó jurisprudencia «[...] en cuanto a la reparación de los perjuicios inmateriales, concretamente sobre el perjuicio moral en caso de lesiones personales» (Consejo de Estado. Sección Tercera. Sentencia del 28 de agosto de 2014. Rad. 50001-23-15-000-1999-00326-01. Exp. 31172. C.P. Olga Mélida Valle de La Hoz).

Nota 9: La Sección Tercera del Consejo de Estado unificó jurisprudencia «[...] en relación con la liquidación del daño a la salud» (Consejo de Estado. Sección Tercera. Sentencia del 28 de agosto de 2014. Rad. 05001-23-31-000-1997-01172-01. Exp. 31170. C.P. Enrique de Jesús Gil Botero).

Nota 10: La Sección Tercera del Consejo de Estado unificó jurisprudencia «[...] en relación con la indemnización del daño a la salud por lesiones temporales, en el sentido de indicar que, para su tasación, debe establecerse un parangón con el monto máximo que se otorgaría en caso de lesiones similares a aquellas objeto de reparación, pero de carácter permanente y, a partir de allí, determinar la indemnización en función del período durante el cual, de conformidad con el acervo probatorio, se manifestaron las lesiones a indemnizar» (Consejo de Estado. Sección Tercera. Sentencia del 28 de agosto de 2014. Rad. 25000-23-26-000-2000-00340-01. Exp. 28832. C.P. Danilo Rojas Betancourth).

Nota 11: La Sección Tercera del Consejo de Estado unificó jurisprudencia en relación con «[...] la liquidación del perjuicio inmaterial en la modalidad de daño a la salud de carácter temporal, con base en una valoración cualitativa del mismo. Igualmente, respecto de la procedencia oficiosa de la declaración de medidas de reparación integral en los casos que evidencian la invisibilidad del trato requerido por la mujer en materia médico asistencial»; así como en cuanto al tema del daño temporal (Consejo de Estado. Sección Tercera. Sentencia del 28 de agosto de 2014. Rad. 23001-23-31-000-2001-00278-01. Exp. 28804. C.P. Stella Conto Díaz del Castillo).

Nota 12: La Sección Tercera del Consejo de Estado unificó jurisprudencia «[...] en cuanto a la reparación de los perjuicios inmateriales, concretamente sobre el perjuicio moral en caso de muerte» (Consejo de Estado. Sección Tercera. Sentencia del 28 de agosto de 2014. Rad. 73001-23-31-000-2001-00418-01. Exp. 27709. C.P. Carlos Alberto Zambrano Barrera).

Nota 13: La Sección Tercera del Consejo de Estado unificó jurisprudencia «[...] en relación con el tope indemnizatorio de los perjuicios morales en escenarios en los que el daño antijurídico imputable al Estado tiene su origen en una conducta punible, en los términos del artículo 97 de la ley 599 de 2000, y frente a la obligación a cargo de la Procuraduría Delegada para las Fuerzas Militares de efectuar el seguimiento al cumplimiento de lo dispuesto en providencias en las que se juzgue la grave violación a derechos humanos, imputables a la Fuerza Pública» (Consejo de Estado. Sección Tercera. Sentencia del 25 de septiembre del 2013. Rad. 05001-23-31-000-2001-00799-01. Exp. 36460. C.P. Enrique de Jesús Gil Botero).

Nota 14: La Sección Tercera del Consejo de Estado unificó jurisprudencia «[...] en materia de reconocimiento y liquidación de perjuicios morales en caso de muerte y de daño inmaterial por afectación de bienes o derechos convencional y constitucionalmente amparados (medidas de satisfacción no pecuniarias)» (Consejo de Estado. Sección Tercera. Sentencia del 28 de agosto de 2014. Rad. 66001-23-31-000-2001-00731-01. Exp. 26251. C.P. Jaime Orlando Santofimio Gamboa).

Nota 15: La Sección Tercera del Consejo de Estado unificó jurisprudencia «[...] en materia de enriquecimiento sin justa causa» (Consejo de Estado. Sección Tercera. Sentencia del 31 de julio de 2025. Rad. 08001-23-33-000-2014-00442-01. Exp. 57464. C.P. Fernando Alexei Pardo Flórez)

Nota 16: El Consejo de Estado ha precisado que «[...] la reparación directa resulta en la vía judicial idónea en los casos en los que la causa de las pretensiones se deriva de un acto administrativo, pero siempre que no se cuestione su legalidad, lo que se da en virtud del rompimiento del principio de igualdad ante las cargas públicas» (Consejo de Estado. Sección Tercera. Sentencia del 19 de mayo de 2025. Rad. 25000233600020160243201. Exp. 64720. C.P. Nicolás Yépez Corrales).

ARTÍCULO 141. CONTROVERSIAS CONTRACTUALES

Cualquiera de las partes de un contrato del Estado podrá pedir que se declare su existencia o su nulidad, que se ordene su revisión, que se declare su incumplimiento, que se declare la nulidad de los actos administrativos contractuales, que se condene al responsable a indemnizar los perjuicios, y que se hagan otras declaraciones y condenas. Así mismo, el interesado podrá solicitar la liquidación judicial del contrato cuando esta no se haya logrado de mutuo acuerdo y la entidad estatal no lo haya liquidado unilateralmente dentro de los dos (2) meses siguientes al vencimiento del plazo convenido para liquidar de mutuo acuerdo o, en su defecto, del término establecido por la ley.

Los actos proferidos antes de la celebración del contrato, con ocasión de la actividad contractual, podrán demandarse en los términos de los artículos 137 y 138 de este Código, según el caso.

El Ministerio Público o un tercero que acredite un interés directo podrán pedir que se declare la nulidad absoluta del contrato. El juez administrativo podrá declararla de oficio cuando esté plenamente demostrada en el proceso, siempre y cuando en él hayan intervenido las partes contratantes o sus causahabientes.

Concordancias: Arts. 44-48, 60, 77 de la Ley 80 de 1993; Art. 11 de la Ley 1150 de 2007; Art. 104 del CPACA.

Nota 1: Este medio de control tiene una particularidad que no es igual a los demás medios de control, al permitir a las partes del contrato controvertir todos los aspectos que se relacionan entre la entidad y el contratista. En esta línea, cualquiera de las partes de un contrato estatal podrá pedir la declaración de la existencia o la nulidad, la revisión, el incumplimiento, la nulidad de los actos administrativos contractuales, que se condene al responsable a indemnizar los perjuicios, y que se hagan otras declaraciones y condenas. De igual forma, podrá solicitar la liquidación judicial, en el evento que no se haya logrado la liquidación de mutuo acuerdo o no se haya liquidado unilateralmente. Se precisa que los actos proferidos antes de la celebración del contrato, con ocasión de la actividad contractual, podrán demandarse en los términos de los artículos 137 y 138 del CPACA. Al respecto, Juan Ángel Palacio Hincapié expresa: «En una forma genérica, podemos decir que todos los actos y los hechos que se originan en la operación administrativa contractual se demandan en ejercicio de la pretensión contractual; sin embargo, los actos separables se deben impugnar mediante las acciones de nulidad y nulidad y restablecimiento del derecho, pero, como se verá más adelante, estos actos pueden ser objeto de la pretensión contractual cuando se impugna el contrato por nulidad absoluta originada en ellos, es decir, cuando el fundamento de la nulidad absoluta es un vicio que afecta la validez del acto separable» (PALACIO HINCAPIÉ, Juan Ángel. Derecho Procesal Administrativo. Contiene la reforma de la Ley 2080 de 2021. 11° ed. Medellín: Librería Jurídica Sánchez R Ltda., 2021, pp. 458-459).

Nota 2: El Consejo de Estado se centró en definir si la decisión proferida de EAAB, mediante la cual aceptó una oferta, era o no un acto administrativo. Es decir, lo que buscó definirse es si los actos precontractuales de las empresas de servicios públicos domiciliarios son actos administrativos o son actos privados. En criterio de la Sección Tercera, los actos de este tipo de entidades no son administrativos, sino civiles o comerciales, debido a que su regulación es la Ley 142 de 1994 —régimen de los servicios públicos domiciliarios— que dispone que las actuaciones de este tipo de entidades se sujetan al derecho civil y comercial. En esta providencia conciben que el régimen jurídico de la Ley 142 de 1994 condiciona la naturaleza del acto. Por tanto, el Consejo de Estado ha asumido la postura que se basa en que las actuaciones de las entidades de régimen especial de contratación son privadas y ajenas al régimen administrativo. De este modo, se establecieron los siguientes aspectos de unificación: i) cuando no exista norma legal sobre la jurisdicción que debe conocer de controversias en las que haga parte un prestador de servicios públicos domiciliarios, debe acudirse a la cláusula general de competencia de la jurisdicción de lo contencioso administrativo, si, aún así no se desprende el conocimiento de esta jurisdicción, corresponde a la jurisdicción ordinaria; ii) salvo las excepciones establecidas en la ley vigente, los actos precontractuales de los prestadores de servicios públicos domiciliarios no son actos administrativos y se rigen por la normatividad civil y comercial; iii) salvo las excepciones de ley, las controversias relativas a actos precontractuales de prestadores de servicios públicos domiciliarios de conocimiento de esta jurisdicción, que no correspondan a actos administrativos, deben tramitarse por el medio de control de reparación directa; iv) en el marco del derecho de acceso a la administración de justicia, en relación con las demandas presentadas antes de la notificación de esta sentencia, debe resolverse la controversia de fondo, aunque no se haya empleado el medio de control adecuado (Consejo de Estado. Sección Tercera. Sentencia del 3 de septiembre de 2020. Rad. 25000-23-26-000-2009-00131-01. Exp. 42003. C.P. Alberto Montaña Plata).

Nota 3: Bajo la misma concepción expresada en el comentario anterior, el Consejo de Estado en sentencia de unificación de mayo de 2024 decidió que los actos contractuales expedidos por las empresas de servicios públicos domiciliarios no son actos administrativos, sino civiles y mercantiles. En esta línea, estableció las siguientes reglas de unificación: i) salvo las excepciones de ley, los actos jurídicos proferidos por las empresas de servicios públicos domiciliarios con motivo de su actividad contractual, no tiene el carácter de actos administrativos y se rigen por la normatividad civil y comercial, así como por las reglas atinentes a su régimen especial, y por tanto, no podrá controvertirse bajo el medio de control de controversias contractuales, sino el de reparación directa; ii) en los aspectos bajo los cuales se hubiese solicitado la nulidad de los actos por considerarse actos administrativos, no podrá declararse la inepta demanda ni deben inhibirse de decidir de fondo (Consejo de Estado. Sección Tercera. Sentencia del 4 de mayo de 2024. Rad. 76001-23-31-000-2006-03320-03. Exp 53962. C.P. José Roberto Sáchica Méndez).

Nota 4: Una de las pretensiones que establece el artículo que se comenta es la posibilidad de solicitar la liquidación judicial del contrato. Al respecto, el artículo 11 de la Ley 1150 de 2007 dispone que, si no se efectúa la liquidación de mutuo acuerdo, dentro del término pactado por las partes o establecido en el pliego de condiciones, o dentro de los 4 meses a la finalización del contrato, sumado a los dos meses posteriores para la liquidación unilateral, puede solicitarse ante el juez la liquidación del contrato en un término de dos años. Siguiendo esta idea, se expresa que la Ley 1150 de 2007 estableció: i) si las partes no estipularon el plazo de liquidación, tendrán 4 meses para efectuarlo de mutuo acuerdo; ii) si en los 4 meses no se liquida de mutuo acuerdo, la Administración dispone de dos meses para liquidarlo unilateralmente, iii) y sino, dentro de los dos años siguientes la pueden pactar, declarar unilateralmente la Administración o hacerlo en sede judicial. Como requisito para acceder a la liquidación judicial, es necesario agotar como mínimo la liquidación de mutuo acuerdo con sus salvedades, es decir, el contratista no puede controvertir un acta de liquidación sin desacuerdos, pues el acta presta mérito ejecutivo. Es necesario precisar que si el contratista demanda con la pretensión de liquidar el contrato ante el juez, la Administración pierde la competencia para ello. Igualmente, es posible que la entidad pública sometida al Estatuto General de Contratación de la Administración Pública no liquide unilateralmente el contrato, por lo que no es requisito para que el juez lo efectué. También, es posible que la entidad pública demande por el medio de control de controversias contractuales el acto que expidió declarándola, pues considera que tiene un vicio de ilegalidad.

ARTÍCULO 142. REPETICIÓN

Cuando el Estado haya debido hacer un reconocimiento indemnizatorio con ocasión de una condena, conciliación u otra forma de terminación de conflictos que sean consecuencia de la conducta dolosa o gravemente culposa del servidor o ex servidor público o del particular en ejercicio de funciones públicas, la entidad respectiva deberá repetir contra estos por lo pagado.

La pretensión de repetición también podrá intentarse mediante el llamamiento en garantía del servidor o ex servidor público o del particular en ejercicio de funciones públicas, dentro del proceso de responsabilidad contra la entidad pública.

Cuando se ejerza la pretensión autónoma de repetición, el certificado del pagador, tesorero o servidor público que cumpla tales funciones en el cual conste que la entidad realizó el pago será prueba suficiente para iniciar el proceso con pretensión de repetición contra el funcionario responsable del daño.

Concordancias: Art. 72 de la Ley 270 de 1996; Arts. 1 y ss. de la Ley 678 de 2001; Art. 25 de la Ley 2080 de 2021; Arts. 39- 49 de la Ley 2195 de 2022.

Nota 1: La finalidad de la repetición es recuperar el dinero derivado de un reconocimiento indemnizatorio por una condena, conciliación u otra forma de terminación de conflictos que sean consecuencia de la conducta dolosa o gravemente culposa del servidor o ex servidor público o del particular en ejercicio de funciones públicas. Al respecto, Juan Ángel Palacio Hincapié expresa: «Se dirige a obtener el reembolso por parte de los servidores o exservidores públicos, o del particular que desempeña funciones públicas, que con su conducta dolosa, es decir, intencionada, o gravemente culposa, en el desempeño de sus funciones, dieron lugar a un reconocimiento indemnizatorio por parte del Estado por haber causado un daño, concretado en una condena judicial, una conciliación o por cualquier otro mecanismo alternativo de solución de conflictos» (PALACIO HINCAPIÉ, Juan

Ángel. Derecho Procesal Administrativo. Contiene la reforma de la Ley 2080 de 2021. 11° ed. Medellín: Librería Jurídica Sánchez R Ltda., 2021, pp. 433)

Nota 2: Sobre las características de la acción de repetición, para la Corte Constitucional esta es una acción constitucional i) subsidiaria, ii) subjetiva, iii) resarcitoria, iv) retributiva, v) preventiva o disuasoria, vi) sujeta a criterios de proporcionalidad y vii) no sancionatoria. En primer lugar, la acción de repetición es *subsidiaria* a la declaratoria de la responsabilidad estatal. Eso significa que esta solo se activa cuando ocurre un detrimento patrimonial del Estado que puede ser imputable a la conducta dolosa o gravemente culposa de uno de sus agentes o de un tercero que realizó funciones públicas. De manera que su procedencia está restringida a los casos en los cuales la administración fue efectivamente condenada a pagar una indemnización por el daño antijurídico causado con dolo o culpa grave por parte de uno de sus agentes. En segundo lugar, se trata de una acción *subjetiva.* En efecto, la viabilidad de la acción de repetición depende directamente de que se pruebe que el daño indemnizado por el Estado fue causado con dolo o culpa grave por parte de uno de sus funcionarios. Eso implica que no cualquier equivocación o descuido permite que se ejecute esa acción. Ante la autoridad competente se debe acreditar plenamente que la conducta que derivó en el menoscabo obedeció a un supuesto de imprudencia calificada o de arbitrariedad. En tercer lugar, se trata de una acción *resarcitoria.* Esta pretende que el responsable de un daño reparado por el Estado asuma esa consecuencia con su propio patrimonio. El objetivo mediato es que el verdadero causante del daño retribuya el valor de la indemnización cuando el Estado lo haya indemnizado directamente a las víctimas. La cuarta característica de la acción de repetición es que es *retributiva,* porque la responsabilidad que se ejecuta es civil y patrimonial. En consecuencia, la acción de repetición da origen a un juicio de reproche directo sin connotación sancionatoria en contra del funcionario. En quinto lugar, la acción de repetición es *preventiva* o *disuasoria.* Uno de los objetivos de la existencia, aplicación y funcionamiento de esta acción es que los agentes actúen con el fin de evitar el daño. Se busca disuadir a los funcionarios del Estado de incurrir deliberadamente, con manifiesta negligencia o imprudencia, en conductas susceptibles de generar daños. En sexto lugar, la acción de regreso está sujeta a criterios de *proporcionalidad.* Esta es una limitación de la responsabilidad que le puede ser exigida al funcionario. Según este parámetro, la pretensión patrimonial del Estado en relación con el patrimonio del agente causante del daño *no debe incurrir en excesos.* De manera que la acción de repetición no tiene como propósito imponerles cargas desproporcionadas a quienes asumen el ejercicio del servicio público. Una mención especial merece la característica final de la acción de repetición que se refiere su carácter *no sancionatorio.* Como ya se indicó, la acción de regreso es reparatoria y resarcitoria. La jurisprudencia de la Corte Constitucional y del Consejo de Estado han señalado que este mecanismo judicial no tiene por objeto imponerle una sanción al funcionario. (Corte Constitucional. Sentencia C-414 de 2022. M.P. José Fernando Reyes Cuartas).

Nota 3: La Corte Constitucional declaró exequible el artículo 25 de la Ley 2080 de 2021 en el entendido de que procederá la impugnación de todas las sentencias que declaren la responsabilidad en la acción de repetición. (Corte Constitucional. Sentencia C-414 de 2022. M.P. José Fernando Reyes Cuartas).

Nota 4: Según la jurisprudencia constitucional y del Consejo de Estado, la prosperidad de la acción de repetición depende de la acreditación de cuatro elementos: tres objetivos y uno subjetivo. En este tipo de casos deberá acreditarse i) la existencia de una condena judicial o de un acuerdo conciliatorio que impuso a la entidad estatal demandante el pago de una suma de dinero; ii) la realización del pago; iii) la calidad del demandado como agente o ex agente del Estado; y iv) una actuación dolosa o gravemente culposa. (Corte Constitucional. Sentencia SU-259 de 2021. M.P. José Fernando Reyes Cuartas).

Nota 5: La Ley 678, en el parágrafo 4° del artículo 2, regula la responsabilidad civil del delegante y del delegatario en materia contractual, prescribiendo que la delegación exima al delegante de responsabilidad en la acción de repetición o el llamamiento en garantía con fines de repetición, el cual puede ser responsable solidariamente junto con el delegatorio. Así pues, es posible que el representante legal delegue sus funciones del contrato a un funcionario del nivel directivo, pero no lo exonera de no vigilar y controlar el cumplimiento contractual. En torno a este tema, la Corte Constitucional, en la Sentencia C-372 de 2002, con ocasión de un examen de constitucionalidad de esta normatividad, expresó: «La delegación tampoco puede constituirse en el medio para evadir un régimen de prohibiciones ni de incompatibilidades que acompañe la actuación de los servidores públicos ni para imponer indebidamente a los subalternos la toma de decisiones contrarias a derecho, con la convicción que la delegación los aísla o los protege de toda modalidad de responsabilidad. Es preciso tener siempre en cuenta que lo que busca la delegación es la eficacia, dentro de criterios de moralidad e imparcialidad, de la función administrativa (C.P., art. 209) [...]» 11. Entonces, en aplicación de la figura de la delegación, el daño antijurídico que dé lugar a la responsabilidad patrimonial del Estado y a la acción de repetición (CP, art. 90), puede darse de tres maneras diferentes, de acuerdo con la participación del delegante o del delegatario: 1ª) el dolo o la culpa grave corresponden exclusivamente al delegatario, al ejercer la delegación otorgada, sin la participación del delegante; 2ª) el dolo o la culpa grave corresponden exclusivamente al delegante, quien utiliza al delegatario como un mero instrumento de su conducta; y 3ª) hay concurso de dolo y/o culpa grave de delegante y delegatario en la conducta que ocasiona el daño antijurídico. La primera hipótesis es a la cual hace referencia el inciso segundo del artículo 211 de la Constitución Política, y en ese evento "*la delegación exime de responsabilidad al delegante, la cual corresponderá exclusivamente al delegatario*"; la segunda y la tercera hipótesis son las reguladas por la norma demandada pues no puede ser constitucional una medida del legislador que diga que un funcionario está exonerado de responsabilidad así participe con dolo o culpa grave en la consumación de un daño antijurídico por el cual el Estado se vio condenado a indemnizar a quien no estaba obligado a soportar dicha lesión» (Énfasis dentro del texto). La Corte Constitucional presenta tres supuestos de responsabilidad patrimonial del —delegatario y el delegante mediante la acción de repetición, en los que puede delimitarse las actividades en el contrato. En otras palabras, la prueba y la forma en que se fundamenta en el proceso contencioso, es el que define si responden solidariamente o queda alguno exonerado (Corte Constitucional. Sentencia C-372 de 2002. M.P. Jaime Córdoba Triviño).

ARTÍCULO 143. PÉRDIDA DE INVESTIDURA

A solicitud de la Mesa Directiva de la Cámara correspondiente o de cualquier ciudadano y por las causas establecidas en la Constitución, se podrá demandar la pérdida de investidura de congresistas.

Igualmente, la Mesa Directiva de la Asamblea Departamental, del Concejo Municipal, o de la junta administradora local, así como cualquier ciudadano, podrá pedir la pérdida de investidura de diputados, concejales y ediles.

Concordancias: Arts. 40, 109, 110, 179, 183, 184, 237 núm 5 y 291 de la Const. Pol.; Art. 55 de la Ley 136 de 1994; Art. 48 de la Ley 617 del 2000; Art. 26 de la Ley 1475 de 2011; Art. 1 y ss. de la Ley 1881 de 2018.

Nota 1: El primer referente normativo de esta institución fue el artículo 13 del Acto Legislativo 1 de 1979 que permitía despojar de la investidura a los congresistas cuando infringieran el régimen de incompatibilidades y de conflictos de interés previstos en la Constitución; o cuando faltaran, sin causa justificada, a ocho de las sesiones plenarias en que se votaran proyectos de actos legislativos o de ley, en un período legislativo anual.

Nota 2: La Corte Constitucional se declaró inhibida para resolver sobre la exequibilidad del presente artículo (Corte Constitucional. Sentencia C-027 de 2020. M.P. Alejandro Linares Cantillo).

Nota 3: El proceso de pérdida de investidura se caracteriza: i) por ser de naturaleza sancionatoria; ii) por tener, por objeto, un carácter ético, toda vez que las causales establecidas reflejan un código de conducta que reprocha y sanciona los comportamientos contrarios a la dignidad del cargo que ejercen los representantes del pueblo; iii) por ser de naturaleza jurisdiccional, cuya competencia para tramitarlo y decidirlo corresponde a la jurisdicción de lo contencioso administrativo; iv) porque la sanción no es redimible o conmutable y, por el contrario, es de carácter permanente, porque el sancionado no puede aspirar, nuevamente, a cargos de elección popular; v) por tener una amplia legitimación por activa, en la medida que cualquier ciudadano puede formular el medio de control, además de la atribución otorgada a la mesa directiva de cada una de las cámaras que integran el Congreso de la República; vi) por tratarse de un juicio de responsabilidad subjetiva; y vii) por ser una institución autónoma en relación con otros regímenes de responsabilidad de los servidores públicos (Consejo de Estado. Sala Plena de lo Contencioso Administrativo. Sentencia del 11 de febrero de 2020. Rad. 11001-03-15-000-2019-00911-01(PI). C.P. María Adriana Marín).

Nota 4: Sobre la naturaleza de la pérdida de investidura ha señalado la Corte Constitucional que «[...] constituye un verdadero juicio de responsabilidad política que se define con la imposición de una sanción de carácter jurisdiccional, de tipo disciplinario que castiga la violación al código de conducta que deben observar los congresistas en razón al valor social y político de la investidura detentada. Una vez aplicada la sanción, el congresista pierde su calidad de tal y además, queda inhabilitado de manera permanente para ser congresista. Esta sanción particularmente drástica se estableció en la Constitución, con fundamento en la altísima dignidad que supone ser Representante a la Cámara o Senador, a los intereses sociales que representa en virtud de la confianza depositada por los electores y a la significación del Congreso dentro del Estado Democrático.» (Corte Constitucional. Sentencia SU-399 de 2012. M.P. Humberto Antonio Sierra Porto).

Nota 5: Sobre las diferencias entre el medio de control de nulidad electoral y la pérdida de investidura, la Corte Constitucional ha señalado que «el proceso sancionatorio de pérdida de investidura comporta el reproche ético a un funcionario con el fin de defender la dignidad del cargo que ocupa, y de otra, el de nulidad electoral conlleva un juicio de validez de un acto de naturaleza electoral, en el cual el demandante solamente está interesado en la defensa objetiva del ordenamiento jurídico. En ese orden de ideas, en el juicio sancionatorio el juez confronta la conducta del demandado con el ordenamiento para determinar si se debe imponer la consecuencia jurídica contenida en la Constitución, en otras palabras, realiza un análisis subjetivo, pues conlleva una sanción para quien resultó electo. En contraste, en el juicio de validez electoral, en el que se somete a control jurisdiccional el acto electoral, se confronta este último con las normas jurídicas invocadas y el concepto de violación, es decir, se hace un control objetivo de legalidad. En consecuencia, ambos procesos tienen garantías distintas. Por ejemplo, el juicio sancionatorio de pérdida de investidura exige realizar un análisis de culpabilidad y en el de validez puede aplicarse responsabilidad objetiva.» (Corte Constitucional. Sentencia SU-424 de 2016. M.P. Gloria Stella Ortíz Delgado).

ARTÍCULO 144. PROTECCIÓN DE LOS DERECHOS E INTERESES COLECTIVOS

Cualquier persona puede demandar la protección de los derechos e intereses colectivos para lo cual podrá pedir que se adopten las medidas necesarias con el fin de evitar el daño contingente, hacer cesar el peligro, la amenaza, la vulneración o agravio sobre los mismos, o restituir las cosas a su estado anterior cuando fuere posible.

Cuando la vulneración de los derechos e intereses colectivos provenga de la actividad de una entidad pública, podrá demandarse su protección, inclusive cuando la conducta vulnerante sea un acto administrativo o un contrato, sin que en uno u otro evento, pueda el juez anular el acto o el contrato, *sin perjuicio de que pueda adoptar las medidas que sean necesarias para hacer cesar la amenaza o vulneración de los derechos colectivos.*

Antes de presentar la demanda para la protección de los derechos e intereses colectivos, el demandante debe solicitar a la autoridad o al particular en ejercicio de funciones administrativas que adopte las medidas necesarias de protección del derecho o interés colectivo amenazado o violado. Si la autoridad no atiende dicha reclamación dentro de los quince (15) días siguientes a la presentación de la solicitud o se niega a ello, podrá acudirse ante el juez. Excepcionalmente, se podrá prescindir de este requisito, cuando exista inminente peligro de ocurrir un perjuicio irremediable en contra de los derechos e intereses colectivos, situación que deberá sustentarse en la demanda.

Concordancias: Arts. 78 y ss., 88 de la Const. Pol.; Arts. 1005, 2359 y 2360 del Código Civil; Arts. 1, 2 y 14 de la Ley 472 de 1998.

Nota 1: Guayacán Ortiz expresa que la noción de derecho subjetivo debe admitir que hay derechos sin un sujeto definido, como es el caso de los intereses difusos o colectivos. Al respecto, expresa: «[...] al máximo se corta el protagonismo que tenía el derecho subjetivo como piedra angular del sistema de conceptos jurídicos, y se admite que hay derechos sin sujeto» (GUAYACÁN ORTÍZ, Juan Carlos. Las acciones populares y de grupo frente a las acciones colectivas. Bogotá: Universidad Externado, 2013, pp. 61). Bajo esta perspectiva, es común la defensa de derechos que no corresponden a un individuo, sino a una pluralidad de sujetos, como es el caso del medio ambiente, la protección de los consumidores, el aire limpio, entre otros. Robert Alexy no alude al concepto de derechos colectivos, sino de bienes colectivos: «Un bien es un bien colectivo de una clase de individuos cuando conceptualmente, fáctica o jurídicamente, es imposible dividirlo en partes y otorgárselas a los individuos. Cuando tal es el caso, el bien tiene un carácter no-distributivo» (ALEXY, Robert. El concepto y la validez del Derecho y otros ensayos. Barcelona: Gedisa, 1994, pp. 187).

Nota 2: La Corte Constitucional determinó que la acción popular puede promoverse durante el tiempo que subsista la amenaza o peligro al interés o derecho colectivo, por lo que la misma no está sujeta a término de caducidad (Corte Constitucional. Sentencia C-215 de 1999. M.P. Martha Victoria Sáchica de Moncaleano).

Nota 3: El aparte en cursiva fue declarado exequible por la Corte Constitucional. El accionante consideró que el texto de la disposición transgredía el derecho al debido proceso y a la administración de justicia, pues restringía el alcance que el constituyente le asignó a las acciones populares. La Corte Constitucional analizó la exequibilidad de la disposición en la sentencia C-644 de 2011. En esta sentencia indicó que la exclusión de la potestad del juez administrativo de declarar la nulidad de los contratos estatales y actos administrativos, en sede de la acción popular, no afectaba su carácter principal o autónomo. Consideró el Alto Tribunal que la regulación era una medida legítima a la que podía acudir el legislador para regular los diferentes medios de control judicial» (Corte Constitucional. Sentencia C-644 de 2011. M.P. Jorge Iván Palacio Palacio).

Nota 4: Como características de la Acción Popular ha identificado la Corte Constitucional a las siguientes: *a) pueden ser promovidas por cualquier persona; b) son ejercidas contra las autoridades públicas por sus acciones y omisiones y por las mismas causas, contra los particulares; c) Las acciones populares tienen un fin público; d) son de naturaleza preventiva; e) tienen también un carácter restitutorio.* En cuanto dichos mecanismos de protección persiguen el restablecimiento del uso y goce de los derechos e intereses colectivos, se les atribuye también un carácter eminentemente restitutorio; *f) no persiguen en forma directa un resarcimiento de tipo pecuniario; g) gozan de una estructura especial que las diferencia de los demás procesos litigiosos.* (Corte Constitucional. Sentencia C-644 de 2011. M.P. Jorge Iván Palacio Palacio).

Nota 5: Cuando la vulneración del derecho o interés colectivo proviene del quehacer de una entidad pública, la norma dispone que es posible demandar su protección, inclusive, cuando la conducta vulnerante se origine en un acto administrativo o un contrato. No obstante: «[...] Es importante señalar que, en ambos casos, el juez no tiene la facultad de anular directamente el acto o el contrato. Sin embargo, conserva la capacidad de adoptar las medidas necesarias para poner fin a la amenaza o vulneración de los derechos colectivos, sin perjuicio de las acciones que puedan tomarse con respecto al acto o contrato en cuestión» (ROJAS LÓPEZ, Juan Gabriel. Curso Esencial de Derecho Contencioso-Administrativo. Bogotá: Tirant lo Blanch, 2024, pp. 134).

Nota 6: Sobre el alcance de la Acción Popular, el Consejo de Estado ha precisado que esta «no tiene un carácter supletivo o residual frente a otras acciones judiciales, sino que se caracteriza por ser autónoma y principal dado que su objeto es la protección de derechos colectivos. Ello no implica que las facultades del juez de la acción popular sean ilimitadas, pues es claro que este medio de control no procede para controvertir las leyes de la República o discutir decisiones judiciales de constitucionalidad; ni para cuestionar la constitucionalidad del proceso de concertación y entrada en vigor de Tratados Internacionales; tampoco para controvertir providencias judiciales; no es el medio idóneo de verificación y cumplimiento de lo decidido por otras autoridades judiciales; ni es el mecanismo para cuestionar la validez de contratos estatales o estudiar controversias que deben tramitarse a través de los medios de control ordinarios (v.gr. acción de controversias contractuales, nulidad y nulidad y restablecimiento del derecho)» (Consejo de Estado. Sala Plena de lo Contencioso Administrativo. Sentencia del 29 de noviembre de 2019. Rad. 25000-23-24-000-2010-00763-01(AP) C.P. Guillermo Sánchez Luque).

Nota 7: En cuando a los derechos o intereses colectivos, la Corte Constitucional ha precisado que «de la definición de lo que constituye un derecho o un interés colectivo es un asunto en el que el constituyente (artículo 88, C.P.) y el legislador (artículo 4, Ley 472 de 1998) otorgan un primer criterio, al enlistar, de manera no excluyente, algunos de los derechos e intereses colectivos. Dicha lista no es taxativa ya que el legislador ordinario e, incluso los tratados internacionales ratificados por Colombia, tienen competencia para definir otros derechos e intereses colectivos. La definición normativa de otros derechos o intereses colectivos es una facultad de apreciación amplia, pero limitada por el respeto mismo del principio de separación entre lo público y lo privado, es decir, la razonabilidad de la definición de un determinado derecho o interés colectivo no podría afectar la naturaleza privada de ciertos derechos e intereses, rodeados de garantías constitucionales» (Corte Constitucional. Sentencia SU-585 de 2018. M.P. Alejandro Linares Cantillo).

ARTÍCULO 145. REPARACIÓN DE LOS PERJUICIOS CAUSADOS A UN GRUPO

Cualquier persona perteneciente a un número plural o a un conjunto de personas que reúnan condiciones uniformes respecto de una misma causa que les originó perjuicios individuales, puede solicitar en nombre del conjunto la declaratoria de responsabilidad patrimonial del Estado y el reconocimiento y pago de indemnización de los perjuicios causados al grupo, en los términos preceptuados por la norma especial que regula la materia.

Cuando un acto administrativo de carácter particular afecte a veinte (20) o más personas individualmente determinadas, podrá solicitarse su nulidad si es necesaria para determinar la responsabilidad, siempre que algún integrante del grupo hubiere agotado el recurso administrativo obligatorio.

Concordancias: Art. 89 de la Const. Pol.; Arts. 3, 46 y ss. de la Ley 472 de 1998.

Nota 1: El segundo inciso del presente artículo fue declarado exequible por la Corte Constitucional. De la providencia se destaca que «Las normas demandadas no alteran este contenido esencial. Por un lado, si bien establece que en el trámite de acción de grupo se podrá solicitar, previa revisión en sede administrativa, que se declare la nulidad del acto administrativo que pudo ser la fuente del daño, dentro de los 4 meses siguientes a la notificación del acto administrativo, esto no altera la posibilidad de que un número plural de personas que quieran reclamar tanto por la nulidad del acto, el restablecimiento del derecho y la reparación del daño, puedan hacerlo en una única acción. Por otro, tampoco limitan la posibilidad de que los sujetos que no quieran conformar el grupo puedan acudir al ejercicio de acciones judiciales distintas. Así, entonces, la decisión del legislador respeta y responde a los principios de solidaridad, dignidad humana, acceso a la administración de justicia, economía procesal, seguridad jurídica y eficacia de los derecho e intereses sean colectivos o individuales, pues como bien lo estableció el legislador, el propósito de la acción es asegurar el acceso a la justicia de aquellos afectados por el daño antijurídico que bien puede ser ocasionado por un acto administrativo, sea válido o no» (Corte Constitucional. Sentencia C-407 de 2021. M.P. Jorge Enrique Ibáñez Najar).

Nota 2: Es importante resaltar que el término «grupo» al que se refiere la norma «[...] no constituye un concepto sociológico que requiera la existencia previa del grupo como condición indispensable para utilizar este medio de control. En este contexto, el grupo puede surgir como consecuencia directa de la causa común que origina los daños y perjuicios sufridos por sus miembros. Esto implica la posibilidad de que lo único que compartan los individuos que integran el grupo sea la razón de los perjuicios ocasionados y claro está, su intención de ser indemnizados» (ROJAS LÓPEZ, Juan Gabriel. Curso Esencial de Derecho Contencioso-Administrativo. Bogotá: Tirant lo Blanch, 2024, pp. 131).

Nota 3: La Corte Constitucional ha identificado como características «(i) las acciones de grupo están consagradas en la Constitución como una forma de materializar el Estado Social de Derecho en desarrollo de sus principios de solidaridad, dignidad humana, acceso a la administración de justicia, economía procesal, seguridad jurídica y eficacia de los derechos e intereses colectivos; (ii) su finalidad es la obtención del reconocimiento y pago de la indemnización de los perjuicios, por lo que ese objetivo indemnizatorio es una característica de la naturaleza de la acción de grupo, que agrupa pretensiones de reparación de carácter individual y se entiende como una acción de carácter principal, y (iii) la acción debe tramitarse con observancia de los principios constitucionales, en particular el de la prevalencia del derecho sustancial.» (Corte Constitucional. Sentencia SU-429 de 2024. M.P. Jorge Enrique Ibáñez Najar).

Nota 4: El Consejo de Estado ha unificado su jurisprudencia para sostener que «la acción de grupo procede para reparar integralmente perjuicios causados por una causa común ocurrida en el contexto de las relaciones laborales o de empleo público. Dicha causa puede consistir en un hecho, una omisión, una operación o un acto administrativo de contenido particular. Para su trámite y decisión, se requiere una interpretación amplia y no restrictiva del carácter indemnizatorio de la acción de grupo» (Consejo de Estado. Sala Plena de lo Contencioso Administrativo. Auto del 17 de mayo de 2023. Rad. 68001-33-31-014-2013-00158-01 C.P. Alberto Montaña Plata).

ARTÍCULO 146. CUMPLIMIENTO DE NORMAS CON FUERZA MATERIAL DE LEY O DE ACTOS ADMINISTRATIVOS

Toda persona podrá acudir ante la Jurisdicción de lo Contencioso Administrativo, previa constitución de renuencia, para hacer efectivo el cumplimiento de cualesquiera normas aplicables con fuerza material de ley o actos administrativos.

Concordancias: Art. 87 de la Const. Pol; Arts. 1 y ss. de la Ley 393 de 1997.

Nota 1: Se destaca que el «[...] procedimiento de este medio de control goza de preferencia, excepto en comparación con el trámite de la tutela destinada a la protección de derechos fundamentales. Además, no puede emplearse para proteger derechos que sean amparables a través de la tutela, y es inapropiado cuando el afectado tenga o haya tenido otro medio judicial para lograr el efectivo cumplimiento de la norma o acto administrativo, a menos que la falta de intervención del juez genere un perjuicio grave e inminente para el demandante o cuando se busque el cumplimiento de normas que impliquen gastos» (ROJAS LÓPEZ, Juan Gabriel. Curso Esencial de Derecho Contencioso-Administrativo. Bogotá: Tirant lo Blanch, 2024, pp. 136).

Nota 2: La Acción de Cumplimiento se encuentra regulada en la Ley 393 de 1997. De dicho cuerpo normativo y la jurisprudencia del Consejo de Estado y de la Corte Constitucional se deriva que los requisitos que deben concurrir para que la acción prospere son los siguientes: «(i) Que el deber que se pide hacer cumplir se encuentre consignado en normas aplicables con fuerza material de ley o actos administrativos vigentes; de manera que no es procedente para hacer cumplir otro tipo de disposiciones, tales como mandatos constitucionales, u órdenes judiciales; (ii) Que el mandato sea imperativo e inobjetable y que esté radicado en cabeza de aquella autoridad pública o del particular en ejercicio de funciones públicas que deba cumplir y frente a los cuales se haya dirigido la acción de cumplimiento; (iii) Que el actor pruebe la renuencia de la entidad accionada frente al cumplimiento del deber, antes de instaurar la demanda, bien sea por acción u omisión del exigido o por la ejecución de actos o hechos que permitan deducir su inminente incumplimiento; (iv) Que el afectado no tenga otra vía judicial para lograr el efectivo cumplimiento del deber jurídico o administrativo, salvo que no adelantar el proceso de cumplimiento implique un perjuicio grave e inminente para quien ejerció la acción.» (Corte Constitucional. Sentencia SU-386 de 2023. M.P. Antonio José Lizarazo Ocampo).

Nota 3: La constitución de renuencia está regulada en el artículo 8 de la Ley 393 de 1997. Sobre el alcance de dicha norma, el Consejo de Estado ha establecido «[...] el reclamo en tal sentido no es un simple derecho de petición sino una solicitud expresamente hecha con el propósito de cumplir el requisito de la renuencia para los fines de la acción de cumplimiento. Esta Corporación también ha considerado que no puede tenerse por demostrado el requisito de procedibilidad de la acción en aquellos casos en que la solicitud tiene una finalidad distinta a la de constitución en renuencia. Es importante que la solicitud permita determinar que lo pretendido por el interesado es el cumplimiento de un deber legal o administrativo, cuyo objetivo es el agotamiento del requisito de procedibilidad consistente en la constitución en renuencia de la parte demandada» (Consejo de Estado. Sección Quinta. Sentencia del 18 de julio de 2019. Rad. 25000-23-41-000-2019-00246-01 M.P. Nubia Margoth Peña Garzón).

Nota 4: El Consejo de Estado ha sostenido que la acción de cumplimiento no procede contra actos administrativos de contenido particular y concreto. Al respecto ha sostenido la Corporación que «uno de los puntos abordados en esa ocasión tiene que ver con la relación de la acción de cumplimiento con los mecanismos ordinarios de defensa jurídica respecto de la ejecución de actos administrativos de carácter particular. De acuerdo con lo anterior, se evidencia que la resolución demandada es un acto que interesa exclusivamente a la esfera particular de la actora y no busca la satisfacción de los intereses públicos y sociales, fines para los cuales fue creada la acción de cumplimiento. En efecto, la acción de cumplimiento está encaminada a la ejecución de deberes que emanan de un mandato, contenido en la ley o en un acto administrativo, imperativo e inobjetable y no al reconocimiento por parte de la administración de garantías particulares, o el debate, en sede judicial, del contenido y alcance de algunos derechos que el particular espera que se le reconozcan» (Consejo de Estado. Sección Quinta. Sentencia del 6 de febrero de 2025. Rad. 68001-23-33-000-2024-00726-01 M.P. Omar Joaquín Barreto Suárez).

Nota 5: Sobre la procedencia de la acción de tutela o de cumplimiento, la Corte Constitucional ha afirmado que esta última «pretende obtener cumplimiento a mandatos expresos contenidos en normas con fuerza material de ley o actos administrativos y es subsidiaria respecto de la acción de la tutela, de manera que esta última es prevalente cuando lo que se busca es la protección directa de derechos constitucionales fundamentales que pueden verse vulnerados o amenazados por la omisión de una autoridad. En contraste, cuando la pretensión se dirige a que se garanticen derechos de orden legal o que la administración aplique un mandato legal o administrativo, específico y determinado, procede la acción de cumplimiento.» (Corte Constitucional. Sentencia SU-461 de 2021. M.P. Alejandro Linares Cantillo).

ARTÍCULO 147. NULIDAD DE LAS CARTAS DE NATURALEZA Y DE LAS RESOLUCIONES DE AUTORIZACIÓN DE INSCRIPCIÓN

Cualquier persona podrá pedir que se declare la nulidad de cartas de naturaleza y de resoluciones de autorización de inscripción dentro de la oportunidad y por las causales prescritas en los artículos 20 y 21 de la Ley 43 de 1993.

Proferida la sentencia en la que se declare la nulidad del respectivo acto, se notificará legalmente y se remitirá al Ministerio de Relaciones Exteriores dentro de los diez (10) días siguientes a su ejecutoria copia certificada de la misma. Igualmente, si fuere del caso, en la sentencia se ordenará tomar las copias pertinentes y remitirlas a las autoridades competentes para que investiguen las posibles infracciones de carácter penal.

Concordancias: Art. 189 de la Const. Pol; Arts. 5, 9, 20 y 21 de la Ley 43 de 1993; Arts. 39 y 41 de la Ley 962 de 2005.

ARTÍCULO 148. CONTROL POR VÍA DE EXCEPCIÓN

En los procesos que se adelanten ante la Jurisdicción de lo Contencioso Administrativo, el juez podrá, de oficio o a petición de parte, inaplicar con efectos interpartes los actos administrativos cuando vulneren la Constitución Política o la ley.

La decisión consistente en inaplicar un acto administrativo sólo producirá efectos en relación con el proceso dentro del cual se adopte.

Nota 1: La Corte Constitucional se declaró inhibida para pronunciarse sobre la exequibilidad de la expresión «el juez» (Corte Constitucional. Sentencia C-270 de 2022. M.P. Alejandro Linares Cantillo).

Nota 2: Sobre la excepción de ilegalidad ha dispuesto la Corte Constitucional que «[L]a llamada excepción de ilegalidad se circunscribe entre nosotros a la posibilidad que tiene un juez administrativo de inaplicar, dentro del trámite de una acción sometida a su conocimiento, un acto administrativo que resulta lesivo del orden jurídico superior. Dicha inaplicación puede llevarse a cabo en respuesta a una solicitud de nulidad o de suspensión provisional formulada en la demanda, a una excepción de ilegalidad propiamente tal aducida por el demandado, o aún puede ser pronunciada de oficio. Pero, en virtud de lo dispuesto por la norma sub exámine tal y como ha sido interpretado en la presente decisión, tal inaplicación no puede ser decidida por autoridades administrativas, las cuales, en caso de asumir tal conducta, podrían ser demandadas a través de la acción de cumplimiento, que busca, justamente, hacer efectivo el principio de obligatoriedad y de presunción de legalidad de los actos administrativos.» (Corte Constitucional. Sentencia C-037 de 2000. M.P. Vladimiro Naranjo Mesa).

Nota 3: El Consejo de Estado ha indicado que esta norma «[...] establece una potestad legal en cabeza de la autoridad jurisdiccional para que, en ejercicio de la misma, ésta se releve de aplicar los actos administrativos contrarios al ordenamiento jurídico superior, por vía de excepción, en el caso concreto que así lo estime» (Consejo de Estado. Sección Cuarta. Sentencia del 25 febrero de 2021. Rad. 25000-23-37-000-2016-01075-01. M.P. Stella Jeannette Carvajal Basto).

Nota 4: En esa medida, el control por vía de excepción «[...] procede ante situaciones en las que el juez evidencie (bien sea porque las partes lo manifestaron, o porque el estudio del expediente lo lleve a esa conclusión) que para la solución del caso concreto es necesario dejar de aplicar un acto que guarda relación directa con el objeto del litigio, decisión que solo produce efectos en el caso particular, y que no expulsa a aquel del ordenamiento normativo» (Consejo de Estado. Sección Cuarta. Sentencia del 31 de mayo de 2018. Rad. 08001-23-31-000-2006-00871-01. M.P. Jorge Octavio Ramírez Ramírez).

Nota 5: La facultad descrita constituye «[...] una forma excepcional de control de legalidad que, por su misma naturaleza, toma como único presupuesto sustancial la vulneración de la constitución o la ley, a partir del juicio jurídico valorativo realizado por la autoridad judicial de cada asunto litigioso, y propio del leal saber y entender que acompaña la construcción de su razonamiento autónomo frente a las particulares circunstancias de cada caso concreto, independientemente de la existencia y/o definición del medio de control especial y preferente para juzgar la legalidad del acto administrativo inaplicado o de que la demanda no lo haya cuestionado expresa o implícitamente», toda vez que «[...] el carácter oficioso con el que el artículo 148 del CPACA previó la facultad legal de inaplicación, desliga a ésta de esa carga argumentativa y supera los linderos temáticos impuestos por los principios de congruencia de la sentencia y justicia rogada» (Consejo de Estado. Sección Cuarta. Sentencia del 25 febrero de 2021. Rad. 25000-23-37-000-2016-01075-01. M.P. Stella Jeannette Carvajal Basto).

Nota 6: Sobre el alcance del control judicial vía excepción de ilegalidad ha señalado el Consejo de Estado que este «puede ser aplicado por el juez de lo contencioso administrativo a fin de garantizar la unidad de ordenamiento jurídico, con efectos inter partes, siempre y cuando el juez en el medio de control ejercido cuente con todos los lineamientos que permitan determinar la vulneración de la Ley. La figura de la excepción de ilegalidad recae sobre una situación particular que debe examinar el juez administrativo, con el fin de inaplicar aquellos actos que por ser contrarios a las normas superiores vulneran principios de legalidad y jerarquía normativa». (Consejo de Estado. Sección Cuarta. Sentencia del 31 de mayo de 2025. Rad. 08001-23-33-004-2014-00278-01 M.P. Milton Chávez García).

ARTÍCULO 148A. CONTROL JURISDICCIONAL DE LOS FALLOS DE RESPONSABILIDAD FISCAL

<Artículo derogado por el artículo 87 de la Ley 2080 de 2021>

Nota 1: El artículo 148A inicialmente fue adicionado a la Ley 1437 de 2011 en el artículo 152 del Decreto 403 de 2020; sin embargo, fue derogado por el artículo 87 de la Ley 2080 de 2021. La disposición derogada prescribía: «ARTÍCULO 148A. El control jurisdiccional de los fallos de responsabilidad fiscal tendrá trámite preferencial respecto de las demás acciones y procesos que conozca la jurisdicción de lo contencioso administrativo, con excepción de las acciones de tutela, populares preventivas, de grupo, de cumplimiento, del recurso de habeas corpus, del medio de control de nulidad electoral, y del proceso de pérdida de investidura. En todo caso el trámite del control jurisdiccional de los fallos de responsabilidad fiscal, incluida la primera y segunda instancia, no podrá ser superior a un (1) año. PARÁGRAFO. La rama judicial a través de su órgano competente adoptará las medidas necesarias para dar cumplimiento a lo dispuesto en el presente artículo. PARÁGRAFO TRANSITORIO. Lo dispuesto en el presente artículo aplicará a las demandas que se instauren con posterioridad a la entrada en vigencia de este decreto ley. Las

demandas que estén en curso antes de la vigencia del presente decreto ley, continuarán tramitándose conforme al régimen jurídico anterior».

TÍTULO IV
DISTRIBUCIÓN DE LAS COMPETENCIAS

Nota Preliminar: El doctrinante Juan Ángel Palacio Hincapié expresa que los artículos 149 al 156, al distribuir la competencia a los jueces administrativos, se usan todos los factores que doctrinariamente permite determinarla, como lo son: i) Factor objetivo, el cual se funda en la naturaleza del proceso y en la cuantía de la pretensión. Este es el factor de mayor incidencia dentro de la determinación de las competencias de los jueces de la jurisdicción de lo contencioso administrativo. En relación con la cuantía, cuando ella juega un papel para definir la competencia, hay que resaltar el criterio de modernización que trae la Ley 1437 de 2011, pues establece un factor de actualización constante al señalar la misma en salarios mínimos legales mensuales —Arts. 152, 155 y 157—, con lo cual se pone fin a la actualización bienal que había consagrado el Decreto 597 de 1988. ii) Factor subjetivo, que permite fijar la competencia atendiendo a la calidad de la persona dentro del proceso. iii) Factor funcional, que permite determinar la competencia en razón de las dos instancias, entre la estructura de los órganos de la jurisdicción, donde el juez de primera instancia, o juez *a quo*, es competente para admitir la demanda, desarrollar el proceso y fallarlo, y el juez de segunda instancia o juez *ad quem*, tiene competencia para conocer del mismo proceso, pero para revisar la decisión del inferior, en virtud de la apelación o de la consulta. iv) Factor de conexión, no tiene aplicación dentro del Derecho Procesal Administrativo, por lo no podría acumularse a un proceso que se tramita ante el Consejo de Estado en única instancia, otro de primera instancia ante el Tribunal Administrativo; o ante el Tribunal Administrativo en única instancia, acumular otro de primera instancia del juez administrativo. Así las cosas, solo se siguen las reglas previstas en el artículo 165 del CPACA, el cual prescribe: «[...] se podrán acumular pretensiones de nulidad, de nulidad y de restablecimiento del derecho, relativas a contratos y de reparación directa», siempre que sean conexas y concurran los requisitos señalados en ese mismo artículo, pero, al asignársele competencia a esta jurisdicción para los procesos ejecutivos derivados de los contratos estatales, habría que admitir el factor de conexión, previsto en el artículo 88 del CGP, cuando los créditos se acumulen, el Tribunal Administrativo podrá ser competente para la ejecución de un crédito, cuya competencia correspondería al juez administrativo en primera instancia. v) Factor territorial, que consiste en que cada juez o tribunal se le asigna una jurisdicción territorial, es decir, un ámbito territorial para desatar los litigios que surjan. En el factor territorial se le otorga competencia para conocerlos al juez del lugar donde se originan (PALACIO HINCAPIÉ, Juan Ángel. Derecho Procesal Administrativo. Contiene la reforma de la Ley 2080 de 2021. 11° ed. Medellin: Librería Jurídica Sánchez R ltda, 2021, pp. 217-230).

CAPÍTULO I
COMPETENCIA DEL CONSEJO DE ESTADO

ARTÍCULO 149. COMPETENCIA DEL CONSEJO DE ESTADO EN ÚNICA INSTANCIA

<Artículo modificado por el artículo 24 de la Ley 2080 de 2021. El nuevo texto es el siguiente:> El Consejo de Estado, en Sala Plena de lo Contencioso Administrativo, por intermedio de sus secciones, subsecciones o salas especiales, con arreglo a la distribución de trabajo que el reglamento disponga, conocerá en única instancia de los siguientes asuntos:

1. De la nulidad de los actos administrativos expedidos por las autoridades del orden nacional, o por las personas o entidades de derecho privado que cumplan funciones administrativas en el mismo orden, salvo que se trate de actos de certificación o registro, respecto de los cuales la competencia está radicada en los tribunales administrativos.

2. De la nulidad del acto electoral que declare los resultados del referendo, el plebiscito y la consulta popular del orden nacional.

3. De la nulidad del acto de elección o llamamiento a ocupar la curul, según el caso, del Presidente y el Vicepresidente de la República, de los Senadores, de los representantes a la Cámara, de los representantes al Parlamento Andino, de los gobernadores, del Alcalde Mayor de Bogotá, de los miembros de la junta directiva o consejo directivo de las entidades públicas del orden nacional, de los entes autónomos del orden nacional y de las comisiones de regulación. Se exceptúan aquellos regulados en el numeral 7, literal a), del artículo 152 de esta ley.

4. De la nulidad de los actos de elección expedidos por el Congreso de la República, sus Cámaras y sus comisiones, la Corte Suprema de Justicia, la Corte Constitucional, el Consejo Superior de la Judicatura, la junta directiva o consejo directivo de los entes autónomos del orden nacional y las comisiones de regulación. Igualmente, de la nulidad del acto de nombramiento del Viceprocurador General de la Nación, del Vicecontralor General de la República, del Vicefiscal General de la Nación y del Vicedefensor del Pueblo.

5. De la nulidad de los actos de nombramiento de los representantes legales de las entidades públicas del orden nacional.

6. De los que se promuevan contra actos administrativos relativos a la nacionalidad y a la ciudadanía.

7. Del recurso de anulación contra laudos arbitrales proferidos en conflictos originados en contratos celebrados por una entidad pública, por las causales y

dentro del término prescrito en las normas que rigen la materia. Contra la sentencia que resuelva este recurso, solo procederá el recurso de revisión.

PARÁGRAFO. La Corte Suprema de Justicia conocerá de la nulidad contra los actos de elección y nombramiento efectuados por el Consejo de Estado, y aquellos respecto de los cuales el elegido o nombrado haya sido postulado por esta última corporación.

Concordancias: Arts. 40, 45, 46 (inc.3), 107 y 108 del CGP.

Nota 1: La Sección Tercera del Consejo de Estado unificó jurisprudencia en el sentido de reconocer «[...] la competencia del Consejo de Estado para conocer de medios de control relacionados directamente con asuntos mineros en los que intervenga la Nación o una entidad del mismo orden, en única instancia [...]» (Consejo de Estado. Sección Tercera. Auto de Unificación del 13 de febrero de 2014. Rad. 11001-03-26-000-2013-00127-00. Exp. 48521. C.P. Enrique Gil Botero).

ARTÍCULO 149A. COMPETENCIA DEL CONSEJO DE ESTADO CON GARANTÍA DE DOBLE CONFORMIDAD

<Artículo adicionado por el artículo 25 de la Ley 2080 de 2021. El nuevo texto es el siguiente:>

El Consejo de Estado conocerá de los siguientes asuntos:

1. De la repetición que el Estado ejerza contra el Presidente de la República o quien haga sus veces, el Vicepresidente de la República, congresistas, ministros del despacho, directores de departamento administrativo, Procurador General de la Nación, Contralor General de la República, Fiscal General de la Nación, magistrados de la Corte Suprema de Justicia, de la Corte Constitucional, del Consejo de Estado, del Consejo Superior de la Judicatura, de la Jurisdicción Especial para la Paz, miembros de la Comisión Nacional de Disciplina Judicial, Registrador Nacional del Estado Civil, Auditor General de la República, magistrados de los tribunales superiores de distrito judicial, de los tribunales administrativos, de las comisiones seccionales de disciplina judicial, de los consejos seccionales de la judicatura, del Tribunal Superior Militar, y de los delegados de la Fiscalía General de la Nación o del Ministerio Público ante las autoridades judiciales señaladas en este numeral.

En estos casos, la Sección Tercera, a través de sus subsecciones, conocerá en única instancia. Sin embargo, si la sentencia es condenatoria contra ella será procedente el recurso de apelación, el cual decidirá la Sala Plena de la Sección Tercera, con exclusión de los consejeros que hayan participado en la decisión de primera instancia.

2. De los de nulidad y restablecimiento del derecho en que se controviertan actos administrativos de carácter disciplinario expedidos contra el Vicepresidente de la República o los congresistas, sin importar el tipo de sanción.

En este caso, la Sección Segunda, a través de sus subsecciones, conocerá en única instancia. Sin embargo, si la sentencia declara la legalidad de la sanción disciplinaria contra ella será procedente el recurso de apelación, el cual decidirá la Sala Plena de lo Contencioso Administrativo, con exclusión de los consejeros que hayan participado en la decisión de primera instancia.

Nota 1: El segundo inciso en cursiva del numeral 1 fue declarado condicionalmente exequible «[...] en el entendido de que para garantizar la doble conformidad procederá la impugnación de todas las sentencias que declaren la responsabilidad en la acción de repetición. Cuando no se trate de los altos funcionarios que enuncia la norma examinada, la impugnación procederá ante el superior funcional de quien impuso la primera decisión declaratoria de la responsabilidad» (Corte Constitucional. Sentencia C-414 de 2022. M.P. José Fernando Reyes Cuartas).

ARTÍCULO 150. COMPETENCIA DEL CONSEJO DE ESTADO EN SEGUNDA INSTANCIA Y CAMBIO DE RADICACIÓN

<Artículo modificado por del artículo 615 de la Ley 1564 de 2012. El nuevo texto es el siguiente:>

<Inciso modificado por el artículo 26 de la Ley 2080 de 2021. El nuevo texto es el siguiente:> El Consejo de Estado, en Sala de lo Contencioso Administrativo, conocerá en segunda instancia de las apelaciones de las sentencias dictadas en primera instancia por los tribunales administrativos y de las apelaciones de autos susceptibles de este medio de impugnación. También conocerá del recurso de queja que se formule contra decisiones de los tribunales, según lo regulado en el artículo 245 de este código.

El Consejo de Estado, en Sala de lo Contencioso Administrativo, conocerá de las peticiones de cambio de radicación de un proceso o actuación, que se podrá disponer excepcionalmente cuando en el lugar en donde se esté adelantando existan circunstancias que puedan afectar el orden público, la imparcialidad o la independencia de la administración de justicia, las garantías procesales o la seguridad o integridad de los intervinientes.

Adicionalmente, podrá ordenarse el cambio de radicación cuando se adviertan deficiencias de gestión y celeridad de los procesos, previo concepto de la Sala Administrativa del Consejo Superior de la Judicatura.

PARÁGRAFO. En todas las jurisdicciones las solicitudes de cambio de radicación podrán ser formuladas por la Agencia Nacional de Defensa Jurídica del Estado.

CAPÍTULO II
COMPETENCIA DE LOS TRIBUNALES ADMINISTRATIVOS

ARTÍCULO 151. COMPETENCIA DE LOS TRIBUNALES ADMINISTRATIVOS EN ÚNICA INSTANCIA

<Artículo modificado por el artículo 27 de la Ley 2080 de 2021. El nuevo texto es el siguiente:>

Los tribunales administrativos conocerán de los siguientes procesos privativamente y en única instancia:

1. De los de definición de competencias administrativas entre entidades públicas del orden departamental, distrital o municipal, o entre cualquiera de ellas cuando estén comprendidas en el territorio de su jurisdicción.

2. De las observaciones que formulen los gobernadores de los departamentos acerca de la constitucionalidad y legalidad de los acuerdos municipales, y sobre las objeciones a los proyectos de ordenanzas, por los mismos motivos.

3. De las observaciones que los gobernadores formulen a los actos de los alcaldes, por razones de inconstitucionalidad o ilegalidad.

4. De las objeciones que formulen los alcaldes a los proyectos de acuerdos municipales o distritales, por ser contrarios al ordenamiento jurídico superior.

5. Del recurso de insistencia previsto en la parte primera de este código, cuando la autoridad que profiera o deba proferir la decisión sea del orden nacional o departamental, o del Distrito Capital de Bogotá.

6. De los siguientes asuntos relativos a la nulidad electoral:

a) De la nulidad de la elección de los personeros y contralores distritales y municipales de municipios con menos de setenta mil (70.000) habitantes, que no sean capital de departamento;

b) De la nulidad de los actos de elección o llamamiento a ocupar la curul, según el caso, distintos de los de voto popular, y de los de nombramiento, sin pretensión de restablecimiento del derecho, de empleados públicos del nivel directivo, asesor o sus equivalentes de los distritos y de los municipios de menos de setenta mil (70.000) habitantes, que no sean capital de departamento, independientemente de la autoridad nominadora. Igualmente, de los que recaigan en miembros de juntas o consejos directivos de entidades públicas de los órdenes anteriores.

El número de habitantes se acreditará con la última información oficial proyectada del Departamento Administrativo Nacional de Estadística (DANE);

c) De los de nulidad electoral de los empleados públicos de los niveles profesional, técnico y asistencial o equivalente a cualquiera de estos niveles efectuado por las autoridades del orden nacional, departamental, distrital o municipal. La competencia por razón del territorio corresponde al tribunal del lugar donde el nombrado preste o deba prestar los servicios.

7. Del control inmediato de legalidad de los actos de carácter general que sean proferidos en ejercicio de la función administrativa durante los estados de excepción y como desarrollo de los decretos legislativos que fueren dictados por autoridades territoriales, departamentales y municipales. Esta competencia corresponderá al tribunal del lugar donde se expidan.

8. De la ejecución de condenas impuestas o conciliaciones aprobadas en los procesos que haya conocido el respectivo tribunal en única instancia, incluso si la obligación que se persigue surge en el trámite de los recursos extraordinarios. En este caso, la competencia se determina por el factor de conexidad, sin atención a la cuantía.

ARTÍCULO 152. COMPETENCIA DE LOS TRIBUNALES ADMINISTRATIVOS EN PRIMERA INSTANCIA

<Artículo modificado por el artículo 28 de la Ley 2080 de 2021. El nuevo texto es el siguiente:>

Los tribunales administrativos conocerán en primera instancia de los siguientes asuntos:

1. De la nulidad de actos administrativos expedidos por funcionarios u organismos del orden departamental, o por las personas o entidades de derecho privado que cumplan funciones administrativas en el mismo orden.

Igualmente, de los de nulidad contra los actos administrativos proferidos por funcionarios u organismos del orden distrital y municipal, relativos a impuestos, tasas, contribuciones y sanciones relacionadas con estos asuntos.

2. De los de nulidad y restablecimiento del derecho en que se controviertan actos administrativos de cualquier autoridad, cuando la cuantía exceda de quinientos (500) salarios mínimos legales mensuales vigentes.

3. De los que se promuevan sobre el monto, distribución o asignación de impuestos, contribuciones y tasas nacionales, departamentales, municipales o distritales, cuando la cuantía sea superior a quinientos (500) salarios mínimos legales mensuales vigentes.

4. De los relativos a los contratos, cualquiera que sea su régimen, en los que sea parte una entidad pública en sus distintos órdenes o un particular en ejercicio de funciones propias del Estado, y de los contratos celebrados por cualquier entidad prestadora de servicios públicos domiciliarios en los cuales se incluyan cláusulas exorbitantes, cuando la cuantía exceda de quinientos (500) salarios mínimos legales mensuales vigentes.

5. De los de reparación directa, inclusive aquellos provenientes de la acción u omisión de los agentes judiciales, cuando la cuantía exceda de mil (1.000) salarios mínimos legales mensuales vigentes.

6. De la ejecución de condenas impuestas o conciliaciones judiciales aprobadas en los procesos que haya conocido el respectivo tribunal en primera instancia, incluso si la obligación que se persigue surge en el trámite de los recursos extraordinarios. Asimismo, conocerá de la ejecución de las obligaciones contenidas en conciliaciones extrajudiciales cuyo trámite de aprobación haya conocido en primera instancia. En los casos señalados en este numeral, la competencia se determina por el factor de conexidad, sin atención a la cuantía.

Igualmente, de los demás procesos ejecutivos cuya cuantía exceda de mil quinientos (1.500) salarios mínimos legales mensuales vigentes.

7. De los siguientes asuntos relativos a la nulidad electoral:

a) De la nulidad del acto de elección o llamamiento a ocupar la curul, según el caso, de los diputados de las asambleas departamentales, de los concejales del Distrito Capital de Bogotá, de los alcaldes municipales y distritales, de los miembros de corporaciones públicas de los municipios y distritos, de los miembros de los consejos superiores de las universidades públicas de cualquier orden, y de miembros de los consejos directivos de las corporaciones autónomas regionales. Igualmente, de la nulidad de las demás elecciones que se realicen por voto popular, salvo la de jueces de paz y jueces de reconsideración;

b) De la nulidad de la elección de los contralores departamentales, y la de los personeros y contralores distritales y municipales de municipios con setenta mil (70.000) habitantes o más, o de aquellos que sean capital de departamento;

c) De la nulidad de los actos de elección o llamamiento a ocupar curul, según el caso, distintos de los de voto popular, y de los de nombramiento, sin pretensión de restablecimiento del derecho, de empleados públicos del nivel directivo, asesor o sus equivalentes en los órdenes nacional, departamental y distrital, así como de los municipios de setenta mil (70.000) habitantes o más, o que sean capital de departamento, independientemente de la autoridad nominadora. Igualmente, de los que recaigan en miembros de juntas o consejos directivos de entidades públicas de los órdenes anteriores, siempre y cuando la competencia no esté atribuida expresamente al Consejo de Estado;

d) De la nulidad del acto electoral que declare los resultados del referendo o de la consulta popular del orden departamental, distrital o municipal;

e) De la nulidad del acto electoral que declare los resultados de la revocatoria del mandato de gobernadores y alcaldes.

El número de habitantes se acreditará con la última información oficial proyectada del Departamento Administrativo Nacional de Estadística (DANE).

8. De la nulidad de actos administrativos expedidos por los departamentos y las entidades descentralizadas de carácter departamental, que deban someterse para su validez a la aprobación de autoridad superior, o que hayan sido dictados en virtud de delegación de funciones hecha por la misma.

9. De la repetición que el Estado ejerza contra los servidores o exservidores públicos y personas privadas que cumplan funciones públicas, incluidos los agentes judiciales, cuando la cuantía exceda de quinientos (500) salarios mínimos legales mensuales vigentes, y siempre que la competencia no esté asignada al Consejo de Estado.

10. De la nulidad contra las resoluciones de adjudicación de baldíos.

11. De los de expropiación de que tratan las leyes agrarias.

12. De los que se promuevan contra los actos de expropiación por vía administrativa.

13. De la pérdida de investidura de diputados, concejales y ediles, de conformidad con el procedimiento establecido en la ley. En estos eventos el fallo se proferirá por la Sala Plena del tribunal.

14. De los relativos a la protección de derechos e intereses colectivos y de cumplimiento, contra las autoridades del orden nacional o las personas privadas que dentro de ese mismo ámbito desempeñen funciones administrativas.

15. Del medio de control de reparación de perjuicios causados a un grupo, cuando la cuantía exceda de mil (1.000) salarios mínimos legales mensuales vigentes. Si el daño proviene de un acto administrativo de carácter particular, cuando la cuantía exceda de quinientos (500) salarios mínimos legales mensuales vigentes.

16. De los relativos a la propiedad industrial, en los casos previstos en la ley.

En este caso, la competencia recaerá exclusivamente en la Sección Primera del Tribunal Administrativo de Cundinamarca.

17. De la nulidad con restablecimiento contra los actos administrativos expedidos por el Instituto Colombiano de Desarrollo Rural (Incoder), la Agencia Nacional de Tierras, o las entidades que hagan sus veces, que inicien las diligencias administrativas de extinción del dominio; clarificación de la propiedad, deslinde y recuperación de baldíos.

18. De la revisión contra los actos de extinción del dominio agrario, o contra las resoluciones que decidan de fondo los procedimientos sobre clarificación, deslinde y recuperación de baldíos.

19. De los relacionados con la declaración administrativa de extinción del dominio o propiedad de inmuebles urbanos y de los muebles de cualquier naturaleza.

20. De la nulidad de actos del Instituto Colombiano de Desarrollo Rural (Incoder), la Agencia Nacional de Tierras, o la entidad que haga sus veces, en los casos previstos en la ley.

21. De la nulidad y restablecimiento del derecho contra los actos de expropiación de que tratan las leyes sobre reforma urbana.

22. De los de nulidad y restablecimiento del derecho que carezcan de cuantía contra actos administrativos expedidos por autoridades del orden nacional o departamental, o por las personas o entidades de derecho privado que cumplan funciones administrativas en el mismo orden.

23. Sin atención a la cuantía, de los de nulidad y restablecimiento del derecho contra actos administrativos de carácter disciplinario que impongan sanciones de destitución e inhabilidad general, separación absoluta del cargo, o suspensión con inhabilidad especial, expedidos contra servidores públicos o particulares que cumplan funciones públicas en cualquier orden, incluso los de elección popular, cuya competencia no esté asignada al Consejo de Estado, de acuerdo con el artículo 149A.

24. De los que se promuevan sobre asuntos petroleros o mineros en que sea parte la Nación o una entidad territorial o descentralizada por servicios.

25. De todos los que se promuevan contra los actos de certificación o registro.

26. De todos los demás de carácter contencioso administrativo que involucren entidades del orden nacional o departamental, o particulares que cumplan funciones administrativas en los mismos órdenes, para los cuales no exista regla especial de competencia.

Nota 1: La Corte Constitucional se declaró inhibida para resolver sobre la exequibilidad del numeral 16 del presente artículo, toda vez que la demanda incumplió los criterios de claridad, especificidad, pertinencia y suficiencia en la formulación de los cargos (Corte Constitucional. Sentencia C-361 de 2021. M.P. Diana Fajardo Rivera).

Nota 2: La expresión «[...] con setenta mil (70.000) o más habitantes, o que sean capital de departamento. El número de habitantes se acreditará con la información oficial del Departamento Administrativo Nacional de Estadísticas - DANE» del texto original del numeral 8 fue declarado exequible (Corte Constitucional. Sentencia C-605 de 2019. M.P. Luis Guillermo Guerrero Pérez).

ARTÍCULO 153. COMPETENCIA DE LOS TRIBUNALES ADMINISTRATIVOS EN SEGUNDA INSTANCIA

Los tribunales administrativos conocerán en segunda instancia de las apelaciones de las sentencias dictadas en primera instancia por los jueces administrativos y de las apelaciones de autos susceptibles de este medio de impugnación, así como de los recursos de queja cuando no se conceda el de apelación o se conceda en un efecto distinto del que corresponda.

CAPÍTULO III
COMPETENCIA DE LOS JUECES ADMINISTRATIVOS

ARTÍCULO 154. COMPETENCIA DE LOS JUZGADOS ADMINISTRATIVOS EN ÚNICA INSTANCIA

<Artículo modificado por el artículo 29 de la Ley 2080 de 2021. El nuevo texto es el siguiente:> Los juzgados administrativos conocerán en única instancia:

1. Del recurso de insistencia previsto en la parte primera de este código, cuando la providencia haya sido proferida por funcionario o autoridad del orden municipal o distrital.

2. De la ejecución de condenas impuestas o conciliaciones judiciales aprobadas en los procesos que haya conocido el respectivo juzgado en única instancia, incluso si la obligación que se persigue surge en el trámite de los recursos extraordinarios. En este caso, la competencia se determina por el factor de conexidad, sin atención a la cuantía.

Concordancias: Arts. 26, 106, 124, 138, 152 y 155 del CPACA.

Nota: El Capítulo III entró en vigor el 25 de enero de 2022, de conformidad con el artículo 86 de la Ley 2080 de 2021.

ARTÍCULO 155. COMPETENCIA DE LOS JUECES ADMINISTRATIVOS EN PRIMERA INSTANCIA

<Artículo modificado por el artículo 30 de la Ley 2080 de 2021. El nuevo texto es el siguiente:> Los juzgados administrativos conocerán en primera instancia de los siguientes asuntos:

1. De la nulidad contra actos administrativos expedidos por funcionarios u organismos del orden distrital y municipal, o por las personas o entidades de derecho privado que cumplan funciones administrativas en el mismo orden. Se exceptúan los de nulidad contra los actos administrativos relativos a impuestos, tasas, contribuciones y sanciones relacionadas con estos asuntos, cuya competencia está asignada a los tribunales administrativos.

2. De los de nulidad y restablecimiento del derecho de carácter laboral que no provengan de un contrato de trabajo, en los cuales se controviertan actos administrativos de cualquier autoridad, sin atención a su cuantía.

3. De los de nulidad y restablecimiento del derecho contra actos administrativos de cualquier autoridad, cuya cuantía no exceda de quinientos (500) salarios mínimos legales mensuales vigentes.

4. De los procesos que se promuevan sobre el monto, distribución o asignación de impuestos, contribuciones y tasas nacionales, departamentales, municipales o distritales, cuya cuantía no exceda de quinientos (500) salarios mínimos legales mensuales vigentes.

5. De los relativos a los contratos, cualquiera que sea su régimen, en los que sea parte una entidad pública en sus distintos órdenes o un particular en ejercicio de funciones propias del Estado, y de los contratos celebrados por cualquier entidad prestadora de servicios públicos domiciliarios en los cuales se incluyan cláusulas exorbitantes, cuando la cuantía no exceda de quinientos (500) salarios mínimos legales mensuales vigentes.

6. De los de reparación directa, inclusive aquellos provenientes de la acción u omisión de los agentes judiciales, cuando la cuantía no exceda de mil (1.000) salarios mínimos legales mensuales vigentes.

7. De la ejecución de condenas impuestas o conciliaciones judiciales aprobadas en los procesos que haya conocido el respectivo juzgado en primera instancia, incluso si la obligación que se persigue surge en el trámite de los recursos extraordinarios. Asimismo, conocerá de la ejecución de las obligaciones contenidas en conciliaciones extrajudiciales cuyo trámite de aprobación haya conocido en primera instancia. En los casos señalados en este numeral, la competencia se determina por el factor de conexidad, sin atención a la cuantía. Igualmente, de los

demás procesos ejecutivos cuando la cuantía no exceda de mil quinientos (1.500) salarios mínimos legales mensuales vigentes.

8. De la repetición que el Estado ejerza contra los servidores a ex servidores públicos y personas privadas que cumplan funciones públicas, incluidos los agentes judiciales, cuando la cuantía no exceda de quinientos (500) salarios mínimos legales mensuales vigentes, y cuya competencia no estuviera asignada por el factor subjetivo al Consejo de Estado.

9. De los asuntos relativos a la nulidad del acto de elección por cuerpos electorales, así como de los actos de nombramiento, sin pretensión de restablecimiento del derecho, cuya competencia no esté asignada al Consejo de Estado o a los tribunales administrativos. Igualmente, conocerán de la nulidad de la elección de los jueces de paz y jueces de reconsideración.

10. De los relativos a la protección de derechos e intereses colectivos y de cumplimiento, contra las autoridades de los niveles departamental, distrital, municipal o local o las personas privadas que dentro de esos mismos ámbitos desempeñen funciones administrativas.

11. Del medio de control de reparación de perjuicios causados a un grupo, cuando la cuantía no exceda de mil (1.000) salarios mínimos legales mensuales vigentes. Si el daño proviene de un acto administrativo de carácter particular, cuando la cuantía no exceda de quinientos (500) salarios mínimos legales mensuales vigentes.

12. La de nulidad del acto de calificación y clasificación de los proponentes, expedida por las Cámaras de Comercio.

13. De los de nulidad de los actos administrativos de los distritos y municipios y de las entidades descentralizadas de carácter distrital o municipal que deban someterse para su validez a la aprobación de autoridad superior, o que hayan sido dictados en virtud de delegación de funciones hecha por la misma.

14. Sin atención a la cuantía, de los procesos de nulidad y restablecimiento del derecho contra actos administrativos de carácter disciplinario que no estén atribuidos a los tribunales o al Consejo de Estado.

15. De los de nulidad y restablecimiento del derecho que carezcan de cuantía contra actos administrativos expedidos por autoridades del orden distrital o municipal, o por las personas o entidades de derecho privado que cumplan funciones administrativas en el mismo orden.

16. De todos los demás de carácter contencioso administrativo que involucren entidades del orden municipal o distrital o particulares que cumplan funciones administrativas en el mismo orden, para los cuales no exista regla especial de competencia.

17. De los demás asuntos que les asignen leyes especiales.

Concordancias: Arts. 104-106, 124, 137-146, 153, 154, 156-158 del CPACA.

Nota 1: En sentencia del 13 de julio de 2017, la Sala de Casación Civil de la Corte Suprema de Justicia reiteró que la competencia para conocer una acción popular que se dirige contra una autoridad y un particular corresponde a la jurisdicción de lo contencioso administrativo, de acuerdo con el fuero de atracción (Corte Suprema de Justicia. Sentencia de tutela del 12 de julio de 2017. Rad. 11001-02-03-000-2017-01759-00. Exp. STC 10162-2017. M.P. Álvaro Fernando García Restrepo).

CAPÍTULO IV
DETERMINACIÓN DE COMPETENCIAS

ARTÍCULO 156. COMPETENCIA POR RAZÓN DEL TERRITORIO

<Artículo modificado por el artículo 31 de la Ley 2080 de 2021. El nuevo texto es el siguiente:> Para la determinación de la competencia por razón del territorio se observarán las siguientes reglas:

1. En los de nulidad y en los que se promueva n contra los actos de certificación o registro, por el lugar donde se expidió el acto.

2. En los de nulidad y restablecimiento se determinará por el lugar donde se expidió el acto, o por el del domicilio del demandante, siempre y cuando la entidad demandada tenga sede en dicho lugar.

3. En los asuntos de nulidad y restablecimiento del derecho de carácter laboral se determinará por el último lugar donde se prestaron o debieron prestarse los servicios. Cuando se trate de derechos pensionales, se determinará por el domicilio del demandante, siempre y cuando la entidad demandada tenga sede en dicho lugar.

4. En los contractuales y en los ejecutivos originados en contratos estatales o en laudos arbitrales derivados de tales contratos, se determinará por el lugar donde se ejecutó o debió ejecutarse el contrato.

5. En los asuntos agrarios y en los demás relacionados con la expropiación, la extinción del derecho de dominio, la adjudicación de baldíos, la clarificación y el deslinde de la propiedad y otros asuntos similares relacionados directamente con un bien inmueble, por el lugar de ubicación del bien.

6. En los de reparación directa se determinará por el lugar donde se produjeron los hechos, las omisiones o las operaciones administrativas, o por el domicilio o sede principal de la entidad demandada a elección del demandante. Cuando al-

guno de los demandantes haya sido víctima de desplazamiento forzado de aquel lugar, y así lo acredite, podrá presentar la demanda en su actual domicilio o en la sede principal de la entidad demandada elección de la parte actora.

7. En los que se promuevan sobre el monto, distribución o asignación de impuestos, tasas y contribuciones nacionales, departamentales, municipales o distritales, se determinará por el lugar donde se presentó o debió presentarse la declaración, en los casos en que esta proceda; en los demás casos, en el lugar donde se practicó la liquidación.

8. En los casos de imposición de sanciones, la competencia se determinará por el lugar donde se realizó el acto o el hecho que dio origen a la sanción.

9. Cuando el acto o hecho se produzca en el exterior, la competencia se fijará por el lugar de la sede principal de la entidad demandada, en Colombia.

10. En los relativos al medio de control de cumplimiento de normas con fuerza material de ley o de actos administrativos, se determinará por el domicilio del accionante.

11. De repetición conocerá el juez o tribunal con competencia en el domicilio del demandado. A falta de determinación del domicilio, conocerá el del último lugar donde se prestó o debió prestarse el servicio.

PARÁGRAFO. Cuando fueren varios los jueces o tribunales competentes para conocer del asunto de acuerdo con las reglas previstas en este artículo, conocerá a prevención el juez o tribunal ante el cual se hubiere presentado primero la demanda.

Concordancias: Arts. 104-106, 137-149 y 158 del CPACA.

Nota 1: Se pone de presente que la determinación de la competencia por razón del territorio se materializa a la fecha de presentación de la demanda, por ser este el momento procesal en el que, entre los jueces de un mismo grado, se designa a quien su sede lo haga más idóneo para el caso concreto, ya sea por la presencia de las partes en el lugar, del bien motivo del litigio o por la facilidad probatoria (Corte Constitucional. Sentencia T-308 de 2014. M.P. Jorge Ignacio Pretelt Chaljub).

ARTÍCULO 157. COMPETENCIA POR RAZÓN DE LA CUANTÍA

<Artículo modificado por el artículo 32 de la Ley 2080 de 2021. El nuevo texto es el siguiente:> Para efectos de la competencia, cuando sea del caso, la cuantía se determinará por el valor de la multa impuesta o de los perjuicios causados, según la estimación razonada hecha por el actor en la demanda, sin que en ella pueda considerarse la estimación de los perjuicios inmateriales, salvo que estos últimos sean los únicos que se reclamen.

La cuantía se determinará por el valor de las pretensiones al tiempo de la demanda, que tomará en cuenta los frutos, intereses, multas o perjuicios reclamados como accesorios, causados hasta la presentación de aquella.

Para los efectos aquí contemplados, cuando en la demanda se acumulen varias pretensiones, la cuantía se determinará por el valor de la pretensión mayor.

En el medio de control de nulidad y restablecimiento del derecho, no podrá prescindirse de la estimación razonada de la cuantía, so pretexto de renunciar al restablecimiento.

En asuntos de carácter tributario, la cuantía se establecerá por el valor de la suma discutida por concepto de impuestos, tasas, contribuciones y sanciones.

PARÁGRAFO. Cuando la cuantía esté expresada en salarios mínimos legales mensuales vigentes, se tendrá en cuenta aquel que se encuentre vigente en la fecha de la presentación de la demanda.

Concordancias: Artículos 104-106, 138, 140-142, 149, 152, 155 y 158 del CPACA.

ARTÍCULO 158. CONFLICTOS DE COMPETENCIA

<Artículo modificado por el artículo 33 de la Ley 2080 de 2021. El nuevo texto es el siguiente:> Los conflictos de competencia entre los tribunales administrativos y entre estos y los jueces administrativos, de diferentes distritos judiciales, serán decididos, de oficio o a petición de parte, por el magistrado ponente del Consejo de Estado conforme al siguiente procedimiento:

Cuando un tribunal o un juez administrativo declaren su incompetencia para conocer de un proceso, por considerar que corresponde a otro tribunal o a un juez administrativo de otro distrito judicial, ordenará remitirlo a este. Si el tribunal o juez que recibe el expediente también se declara incompetente, remitirá el proceso al Consejo de Estado para que decida el conflicto.

Recibido el expediente y efectuado el reparto entre las secciones, según la especialidad, el ponente dispondrá que se dé traslado a las partes por el término común de tres (3) días para que presenten sus alegatos; vencido el traslado, el conflicto se resolverá en un plazo de diez (10) días, mediante auto que ordenará remitir el expediente al competente.

Si el conflicto se presenta entre jueces administrativos de un mismo distrito judicial, este será decidido por el magistrado ponente del tribunal administrativo respectivo, de conformidad con el procedimiento establecido en este artículo.

La falta de competencia no afectará la validez de la actuación cumplida hasta la decisión del conflicto.

Concordancias: Arts. 106, 122-124, 149, 153, 156 y 157 del CPACA.

Nota 1: Este artículo define las reglas de conflictos de competencias que se presentan dentro de los diferentes despachos judiciales de la jurisdicción de lo contencioso administrativo. Al respecto, Juan Ángel Palacio Hincapié expresa que los conflictos de competencia entre los tribunales administrativos y entre estos y los jueces administrativos de diferentes distritos judiciales, son decididos de oficio o a petición de parte por el Consejo de Estado, conforme al presente procedimiento: cuando un tribunal o un juez administrativo se declara incompetente para conocer de un proceso por considerar que corresponde a otro tribunal o a un juez administrativo de otro distrito judicial, ordenará remitirlo a este mediante auto contra el cual solo procede el recurso de reposición. Si el tribunal o juez que recibe el expediente también se declara incompetente, remitirá el proceso al Consejo de Estado para que decida el conflicto. Recepcionado el expediente y efectuado el reparto entre las secciones, de acuerdo a la especialidad, el ponente dispone para que se dé traslado a las partes por el término común de tres (3) días, para que presenten sus alegatos; vencido el traslado, el conflicto se resuelve en un plazo de diez (10) días, mediante auto que ordenará remitir el expediente al competente. El afectado podrá interponer el recurso de reposición teniendo en cuenta que estos autos, no se encuentra dentro los apelables, considerados en la nueva redacción del artículo 243 del CPACA. Así pues, con la Ley 2080 de 2021, vigente para este caso a partir del 25 de enero de 2022, se precisa que será el magistrado ponente del tribunal respectivo el encargado de decidirlo, eliminando así toda ambigüedad que se originase de la redacción original de la norma. La falta de competencia no afecta la validez de lo actuado (PALACIO HINCAPIÉ, Juan Ángel. Derecho Procesal Administrativo. Contiene la reforma de la Ley 2080 de 2021. 11° ed. Medellín: Librería Jurídica Sánchez R Ltda., 2021, pp. 254-255).

TÍTULO V
DEMANDA Y PROCESO CONTENCIOSO ADMINISTRATIVO

CAPÍTULO I
CAPACIDAD, REPRESENTACIÓN Y DERECHO DE POSTULACIÓN

ARTÍCULO 159. CAPACIDAD Y REPRESENTACIÓN

Las entidades públicas, los particulares que cumplen funciones públicas y los demás sujetos de derecho que de acuerdo con la ley tengan capacidad para comparecer al proceso, podrán obrar como demandantes, demandados o intervinientes en los procesos contencioso |administrativos, por medio de sus representantes, debidamente acreditados.

La entidad, órgano u organismo estatal estará representada, para efectos judiciales, por el Ministro, Director de Departamento Administrativo, Superintendente, Registrador Nacional del Estado Civil, Procurador General de la Nación,

Contralor General de la República o Fiscal General de la Nación o por la persona de mayor jerarquía en la entidad que expidió el acto o produjo el hecho.

El Presidente del Senado representa a la Nación en cuanto se relacione con la Rama Legislativa; y el Director Ejecutivo de Administración Judicial la representa en cuanto se relacione con la Rama Judicial, salvo si se trata de procesos en los que deba ser parte la Fiscalía General de la Nación.

En los procesos sobre impuestos, tasas o contribuciones, la representación de las entidades públicas la tendrán el Director General de Impuestos y Aduanas Nacionales en lo de su competencia, o el funcionario que expidió el acto.

En materia contractual, la representación la ejercerá el servidor público de mayor jerarquía de las dependencias a que se refiere el literal b), del numeral 1 del artículo 2° de la Ley 80 de 1993, o la ley que la modifique o sustituya. Cuando el contrato o acto haya sido suscrito directamente por el Presidente de la República en nombre de la Nación, la representación de esta se ejercerá por el Director del Departamento Administrativo de la Presidencia de la República.

Las entidades y órganos que conforman el sector central de las administraciones del nivel territorial están representadas por el respectivo gobernador o alcalde distrital o municipal. En los procesos originados en la actividad de los órganos de control del nivel territorial, la representación judicial corresponderá al respectivo personero o contralor.

Concordancias: Arts. 1, 113 y 115 de la Const. Pol; Arts. 28, 99 núm. 8 y 103 núm. 7 de la Ley 270 de 1996; Arts. 38, 40, 56, 57, 65, 70, 78, 82-85, 88, 92, 94-97 y 110 —112 de la Ley 489 de 1998; Arts. 104, 105 y 160 del CPACA; Arts. 53 y 610 del CGP.

Nota 1: La Sección Tercera del Consejo de Estado, en sentencia del 25 de septiembre de 2013, unificó la jurisprudencia en relación con la capacidad de los consorcios y uniones temporales para ser parte del proceso. La providencia precisó que estas formas de participación en los procesos de contratación del Estado, aunque no cuentan con personalidad jurídica, pueden comparecer al proceso —como partes, terceros o litisconsortes— a través de su representante legal, lo que no obsta para que los integrantes de dichas formas también lo puedan hacer directamente:

«En consecuencia, a partir del presente proveído se concluye que tanto los consorcios como las uniones temporales sí se encuentran legalmente facultados para concurrir, por conducto de su representante, a los procesos judiciales que pudieren tener origen en controversias surgidas del procedimiento administrativo de selección de contratistas o de la celebración y ejecución de los contratos estatales en relación con los cuales tengan algún interés, cuestión que de ninguna manera excluye la opción, que naturalmente continúa vigente, de que los integrantes de tales consorcios o uniones temporales también puedan, si así lo deciden y siempre que para ello satisfagan los requisitos y presupuestos exigidos en las normas vigentes para el efecto, comparecer a los procesos judiciales —bien como demandantes, bien como demandados, bien como terceros legitimados o incluso en la condición de litisconsortes, facultativos o necesarios, según corresponda—, opción que de ser ejercida deberá consultar, como resulta apenas natural, las exigencias relacionadas con la debida integración del contradictorio, por manera que, en aquellos eventos en que varios o uno solo de los integrantes de un consorcio o de una unión temporal concurran a un proceso judicial, en su condición individual e independiente, deberán satisfacerse las reglas que deban aplicarse, según las particularidades de cada caso específico, para que los demás integrantes del correspondiente consorcio o unión temporal deban o puedan ser vinculados en condición de litisconsortes, facultativos o necesarios, según corresponda» (Consejo de Estado. Sección Tercera. Sentencia del 25 de septiembre de 2013. Rad. 25000-23-26-000-1997-03930-01. Exp. 19933. C.P. Mauricio Fajardo Gómez).

Nota 2: Con fundamento en el inciso 2 del artículo 115 de la Const. Pol. y el inciso 2 del artículo 159 del CPACA, el Consejo de Estado ha precisado que, cuando se demande la nulidad de actos administrativos suscritos por el presidente y sus ministros o directores de departamento, son estos últimos los llamados a comparecer al proceso en representación de la Nación. En estos casos, el Departamento Administrativo de la Presidencia de la República —DAPRE— carece de legitimidad en la causa por pasiva (Consejo de Estado. Sección Cuarta. Auto del 5 de abril de 2018. Rad. 11001-03-27-000-2013-00026-00. Exp. 20437. C.P. Jorge Octavio Ramírez Ramírez; Consejo de Estado. Sección Quinta. Auto del 17 de febrero de 2023. Rad. 11001-03-24-000-2022-00328-00. C.P. Pedro Pablo Vanegas Gil; Consejo de Estado. Sección Segunda. Subsección A. Auto del 26 de junio de 2024. Rad. 11001-03-25-000-2024-00242-00. Exp. 3324-2024. C.P. Jorge Iván Duque Gutiérrez).

ARTÍCULO 160. DERECHO DE POSTULACIÓN

Quienes comparezcan al proceso deberán hacerlo por conducto de abogado inscrito, excepto en los casos en que la ley permita su intervención directa.

Los abogados vinculados a las entidades públicas pueden representarlas en los procesos contenciosos administrativos mediante poder otorgado en la forma ordinaria, o mediante delegación general o particular efectuada en acto administrativo.

Concordancias: Art. 9 de la Ley 489 de 1998; Art. 159 del CPACA; Arts. 73-77 del CGP; Art. 5 de la Ley 2213 de 2022.

Nota 1: El derecho de postulación «[...] supone la potestad exclusiva para los abogados, salvo las excepciones contempladas en la ley, de presentar la demanda, solicitar el decreto y práctica de las pruebas, presentar alegatos, recurrir las decisiones desfavorables y en general de realizar todas aquellas actuaciones propias del trámite del proceso» (Consejo de Estado. Sección Segunda. Subsección B. Auto del 4 de marzo de 2021. Rad. 25000-23-42-000-2014-01890-01. M.P. Sandra Lisset Ibarra Vélez).

Nota 2: El Consejo de Estado ha precisado que «[...] el poder constituye una materialización del derecho de postulación y se erige en requisito de la demanda para comparecer ante la jurisdicción de lo contencioso administrativo; igualmente, ha indicado que debe diferenciarse entre la ausencia total de poder y las imprecisiones consignadas en aquel, pues las consecuencias son diferentes, ya que en el primer caso se configura una causal de nulidad procesal, mientras que el segundo es constitutivo de excepción previa y las falencias son pasibles de ser subsanadas» (Consejo de Estado. Sección Segunda. Subsección A. Auto del 19 de marzo de 2020. Rad. 25000-23-42-000-2014-03043-02. M.P. Rafael Francisco Suárez Vargas).

CAPÍTULO II
REQUISITOS DE PROCEDIBILIDAD

ARTÍCULO 161. REQUISITOS PREVIOS PARA DEMANDAR

La presentación de la demanda se someterá al cumplimiento de requisitos previos en los siguientes casos:

<Numeral modificado por el artículo 34 de la Ley 2080 de 2021. El nuevo texto es el siguiente:> 1. Cuando los asuntos sean conciliables, el trámite de la conciliación extrajudicial constituirá requisito de procedibilidad de toda demanda en que se formulen pretensiones relativas a nulidad con restablecimiento del derecho, reparación directa y controversias contractuales.

El requisito de procedibilidad será facultativo en los asuntos laborales, pensionales, en los procesos ejecutivos diferentes a los regulados en la Ley 1551 de 2012, en los procesos en que el demandante pida medidas cautelares de carácter patrimonial, en relación con el medio de control de repetición o cuando quien demande sea una entidad pública. En los demás asuntos podrá adelantarse la conciliación extrajudicial siempre y cuando no se encuentre expresamente prohibida.

Cuando la Administración demande un acto administrativo que ocurrió por medios ilegales o fraudulentos, no será necesario el procedimiento previo de conciliación.

2. Cuando se pretenda la nulidad de un acto administrativo particular deberán haberse ejercido y decidido los recursos que de acuerdo con la ley fueren obligatorios. El silencio negativo en relación con la primera petición permitirá demandar directamente el acto presunto.

Si las autoridades administrativas no hubieran dado oportunidad de interponer los recursos procedentes, no será exigible el requisito al que se refiere este numeral.

3. Cuando se pretenda el cumplimiento de una norma con fuerza material de ley o de un acto administrativo, se requiere la constitución en renuencia de la demandada en los términos del artículo 8° de la Ley 393 de 1997.

4. Cuando se pretenda la protección de derechos e intereses colectivos se deberá efectuar la reclamación prevista en el artículo 144 de este Código.

5. Cuando el Estado pretenda recuperar lo pagado por una condena, conciliación u otra forma de terminación de un conflicto, se requiere que previamente haya realizado dicho pago.

6. ~~Cuando se invoquen como causales de nulidad del acto de elección por voto popular aquellas contenidas en los numerales 3 y 4 del artículo 275 de este Código, es requisito de procedibilidad haber sido sometido por cualquier persona antes de la declaratoria de la elección a examen de la autoridad administrativa electoral correspondiente.~~

Concordancias: Art. 237 núm. 7 de la Const. Pol; Art. 8 de la Ley 393 de 1997; Art. 10 de la Ley 472 de 1998; Arts. 2, 8 y 11 de la Ley 678 de 2001; Arts. 66, 72, 74-76, 83, 87, 97, 137-142, 144, 146, 164, 169, 170 y 275 del CPACA; Arts. 13, 590 parágrafo 1 y 613 del CGP; Art. 47 de la Ley 1551 de 2012; Arts. 86 y siguientes de la Ley 2220 de 2022.

Nota 1: La Corte Constitucional declaró la exequibilidad del numeral 2. El accionante consideró que los numerales, entre otras normas, desconocían la reserva de ley estatutaria del derecho de petición. La Corte consideró que lo dispuesto por el legislador no afectaba el núcleo esencial del derecho: «Si bien la normativa parcialmente acusada establece las reglas que rigen una determinada actuación procesal como una forma del derecho de petición, específicamente los recursos en contra de actos administrativos y su agotamiento como requisito para iniciar la actuación judicial, éstas no buscan, de manera general, consagrar límites, restricciones, excepciones y prohibiciones que afecten la estructura general y los principios del derecho. En esencia, una norma de esta naturaleza regula actuaciones administrativas y judiciales que, aun cuando son una forma del ejercicio del derecho de petición, desarrollan las especificidades en una rama del derecho, concretamente, la manera cómo controvertir actuaciones administrativas, pero no buscan definir en general la esencia del derecho de petición o fijar sus alcances y limitaciones por fuera de este ámbito» (Corte Constitucional. Sentencia C-007 de 2017. M.P. Gloria Stella Ortiz Delgado).

Nota 2: El auto de importancia jurídica del 28 de abril de 2014 de la Sala Plena de la Sección Tercera del Consejo de Estado estableció condiciones sobre el ejercicio de la libertad dispositiva de las entidades en materia de conciliación judicial y extrajudicial. Previa precisión que la unificación no implicaba la determinación de una regla inmodificable en todos los casos, advirtiendo que deben valorarse las particularidades de cada uno, planteó los siguientes parámetros para cuando una entidad esté en posición dominio y pueda imponer las condiciones del acuerdo: i) cuando exista sentencia condenatoria de primera instancia y el acuerdo tenga como objeto un porcentaje de esa indemnización, la conciliación podrá convenirse entre el 70% y el 100% de esa condena; ii) cuando la sentencia de primera instancia no hubiere sido estimatoria de las pretensiones o ésta aún no se hubiere proferido, el monto del acuerdo conciliatorio podría acordarse entre el 70% y el 100% de las sumas que el Consejo de Estado, también de forma indicativa, ha señalado como plausibles para el reconocimiento de las indemnizaciones a que puede haber lugar según el perjuicio de que se trate en razón de la situación fáctica y la intensidad y prolongación del daño —entre otros factores—, según corresponda; y iii) las consideraciones y los parámetros antes señalados no están llamados a aplicarse en aquellos eventos en los cuales, aunque se encuentre acreditado el daño, no suceda lo mismo en relación con el quantum del perjuicio, situaciones en las cuales el propio juez debería acudir a la equidad como principio y fundamento para determinar el monto de la indemnización a decretar (Consejo de Estado. Sección Tercera. Auto del 28 de abril de 2014. Rad. 20001-23-31-000-2009-00199-01. Exp. 41834. C.P. Mauricio Fajardo Gómez).

Nota 2: La anterior decisión se complementa por el auto de importancia jurídica del 24 de noviembre de 2014, donde la Sección precisó que los montos indicados anteriormente pueden ser modificados por las entidades, habida cuenta de las condiciones específicas del caso. Además, insistió en que el juez, al homologar la conciliación, debe realizar un control estricto, y unificó la jurisprudencia respecto a: i) la inexistencia de porcentajes vinculantes en los acuerdos conciliatorios y prevalencia de la autonomía de la voluntad dentro de los límites a que se refiere la parte motiva ii) la capacidad de las partes para conciliar, y iii) el ejercicio de la patria potestad en el trámite de la conciliación y; iv) la posibilidad de aprobar parcialmente los acuerdos conciliatorios (Consejo de Estado. Sección Tercera. Auto del 24 de noviembre de 2014. Rad. 07001-23-31-000-2008-00090-01. Exp. 37747. C.P. Enrique Gil Botero).

Nota 3: La Sección Primera del Consejo de Estado unificó la jurisprudencia en la Sentencia del 22 de febrero de 2018, donde estableció que en los procesos de nulidad y restablecimiento del derecho donde se demandan los actos a través de los cuales se define la situación jurídica de una mercancía se debe agotar el requisito de procedibilidad (Consejo de Estado. Sección Primera. Sentencia del 22 de febrero de 2018. Rad. 76001-23-33-000-2013-00096-01. C.P. Roberto Augusto Serrato Valdés).

Nota 4: La Corte Constitucional declaró la inexequibilidad del sexto numeral, considerando que el requisito de procedibilidad establecía una barrera extremadamente difícil de cumplir, lo cual vulneraba el derecho de acceso a la justicia: «Esto quiere decir que (i) el legislador tiene competencia para desarrollar el requisito de procedibilidad previsto en el artículo 237 de la Constitución Política. Sin embargo, su competencia se encuentra doblemente limitada: por una parte, (ii) la regulación concreta de dicho requisito de procedibilidad debe realizarse mediante una ley estatutaria al regular una materia relativa la función electoral, por otra, (ii) la configuración normativa concreta de las condiciones para el cumplimiento de dicha carga procesal extrajudicial, debe ser objetiva y clara para los justiciables, de tal suerte que en su articulación con los procedimientos de votación, escrutinio y declaración de la elección, existan las oportunidades claramente establecidas para cumplir adecuadamente este requisito previo para demandar la nulidad de la correspondiente elección» (Corte Constitucional. Sentencia C-283 de 2017. M.P. Alejandro Linares Cantillo).

CAPÍTULO III
REQUISITOS DE LA DEMANDA

ARTÍCULO 162. CONTENIDO DE LA DEMANDA

Toda demanda deberá dirigirse a quien sea competente y contendrá:

1. La designación de las partes y de sus representantes.

2. Lo que se pretenda, expresado con precisión y claridad. Las varias pretensiones se formularán por separado, con observancia de lo dispuesto en este mismo Código para la acumulación de pretensiones.

3. Los hechos y omisiones que sirvan de fundamento a las pretensiones, debidamente determinados, clasificados y numerados.

4. Los fundamentos de derecho de las pretensiones. Cuando se trate de la impugnación de un acto administrativo deberán indicarse las normas violadas y explicarse el concepto de su violación.

5. La petición de las pruebas que el demandante pretende hacer valer. En todo caso, este deberá aportar todas las documentales que se encuentren en su poder.

6. La estimación razonada de la cuantía, cuando sea necesaria para determinar la competencia.

7. <Numeral modificado por el artículo 35 de la Ley 2080 de 2021. El nuevo texto es el siguiente:> El lugar y dirección donde las partes y el apoderado de quien demanda recibirán las notificaciones personales. Para tal efecto, deberán indicar también su canal digital.

8. <Numeral adicionado por el artículo 35 de la Ley 2080 de 2021. El nuevo texto es el siguiente:> El demandante, al presentar la demanda, simultáneamente deberá enviar por medio electrónico copia de ella y de sus anexos a los demandados, salvo cuando se soliciten medidas cautelares previas o se desconozca el lugar donde recibirá notificaciones el demandado. Del mismo modo deberá proceder el demandante cuando al inadmitirse la demanda presente el escrito de subsanación. El secretario velará por el cumplimiento de este deber, sin cuya acreditación se inadmitirá la demanda. De no conocerse el canal digital de la parte demandada, se acreditará con la demanda el envío físico de la misma con sus anexos.

En caso de que el demandante haya remitido copia de la demanda con todos sus anexos al demandado, al admitirse la demanda, la notificación personal se limitará al envío del auto admisorio al demandado.

Concordancias: Arts. 149-157, 163, 165-168, 197-200 y 281 del CPACA; Arts. 82-85, 88 y 89 del CGP; Arts. 3 y 6 de la Ley 2213 de 2022.

Nota 1: Se destaca que, pese a no estar enlistado como un requisito, la determinación de la competencia es un presupuesto formal de la demanda. Esta se identifica conforme con lo dispuesto en los artículos 149-157 del CPACA, atendiendo a los múltiples criterios de asignación.

Nota 2: Según el numeral segundo, la redacción de las pretensiones debe presentarse en términos cognoscibles, claros y específicos. Esto, a su vez, implica la estricta observancia de lo dispuesto en los artículos 163 y 168 del CPACA.

Nota 3: En cuanto a la excepción de ineptitud sustantiva de la demanda por el incumplimiento del requisito formal previsto en el numeral 4, el Consejo de Estado ha sostenido que esta se configura «[...] aquellas situaciones o eventos extremos de carencia absoluta de invocación normativa o de argumentaciones que toquen los límites de lo absurdo, o cuando sea evidente o torticeramente incoherente, los que en dado caso podrían dar lugar a reputar inepta la demanda por la falta de invocación normativa y argumentativa del concepto de la violación y, eso sin olvidar, que el juez como máximo director del proceso y dada su competencia, se le impone solicitar al sujeto procesal que subsane la demanda» (Consejo de Estado. Sección Quinta. Auto del 7 de marzo de 2019. Rad. 11001032800020180009100. C.P. Lucy Jeanette Bermúdez Bermúdez. Reiterado en: Consejo de Estado. Sección Segunda. Subsección A. Auto del 6 de julio de 2022. Rad. 11001032500020180020200. Exp. 0104-2018 C.P. William Hernández Gómez).

Nota 4: Sobre la expresión «medidas cautelares previas», la Sección Primera del Consejo de Estado ha sostenido:

«[...] entiende el Despacho que la medida previa es aquella que busca precaver el proceso de acciones del demandado que pongan en riesgo el objeto del litigio y la efectividad de la sentencia. Es decir, son aquellas sobre las cuales el Juez debe pronunciarse antes de enterar al demandado de la acción que se ha instaurado en su contra, pues en caso contrario pondría en peligro el objeto del litigio y la efectividad de la sentencia. Tal consideración encuentra fundamento en el fin que buscan las demás medidas definidas en el artículo 229 ibidem.

Es precisamente esa la razón por la cual no se le exige al demandante que, conjuntamente con la demanda, remita el correo respectivo al demandado, que es lo que ocurre en los procesos de la jurisdicción ordinaria cuando el juez ordena, entre otras medidas y a título de ejemplo, el embargo de bienes, antes de proceder a notificar la demanda al accionado, para anticipar la protección de lo que se pretende de actuaciones del extremo pasivo del litigio que hagan imposible el reclamo que se presenta ante el juez.

Teniendo en cuenta dicha interpretación, el Despacho es del criterio que, tratándose de demandas promovidas en contra del Estado en el marco de los medios de control de nulidad y nulidad y restablecimiento del derecho, no podría, en principio, avizorarse una conducta del ente público tendiente a poner en riesgo el objeto del litigio o la efectividad de la sentencia. Lo anterior, bajo el entendido que el primero de ellos (el objeto), hace referencia a la pretensión de invalidez que se formula, la cual debe recaer sobre un acto administrativo; y, siendo ello así, ni siquiera el hecho de que desaparezca del orden jurídico por efecto de la derogatoria o revocatoria, haría que se sustrajera del control que se propone judicialmente, pues, como es sabido, el análisis de legalidad es procedente incluso en esos eventos. Tal razonamiento conduce, igualmente, a concluir que tampoco existiría riesgo en la efectividad de la sentencia» (Consejo de Estado. Sección Primera. Auto del 13 de febrero de 2023. Rad. 11001032400020210049300. C.P. Oswaldo Giraldo López). Según este apunte jurisprudencial, la solicitud de la medida cautelar de suspensión provisional no es argumento válido para que el demandante se sustraiga del deber previsto en el numeral 8 para los medios de control de nulidad y nulidad y restablecimiento del derecho.

ARTÍCULO 163. INDIVIDUALIZACIÓN DE LAS PRETENSIONES

Cuando se pretenda la nulidad de un acto administrativo este se debe individualizar con toda precisión. Si el acto fue objeto de recursos ante la administración se entenderán demandados los actos que los resolvieron.

Cuando se pretendan declaraciones o condenas diferentes de la declaración de nulidad de un acto, deberán enunciarse clara y separadamente en la demanda.

Concordancias: Arts. 43, 162, 165, 169, 170 y 281 del CPACA.

Nota 1: Este deber procesal se relaciona directamente con el cumplimiento del requisito previsto en el artículo 162.2. Al respecto, en cuanto a las pretensiones de nulidad, téngase en cuenta la relevancia de indicar en la demanda si se trata de un reproche total o parcial del acto administrativo y, en el último escenario, identificar con absoluta precisión los fragmentos impugnados.

ARTÍCULO 164. OPORTUNIDAD PARA PRESENTAR LA DEMANDA

La demanda deberá ser presentada:

1. En cualquier tiempo, cuando:

a) Se pretenda la nulidad en los términos del artículo 137 de este Código;

b) El objeto del litigio lo constituyan bienes estatales imprescriptibles e inenajenables;

c) Se dirija contra actos que reconozcan o nieguen total o parcialmente prestaciones periódicas. Sin embargo, no habrá lugar a recuperar las prestaciones pagadas a particulares de buena fe;

d) Se dirija contra actos producto del silencio administrativo;

e) Se solicite el cumplimiento de una norma con fuerza material de ley o de un acto administrativo, siempre que este último no haya perdido fuerza ejecutoria;

f) En los demás casos expresamente establecidos en la ley.

2. En los siguientes términos, so pena de que opere la caducidad:

a) Cuando se pretenda la nulidad de un acto administrativo electoral, el término será de treinta (30) días. Si la elección se declara en audiencia pública el término se contará a partir del día siguiente; en los demás casos de elección y en los de nombramientos se cuenta a partir del día siguiente al de su publicación efectuada en la forma prevista en el inciso 1° del artículo 65 de este Código.

En las elecciones o nombramientos que requieren confirmación, el término para demandar se contará a partir del día siguiente a la confirmación;

b) Cuando se pretenda la nulidad de las cartas de naturaleza y de las resoluciones de autorización de inscripción de nacionales, el término será de diez (10) años contados a partir de la fecha de su expedición;

c) Cuando se pretenda la nulidad o la nulidad y restablecimiento del derecho de los actos previos a la celebración del contrato, el término será de cuatro (4) meses contados a partir del día siguiente a su comunicación, notificación, ejecución o publicación, según el caso;

d) Cuando se pretenda la nulidad y restablecimiento del derecho, la demanda deberá presentarse dentro del término de cuatro (4) meses contados a partir del día siguiente al de la comunicación, notificación, ejecución o publicación del acto administrativo, según el caso, salvo las excepciones establecidas en otras disposiciones legales;

e) Cuando se pretenda la nulidad y la nulidad y restablecimiento del derecho de los actos administrativos de adjudicación de baldíos proferidos por la autoridad agraria correspondiente, la demanda deberá presentarse en el término de dos (2) años, siguientes a su ejecutoria o desde su publicación en el Diario Oficial, según el caso. Para los terceros, el término para demandar se contará a partir del día siguiente de la inscripción del acto en la respectiva Oficina de Instrumentos Públicos;

f) Cuando se pretenda la revisión de los actos de extinción del dominio agrario o la de los que decidan de fondo los procedimientos de clarificación, deslinde y recuperación de los baldíos, la demanda deberá interponerse dentro del término de quince (15) días siguientes al de su ejecutoria. Para los terceros, el término de caducidad será de treinta (30) días y se contará a partir del día siguiente al de la inscripción del acto en la correspondiente Oficina de Instrumentos Públicos;

g) Cuando se pretenda la expropiación de un inmueble agrario, la demanda deberá presentarse por parte de la autoridad competente dentro de los dos (2) meses, contados a partir del día siguiente al de la ejecutoria del acto administrativo que ordene adelantar dicha actuación;

h) Cuando se pretenda la declaratoria de responsabilidad y el reconocimiento y pago de indemnización de los perjuicios causados a un grupo, la demanda deberá promoverse dentro de los dos (2) años siguientes a la fecha en que se causó el daño. Sin embargo, si el daño causado al grupo proviene de un acto administrativo y se pretende la nulidad del mismo, la demanda con tal solicitud deberá presentarse dentro del término de cuatro (4) meses contados a partir del día siguiente al de la comunicación, notificación, ejecución o publicación del acto administrativo;

i) Cuando se pretenda la reparación directa, la demanda deberá presentarse dentro del término de dos (2) años, contados a partir del día siguiente al de la ocurrencia de la acción u omisión causante del daño, o de cuando el demandante tuvo o debió tener conocimiento del mismo si fue en fecha posterior y siempre que pruebe la imposibilidad de haberlo conocido en la fecha de su ocurrencia.

Sin embargo, el término para formular la pretensión de reparación directa derivada del delito de desaparición forzada, se contará a partir de la fecha en que aparezca la víctima o en su defecto desde la ejecutoria del fallo definitivo adoptado en el proceso penal, sin perjuicio de que la demanda con tal pretensión pueda intentarse desde el momento en que ocurrieron los hechos que dieron lugar a la desaparición;

j) En las relativas a contratos el término para demandar será de dos (2) años que se contarán a partir del día siguiente a la ocurrencia de los motivos de hecho o de derecho que les sirvan de fundamento.

Cuando se pretenda la nulidad absoluta o relativa del contrato, el término para demandar será de dos (2) años que se empezarán a contar desde el día siguiente al de su perfeccionamiento. En todo caso, podrá demandarse la nulidad absoluta del contrato mientras este se encuentre vigente.

En los siguientes contratos, el término de dos (2) años se contará así:

i) En los de ejecución instantánea desde el día siguiente a cuando se cumplió o debió cumplirse el objeto del contrato;

ii) En los que no requieran de liquidación, desde el día siguiente al de la terminación del contrato por cualquier causa;

iii) En los que requieran de liquidación y esta sea efectuada de común acuerdo por las partes, desde el día siguiente al de la firma del acta;

iv) En los que requieran de liquidación y esta sea efectuada unilateralmente por la administración, desde el día siguiente al de la ejecutoria del acto administrativo que la apruebe;

v) En los que requieran de liquidación y esta no se logre por mutuo acuerdo o no se practique por la administración unilateralmente, una vez cumplido el término de dos (2) meses contados a partir del vencimiento del plazo convenido para hacerlo bilateralmente o, en su defecto, del término de los cuatro (4) meses siguientes a la terminación del contrato o la expedición del acto que lo ordene o del acuerdo que la disponga;

k) Cuando se pretenda la ejecución con títulos derivados del contrato, de decisiones judiciales proferidas por la Jurisdicción de lo Contencioso Administrativo en cualquier materia y de laudos arbitrales contractuales estatales, el término para solicitar su ejecución será de cinco (5) años contados a partir de la exigibilidad de la obligación en ellos contenida;

l) <Literal modificado por el artículo 43 de la Ley 2195 de 2022, corregido por el artículo 1 del Decreto 1463 de 2022> Cuando se pretenda repetir para recuperar lo pagado como consecuencia de una condena, conciliación u otra forma de terminación de un conflicto, el término será de cinco (5) años, contados a partir del día siguiente de la fecha del pago, o, a más tardar desde el vencimiento del plazo con que cuenta la administración para el pago de condenas de conformidad con lo previsto en este Código.

Concordancias: Arts. 63, 72, 75, 83, 87-90, 101 y 102 de la Const. Pol; Arts. 44, 45, 55 y 60 de la Ley 80 de 1993; Art. 7 de la Ley 393 de 1997; Art. 11 de la Ley 472 de 1998; Arts. 65-73, 83-86, 94, 135, 137-147, 161, 169 y 297-299 del CPACA; Arts. 94 y 95 del CGP; Art. 56 de la Ley 2220 de 2022.

Nota 1: En la Sentencia del 25 de agosto de 2016, la Sección Segunda unificó su jurisprudencia sobre la prescripción en los litigios donde se pretende el reconocimiento de la relación laboral con el Estado. La Sección determinó que en dichos casos no prescribe ni caducan las pretensiones relacionadas con los aportes pensionales, imponiendo al juez a pronunciarse al respecto —incluso aunque no se haya pretendido—, considerando que no es un asunto propio de una decisión extra petita sino una consecuencia indispensable para lograr la efectividad de los derechos del trabajador (Consejo de Estado. Sección Segunda. Sentencia del 25 de agosto de 2016. Rad. 23001-23-33-000-2013-00260-01. Exp. 2015-0088. CE-SUJ2-005-16. C.P. Carmelo Perdomo Cuéter).

Nota 2: La Sección Tercera del Consejo de Estado, en sentencia de unificación del 29 de enero de 2020, estableció que las pretensiones indemnizatorias formuladas con ocasión de delitos de lesa humanidad, crímenes de guerra o cualquier asunto en que se solicite la declaratoria de responsabilidad patrimonial del Estado, aplica el término de caducidad regulado en el numeral. El cómputo del término, de acuerdo con la unificación, inicia desde el momento en que los afectados conocieron o debieron conocer la participación por acción u omisión del Estado, y advirtieron la posibilidad de imputarle responsabilidad patrimonial. Lo anterior se excepciona en los casos de desaparición forzada —que tiene término especial— y cuando se observan situaciones que hubiesen impedido materialmente el ejercicio del derecho de acción, evento en el cual el término inicia apenas se superen dichas condiciones (Consejo de Estado. Sección Tercera. Sentencia del 29 de enero de 2020. Rad. 85001-33-33-002-2014-00144-01. Exp. 61.033A. C.P. Marta Nubia Velásquez Rico).

Nota 3: El 1 de agosto de 2019, la Sección Tercera del Consejo de Estado unificó su jurisprudencia relativa al cómputo de la caducidad en los contratos que se liquidan luego de vencerse el término convencional y/o legal dispuesto. En los términos de la providencia, el término de caducidad inicia desde el día siguiente al de la firma del acta o de la ejecutoria del acto de liquidación del contrato, de tal forma que el supuesto del apartado "v)" literal "j)" solo aplica en las circunstancias donde no se liquidó el contrato (Consejo de Estado. Sección Tercera. Auto de unificación del 1 de agosto de 2019. Rad. 05001-23-33-000-2018-00342-01. Exp. 62009. C.P. Jaime Enrique Rodríguez Navas).

Nota 4: El aparte subrayado del literal h del numeral 2 fue declarado exequible en la Sentencia C-407 de 2021. La Corporación desestimó los cargos de inexequibilidad por: i) vulneración del diseño constitucional de la acción de grupo; ii) violación de los principios generales de la función administrativa y iii) desconocimiento del derecho fundamental al debido proceso (Corte Constitucional. Sentencia C-407 del 24 de noviembre de 2021. M.P. Jorge Enrique Ibañez Najar).

ARTÍCULO 165. ACUMULACIÓN DE PRETENSIONES

En la demanda se podrán acumular pretensiones de nulidad, de nulidad y de restablecimiento del derecho, relativas a contratos y de reparación directa, siempre que sean conexas y concurran los siguientes requisitos:

1. Que el juez sea competente para conocer de todas. No obstante, cuando se acumulen pretensiones de nulidad con cualesquiera otras, será competente para conocer de ellas el juez de la nulidad. Cuando en la demanda se afirme que el daño ha sido causado por la acción u omisión de un agente estatal y de un particular, podrán acumularse tales pretensiones y la Jurisdicción Contencioso Administrativa será competente para su conocimiento y resolución.
2. Que las pretensiones no se excluyan entre sí, salvo que se propongan como principales y subsidiarias.
3. Que no haya operado la caducidad respecto de alguna de ellas.
4. Que todas deban tramitarse por el mismo procedimiento.

Concordancias: Arts. 104, 137, 138, 140, 141, 162, 163, 164, 169 y 170 del CPACA; Art. 88 del CGP.

Nota 1: Sobre la acumulación de pretensiones de nulidad y nulidad y restablecimiento, debe tenerse en cuenta que esta no emana por el solo hecho de accionar en contra de actos administrativos de carácter general y particular. La positivización de la teoría de los móviles y las finalidades en los artículos 137 y 138 del CPACA supone que, al margen del carácter general o particular del acto, este es controlable por nulidad o por nulidad y restablecimiento del derecho. La determinación del medio de control dependerá de la intención o el objetivo que se persigue con la demanda. Si se trata de la corrección en abstracto del ordenamiento jurídico será nulidad, mientras que el restablecimiento automático de un derecho subjetivo corresponde a nulidad y restablecimiento del derecho.
Además, en estos escenarios de acumulación debe estimarse las eventuales consecuencias para la identificación del juez competente. Piénsese, por ejemplo, en la pretensión de

nulidad de un acto administrativo expedido por una autoridad del orden nacional acumulado con pretensiones de nulidad y restablecimiento de actos expedidos por autoridades territoriales, todos de carácter laboral. Este supuesto lo ha resuelto la Sección Segunda del Consejo de Estado en los siguientes términos:

«A esto se suma el incumplimiento de los presupuestos para la acumulación de pretensiones pues, si bien el numeral 1.° del artículo 165 del CPACA ordena que en este caso, el juez competente es el de la nulidad, el numeral 4 establece que todas deben poder tramitarse por el mismo procedimiento.

»Este requisito no se cumple en el presente asunto, toda vez que, mientras que el artículo 149.1 de la citada disposición le asigna la competencia al Consejo de Estado para conocer en **única instancia** de las demandas de nulidad contra actos proferidos por autoridades del orden nacional, el artículo 155.2 señala que a los juzgados administrativos les corresponde resolver en **primera instancia** los procesos de nulidad y restablecimiento del derecho de carácter laboral que no provengan de un contrato de trabajo, en los cuales se controviertan actos administrativos de cualquier autoridad, sin atención a su cuantía.

»De modo que existe una diferencia en el procedimiento para resolver en uno y otro medio de control, bajo el supuesto de la acumulación de pretensiones en el caso concreto. Esta no es menor, pues compromete garantías constitucionales del debido proceso, como la doble instancia y el juez natural. En síntesis, no se cumplen los presupuestos para la acumulación de pretensiones, pero sí es aplicable el segundo inciso del artículo 138, por cuanto la nulidad pretendida de actos generales y particulares supone el restablecimiento del derecho en favor de la demandante» (Consejo de Estado. Sección Segunda. Subsección A. Auto del 15 de mayo de 2024. Rad. 11001-03-25-000-2024-00082-00. Exp. 1318-2024. C.P. Jorge Iván Duque Gutiérrez. En sentido similar: Consejo de Estado. Sección Segunda. Subsección A. Auto del 4 de junio de 2024. Rad. 11001-03-25-000-2024-00029-00. Exp. 0443-2024. C.P. Jorge Iván Duque Gutiérrez; Consejo de Estado. Sección Segunda. Subsección B. Auto del 8 de marzo de 2024. Rad. 11001-03-25-000-2022-00353-00. Exp. 2906-2022. C.P. Juan Enrique Bedoya Escobar).

ARTÍCULO 166. ANEXOS DE LA DEMANDA

A la demanda deberá acompañarse:

1. Copia del acto acusado, con las constancias de su publicación, comunicación, notificación o ejecución, según el caso. Si se alega el silencio administrativo, las pruebas que lo demuestren, y si la pretensión es de repetición, la prueba del pago total de la obligación.

Cuando el acto no ha sido publicado o se deniega la copia o la certificación sobre su publicación, se expresará así en la demanda bajo juramento que se considerará prestado por la presentación de la misma, con la indicación de la oficina donde se encuentre el original o el periódico, gaceta o boletín en que se hubiere publicado de acuerdo con la ley, a fin de que se solicite por el Juez o Magistrado Ponente antes de la admisión de la demanda. Igualmente, se podrá indicar que el acto demandado se encuentra en el sitio web de la respectiva entidad para todos los fines legales.

2. Los documentos y pruebas anticipadas que se pretenda hacer valer y que se encuentren en poder del demandante, así como los dictámenes periciales necesarios para probar su derecho.

3. El documento idóneo que acredite el carácter con que el actor se presenta al proceso, cuando tenga la representación de otra persona, o cuando el derecho que reclama proviene de haberlo otro transmitido a cualquier título.

4. La prueba de la existencia y representación en el caso de las personas jurídicas de derecho privado. Cuando se trate de personas de derecho público que intervengan en el proceso, la prueba de su existencia y representación, salvo en relación con la Nación, los departamentos y los municipios y las demás entidades creadas por la Constitución y la ley.

5. Copias de la demanda y de sus anexos para la notificación a las partes y al Ministerio Público.

Concordancias: Arts. 65-73, 162 núm. 8, 167, 171, 172 y 303 del CPACA; Arts. 84, 85, 244 y 258 del CGP; Arts. 117 y 498 del C.Ccio; Arts. 2.2.2.40.1.1. y 2.2.2.40.1.2. del Decreto 1074 de 2015.

Nota 1: Respecto al requisito del numeral 5, bastará que se acredite el cumplimiento del numeral 8 del artículo 162 del CPACA, es decir, el envío simultáneo de la demanda y sus anexos por medio electrónico a los demandados.

ARTÍCULO 167. NORMAS JURÍDICAS DE ALCANCE NO NACIONAL

Si el demandante invoca como violadas normas que no tengan alcance nacional, deberá acompañarlas en copia del texto que las contenga.

Con todo, no será necesario acompañar su copia, en el caso de que las normas de carácter local que se señalen infringidas se encuentren en el sitio web de la respectiva entidad, circunstancia que deberá ser manifestada en la demanda con indicación del sitio de internet correspondiente.

Concordancias: Arts. 8, 65, 162, 163 y 166 del CPACA; Arts. 7 y 8 de la Ley 962 de 2005; Arts. 7, 9, 11 y 12 de la Ley 1712 de 2014.

CAPÍTULO IV
TRÁMITE DE LA DEMANDA

ARTÍCULO 168. FALTA DE JURISDICCIÓN O DE COMPETENCIA

En caso de falta de jurisdicción o de competencia, mediante decisión motivada el Juez ordenará remitir el expediente al competente, en caso de que existiere, a la mayor brevedad posible. Para todos los efectos legales se tendrá en cuenta la presentación inicial hecha ante la corporación o juzgado que ordena la remisión.

Concordancias: Arts. 104, 105 y 149-158 del CPACA; Arts. 15, 16, 94 y 95 del CGP.

Nota 1: La Sección Primera del Consejo de Estado precisó, en el Auto del 19 de septiembre de 2019, que el artículo 121 de la Ley 1564 de 2012 no aplica en la jurisdicción de lo contencioso administrativo, debido a que la Ley 1437 de 2011 contiene regulación especial (Consejo de Estado. Sección Primera. Auto del 19 de septiembre de 2019. Rad. 25000-23-41-000-2017-01141-01. C.P. Nubia Margoth Peña Garzón).

Nota 2: En caso de que el juez declare su falta de competencia y remita por competencia, se tendrá en cuenta la fecha de presentación inicial de la demanda para efectos del cómputo de términos de prescripción y caducidad.

ARTÍCULO 169. RECHAZO DE LA DEMANDA

Se rechazará la demanda y se ordenará la devolución de los anexos en los siguientes casos:

1. Cuando hubiere operado la caducidad.
2. Cuando habiendo sido inadmitida no se hubiere corregido la demanda dentro de la oportunidad legalmente establecida.
3. Cuando el asunto no sea susceptible de control judicial.

Concordancias: Arts. 164, 169, 170, 243 núm. 1 del CPACA; Art. 90 del CGP.

ARTÍCULO 170. INADMISIÓN DE LA DEMANDA

Se inadmitirá la demanda que carezca de los requisitos señalados en la ley por auto susceptible de reposición, en el que se expondrán sus defectos, para que el demandante los corrija en el plazo de diez (10) días. Si no lo hiciere se rechazará la demanda.

Concordancias: Arts. 161-163, 165-167, 169, 171 y 242 del CPACA; Art. 90 del CGP.

ARTÍCULO 171. ADMISIÓN DE LA DEMANDA

El juez admitirá la demanda que reúna los requisitos legales y le dará el trámite que le corresponda aunque el demandante haya indicado una vía procesal inadecuada, mediante auto en el que dispondrá:

1. Que se notifique personalmente a la parte demandada y por Estado al actor.
2. Que se notifique personalmente al Ministerio Público.
3. Que se notifique personalmente a los sujetos que, según la demanda o las actuaciones acusadas, tengan interés directo en el resultado del proceso.
4. Que el demandante deposite, en el término que al efecto se le señale, la suma que los reglamentos establezcan para pagar los gastos ordinarios del proceso, cuando hubiere lugar a ellos. El remanente, si existiere, se devolverá al interesado, cuando el proceso finalice. En las acciones cuya pretensión sea exclusivamente la nulidad del acto demandado no habrá lugar al pago de gastos ordinarios del proceso.
5. Que cuando se demande la nulidad de un acto administrativo en que pueda estar interesada la comunidad, se informe a esta de la existencia del proceso a través del sitio web de la Jurisdicción de lo Contencioso Administrativo. Lo anterior, sin perjuicio de que el juez, cuando lo estime necesario, disponga simultáneamente la divulgación a través de otros medios de comunicación, teniendo en cuenta el alcance o ámbito de aplicación del acto demandado.

PARÁGRAFO TRANSITORIO. Mientras entra en funcionamiento o se habilita el sitio web de que trata el numeral 5 del presente artículo, el juez dispondrá de la publicación en el sitio web del Consejo de Estado o en otro medio de comunicación eficaz.

Concordancias: Arts. 161-167, 169, 170, 170, 172, 196-201 y 205 del CPACA; Arts. 90, 610 y 612 del CGP.

ARTÍCULO 172. TRASLADO DE LA DEMANDA

De la demanda se correrá traslado al demandado, al Ministerio Público y a los sujetos que, según la demanda o las actuaciones acusadas, tengan interés directo en el resultado del proceso, por el término de treinta (30) días, plazo que comenzará a correr de conformidad con lo previsto en los artículos 199 y 200 de este Código y dentro del cual deberán contestar la demanda, proponer excepciones, solicitar pruebas, llamar en garantía, y en su caso, presentar demanda de reconvención.

Concordancias: Arts. 166, 171, 175-177 y 197-200 del CPACA; Arts. 91, 96 y 97 del CGP.

ARTÍCULO 173. REFORMA DE LA DEMANDA

El demandante podrá adicionar, aclarar o modificar la demanda, por una sola vez, conforme a las siguientes reglas:

1. La reforma podrá proponerse hasta el vencimiento de los diez (10) días siguientes al traslado de la demanda. De la admisión de la reforma se correrá traslado mediante notificación por estado y por la mitad del término inicial. Sin embargo, si se llama a nuevas personas al proceso, de la admisión de la demanda y de su reforma se les notificará personalmente y se les correrá traslado por el término inicial.
2. La reforma de la demanda podrá referirse a las partes, las pretensiones, los hechos en que estas se fundamentan o a las pruebas.
3. No podrá sustituirse la totalidad de las personas demandantes o demandadas ni todas las pretensiones de la demanda. Frente a nuevas pretensiones deberán cumplirse los requisitos de procedibilidad.

La reforma podrá integrarse en un solo documento con la demanda inicial. Igualmente, el juez podrá disponer que el demandante la integre en un soto documento con la demanda inicial.

Concordancias: Arts. 161, 162, 165, 171, 172 y 198-201 del CPACA; Art. 93 del CGP.

Nota 1: En el Auto del 25 de mayo de 2016 la Sección Tercera del Consejo de Estado unificó sus criterios respecto a la adición de pretensiones, en el sentido de exigir que se verifique la caducidad de las incluidas en la reforma a la demanda, así como verificar que también se hubiese cumplido con el requisito de procedibilidad por dichas pretensiones (Consejo de Estado. Sección Tercera. Auto del 25 de mayo de 2016. Rad. 66001-23-31-000-2009-00056-01. Exp. 40077. C.P. Danilo Rojas Betancourth).

Nota 2: El Auto del 6 de septiembre de 2018 de la Sección Primera del Consejo de Estado unificó la jurisprudencia, estableciendo que el término dispuesto en el artículo debe contarse dentro de los 10 días después de vencido el traslado de la demanda (Consejo de Estado. Sección Primera. Auto del 6 de septiembre de 2018. Rad. 11001-03-24-000-2017-00252-00. C.P. Roberto Augusto Serrato Valdés).

ARTÍCULO 174. RETIRO DE LA DEMANDA

<Artículo modificado por el artículo 36 de la Ley 2080 de 2021. El nuevo texto es el siguiente:> El demandante podrá retirar la demanda siempre que no se hubiere notificado a ninguno de los demandados ni al Ministerio Público.

Si hubiere medidas cautelares practicadas, procederá el retiro, pero será necesario auto que lo autorice. En este se ordenará el levantamiento de aquellas y se condenará al demandante al pago de perjuicios, salvo acuerdo de las partes. El trámite del incidente para la regulación de tales perjuicios se sujetará a lo previsto en el artículo 193 de este código, y no impedirá el retiro de la demanda.

Concordancias: Arts. 172, 196, 198-200 y 229-234 del CPACA; Art. 92 del CGP.

ARTÍCULO 175. CONTESTACIÓN DE LA DEMANDA

Durante el término de traslado, el demandado tendrá la facultad de contestar la demanda mediante escrito, que contendrá:

1. El nombre del demandado, su domicilio y el de su representante o apoderado, en caso de no comparecer por sí mismo.

2. Un pronunciamiento sobre las pretensiones y los hechos de la demanda.

3. Las excepciones.

4. La relación de las pruebas que se acompañen y la petición de aquellas cuya práctica se solicite. En todo caso, el demandado deberá aportar con la contestación de la demanda todas las pruebas que tenga en su poder y que pretenda hacer valer en el proceso.

5. Los dictámenes periciales que considere necesarios para oponerse a las pretensiones de la demanda. Si la parte demandada decide aportar la prueba pericial con la contestación de la demanda, deberá manifestarlo al juez dentro del plazo inicial del traslado de la misma establecido en el artículo 172 de este Código, caso en el cual se ampliará hasta por treinta (30) días más, contados a partir del vencimiento del término inicial para contestar la demanda. En este último evento de no adjuntar el dictamen con la contestación, se entenderá que esta fue presentada en forma extemporánea.

6. La fundamentación fáctica y jurídica de la defensa.

7. <Numeral modificado por el artículo 37 de la Ley 2080 de 2021. El nuevo texto es el siguiente:> El lugar donde el demandado, su representante o apoderado recibirán las notificaciones personales y las comunicaciones procesales. Para tal efecto, deberán indicar también su canal digital.

PARÁGRAFO 1o. Durante el término para dar respuesta a la demanda, la entidad pública demandada o el particular que ejerza funciones administrativas demandado deberá allegar el expediente administrativo que contenga los antecedentes de la actuación objeto del proceso y que se encuentren en su poder.

Cuando se trate de demandas por responsabilidad médica, con la contestación de la demanda se deberá adjuntar copia íntegra y auténtica de la historia clínica pertinente, a la cual se agregará la transcripción completa y clara de la misma, debidamente certificada y firmada por el médico que haga la transcripción.

La inobservancia de estos deberes constituye falta disciplinaria gravísima del funcionario encargado del asunto.

PARÁGRAFO 2o. <Parágrafo modificado por el artículo 38 de la Ley 2080 de 2021. El nuevo texto es el siguiente:> De las excepciones presentadas se correrá traslado en la forma prevista en el artículo 201A por el término de tres (3) días. En este término, la parte demandante podrá pronunciarse sobre las excepciones previas y, si fuere el caso, subsanar los defectos anotados en ellas. En relación con las demás excepciones podrá también solicitar pruebas.

Las excepciones previas se formularán y decidirán según lo regulado en los artículos 100, 101 y 102 del Código General del Proceso. Cuando se requiera la práctica de pruebas a que se refiere el inciso segundo del artículo 101 del citado código, el juez o magistrado ponente las decretará en el auto que cita a la audiencia inicial, y en el curso de esta las practicará. Allí mismo, resolverá las excepciones previas que requirieron pruebas y estén pendientes de decisión.

Antes de la audiencia inicial, en la misma oportunidad para decidir las excepciones previas, se declarará la terminación del proceso cuando se advierta el incumplimiento de requisitos de procedibilidad.

Las excepciones de cosa juzgada, caducidad, transacción, conciliación, falta manifiesta de legitimación en la causa y prescripción extintiva, se declararán fundadas mediante sentencia anticipada, en los términos previstos en el numeral tercero del artículo 182A.

PARÁGRAFO 3o. Cuando se aporte el dictamen pericial con la contestación de la demanda, quedará a disposición del demandante por secretaría, sin necesidad de auto que lo ordene.

Concordancias: Arts. 159, 160, 172, 173, 176, 177, 182A, 212, 219, 220 y 222 del CPACA; Arts. 96-102 del CGP.

ARTÍCULO 176. ALLANAMIENTO A LA DEMANDA Y TRANSACCIÓN

Cuando la pretensión comprenda aspectos que por su naturaleza son conciliables, para allanarse a la demanda la Nación requerirá autorización del Gobierno Nacional y las demás entidades públicas requerirán previa autorización expresa y escrita del Ministro, Jefe de Departamento Administrativo, Gobernador o Alcalde o de la autoridad que las represente o a cuyo Despacho estén vinculadas o adscritas. En los casos de órganos u organismos autónomos e independientes, tal autorización deberá expedirla el servidor de mayor jerarquía en la entidad.

En el evento de allanamiento se dictará inmediatamente sentencia. Sin embargo, el juez podrá rechazar el allanamiento y decretar pruebas de oficio cuando advierta fraude o colusión o lo pida un tercero que intervenga en el proceso.

Con las mismas formalidades anteriores podrá terminar el proceso por transacción.

Concordancias: Art. 161 del CPACA; Arts. 98, 99, 312 y 313 del CGP.

ARTÍCULO 177. RECONVENCIÓN

Dentro del término de traslado de la admisión de la demanda o de su reforma, el demandado podrá proponer la de reconvención contra uno o varios de los demandantes, siempre que sea de competencia del mismo juez y no esté sometida a trámite especial. Sin embargo, se podrá reconvenir sin consideración a la cuantía y al factor territorial.

Vencido el término del traslado de la demanda inicial a todos los demandados, se correrá traslado de la admisión de la demanda de reconvención al demandante por el mismo término de la inicial, mediante notificación por estado.

En lo sucesivo ambas demandas se sustanciarán conjuntamente y se decidirán en la misma sentencia.

Concordancias: Art. 172 del CPACA; Art. 371 del CGP.

ARTÍCULO 178. DESISTIMIENTO TÁCITO

Transcurrido un plazo de treinta (30) días sin que se hubiese realizado el acto necesario para continuar el trámite de la demanda, del incidente o de cualquier otra actuación que se promueva a instancia de parte, el Juez ordenará a la parte interesada mediante auto que lo cumpla dentro de los quince (15) días siguientes.

Vencido este último término sin que el demandante o quien promovió el trámite respectivo haya cumplido la carga o realizado el acto ordenado, quedará sin efectos la demanda o la solicitud, según el caso, y el juez dispondrá la terminación del proceso o de la actuación correspondiente, condenará en costas y perjuicios siempre que como consecuencia de la aplicación de esta disposición haya lugar al levantamiento de medidas cautelares.

El auto que ordena cumplir la carga o realizar el acto y el que tiene por desistida la demanda o la actuación, se notificará por estado.

Decretado el desistimiento tácito, la demanda podrá presentarse por segunda vez, siempre que no haya operado la caducidad.

Concordancias: Art. 17 del CPACA; Arts. 95, 314-317 del CGP.

CAPÍTULO V
ETAPAS DEL PROCESO Y COMPETENCIAS PARA SU INSTRUCCIÓN

ARTÍCULO 179. ETAPAS

<Artículo modificado por el artículo 39 de la Ley 2080 de 2021. El nuevo texto es el siguiente:> El proceso para adelantar y decidir todos los litigios respecto de los cuales este código u otras leyes no señalen un trámite o procedimiento especial, en primera y en única instancia, se desarrollará en las siguientes etapas:

1. La primera, desde la presentación de la demanda hasta la audiencia inicial.
2. La segunda, desde la finalización de la anterior hasta la culminación de la audiencia de pruebas, y
3. La tercera, desde la terminación de la anterior, hasta la notificación de la sentencia. Esta etapa comprende la audiencia de alegaciones y juzgamiento.

Cuando se trate de asuntos de puro derecho o no fuere necesario practicar pruebas, el juez prescindirá de la audiencia de pruebas y podrá dictar la sentencia oral dentro de la audiencia inicial, dando previamente a las partes la posibilidad de presentar alegatos de conclusión.

También podrá dictar sentencia oral, en los casos señalados, en las demás audiencias, previa alegación de las partes.

Lo anterior, sin perjuicio de lo indicado en el artículo 182A sobre sentencia anticipada. Cuando se profiera sentencia oral, en la respectiva acta se consignará su parte resolutiva.

Concordancias: Art. 207 del CPACA; Arts. 104, 106, 107, 109, 132 y 611 del CGP.

ARTÍCULO 180. AUDIENCIA INICIAL

Vencido el término de traslado de la demanda o de la de reconvención según el caso, el Juez o Magistrado Ponente, convocará a una audiencia que se sujetará a las siguientes reglas:

1. Oportunidad. La audiencia se llevará a cabo bajo la dirección del Juez o Magistrado Ponente dentro del mes siguiente al vencimiento del término de traslado de la demanda o del de su prórroga o del de la de reconvención o del de la contestación de las excepciones o del de la contestación de la demanda de reconvención, según el caso. El auto que señale fecha y hora para la audiencia se notificará por estado y no será susceptible de recursos.

2. Intervinientes. Todos los apoderados deberán concurrir obligatoriamente. También podrán asistir las partes, los terceros y el Ministerio Público.

La inasistencia de quienes deban concurrir no impedirá la realización de la audiencia, salvo su aplazamiento por decisión del Juez o Magistrado Ponente.

3. Aplazamiento. La inasistencia a esta audiencia solo podrá excusarse mediante prueba siquiera sumaria de una justa causa.

Cuando se presente la excusa con anterioridad a la audiencia y el juez la acepte, fijará nueva fecha y hora para su celebración dentro de los diez (10) días siguientes, por auto que no tendrá recursos. En ningún caso podrá haber otro aplazamiento.

El juez podrá admitir aquellas justificaciones que se presenten dentro de los tres (3) días siguientes a la realización de la audiencia siempre que se fundamenten en fuerza mayor o caso fortuito y solo tendrán el efecto de exonerar de las consecuencias pecuniarias adversas que se hubieren derivado de la inasistencia.

En este caso, el juez resolverá sobre la justificación mediante auto que se dictará dentro de los tres (3) días siguientes a su presentación y que será susceptible del recurso de reposición. Si la acepta, adoptará las medidas pertinentes.

4. Consecuencias de la inasistencia. Al apoderado que no concurra a la audiencia sin justa causa se le impondrá multa de dos (2) salarios mínimos legales mensuales vigentes.

5. Saneamiento. El juez deberá decidir, de oficio o a petición de parte, sobre los vicios que se hayan presentado y adoptará las medidas de saneamiento necesarias para evitar sentencias inhibitorias.

6.<Numeral modificado por el artículo 40 de la Ley 2080 de 2021. El nuevo texto es el siguiente:> Decisión de excepciones previas pendientes de resolver. El juez o magistrado ponente practicará las pruebas decretadas en el auto de citación a audiencia y decidirá las excepciones previas pendientes de resolver.

7. Fijación del litigio. Una vez resueltos todos los puntos relativos a las excepciones, el juez indagará a las partes sobre los hechos en los que están de acuerdo, y los demás extremos de la demanda o de su reforma, de la contestación o de la de reconvención, si a ello hubiere lugar, y con fundamento en la respuesta procederá a la fijación de litigio.

8.<Numeral modificado por el artículo 40 de la Ley 2080 de 2021. El nuevo texto es el siguiente:> Posibilidad de conciliación. En cualquier fase de la audiencia el juez podrá invitar a las partes a conciliar sus diferencias, caso en el cual deberá proponer fórmulas de arreglo, sin que ello signifique prejuzgamiento.

No se suspenderá la audiencia en caso de no ser aportada la certificación o el acta del comité de conciliación.

9.<Numeral modificado por el artículo 40 de la Ley 2080 de 2021. El nuevo texto es el siguiente:> Medidas cautelares. En esta audiencia el juez o magistrado ponente se pronunciará sobre la petición de medidas cautelares en el caso de que esta no hubiere sido decidida.

En los procesos de nulidad electoral la competencia será del juez, sala, subsección o sección.

10. Decreto de pruebas. Solo se decretarán las pruebas pedidas por las partes y los terceros, siempre y cuando sean necesarias para demostrar los hechos sobre los cuales exista disconformidad, en tanto no esté prohibida su demostración por confesión o las de oficio que el Juez o Magistrado Ponente considere indispensables para el esclarecimiento de la verdad.

En todo caso, el juez, antes de finalizar la audiencia, fijará fecha y hora para la audiencia de pruebas, la cual se llevará a cabo dentro de los cuarenta (40) días siguientes.

PARÁGRAFO 1o. <Parágrafo adicionado por el artículo 40 de la Ley 2080 de 2021. El nuevo texto es el siguiente:> Las decisiones que se profieran en el curso de la audiencia inicial pueden ser recurridas conforme a lo previsto en los artículos 242, 243, 245 y 246 de este código, según el caso.

PARÁGRAFO 2o. <Parágrafo adicionado por el artículo 40 de la Ley 2080 de 2021. El nuevo texto es el siguiente:> Las audiencias relativas a procesos donde exista similar discusión jurídica podrán tramitarse de manera concomitante y concentrada.

Concordancias: Art. 207 del CPACA; Arts. 132, 164, 165, 171, 173, 282 y 372 del CGP; Art. 7 de la Ley 2213 de 2022.

Nota 1: La Sección Quinta del Consejo de Estado unificó sus criterios sobre el conocimiento del juez sobre los actos que no producen efectos jurídicos, determinando que debe considerar la terminación del proceso en la etapa de saneamiento o aplicando las reglas de las excepciones previas, con el fin de evitar una sentencia inhibitoria (Consejo de Estado. Sentencia del 24 de mayo de 2018. Rad. 47001-23-33-000-2017-00191-02. C.P. Rocío Araújo Oñate).

ARTÍCULO 181. AUDIENCIA DE PRUEBAS

En la fecha y hora señaladas para el efecto y con la dirección del Juez o Magistrado Ponente, se recaudarán todas las pruebas oportunamente solicitadas y decretadas. La audiencia se realizará sin interrupción durante los días consecutivos que sean necesarios, sin que la duración de esta pueda exceder de quince (15) días.

Las pruebas se practicarán en la misma audiencia, la cual excepcionalmente se podrá suspender en los siguientes casos:

1. En el evento de que sea necesario dar traslado de la prueba, de su objeción o de su tacha, por el término fijado por la ley.
2. A criterio del juez y cuando atendiendo la complejidad lo considere necesario.

En esta misma audiencia el juez y al momento de finalizarla, señalará fecha y hora para la audiencia de alegaciones y juzgamiento, que deberá llevarse a cabo en un término no mayor a veinte (20) días, sin perjuicio de que por considerarla innecesaria ordene la presentación por escrito de los alegatos dentro de los diez (10) días siguientes, caso en el cual dictará sentencia en el término de veinte (20) días siguientes al vencimiento de aquel concedido para presentar alegatos. En las mismas oportunidades señaladas para alegar podrá el Ministerio Público presentar el concepto si a bien lo tiene.

Concordancias: Art. 175 del CPACA; Arts. 164, 165, 171 y 173 del CGP; Art. 7 de la Ley 2213 de 2022.

ARTÍCULO 182. AUDIENCIA DE ALEGACIONES Y JUZGAMIENTO

Sin perjuicio de lo dispuesto en el inciso final del artículo anterior, esta audiencia deberá realizarse ante el juez, sala, sección o subsección correspondiente y en ella se observarán las siguientes reglas:

1. En la fecha y hora señalados se oirán los alegatos, primero al demandante, seguidamente a tos terceros de la parte activa cuando los hubiere, luego al demandado y finalmente a los terceros de la parte pasiva si los hubiere, hasta por veinte (20) minutos a cada uno. También se oirá al Ministerio Público cuando este

a bien lo tenga. El juez podrá interrogar a los intervinientes sobre lo planteado en los alegatos.

2. <Numeral modificado por el artículo 41 de la Ley 2080 de 2021. El nuevo texto es el siguiente:> Inmediatamente, el juzgador dictará sentencia oral, de no ser posible, informará el sentido de la sentencia en forma oral, aún en el evento en que las partes se hayan retirado de la audiencia y la consignará por escrito dentro de los diez (10) días siguientes.

3. Cuando no fuere posible indicar el sentido de la sentencia la proferirá por escrito dentro de los treinta (30) días siguientes. En la audiencia el Juez o Magistrado Ponente dejará constancia del motivo por el cual no es posible indicar el sentido de la decisión en ese momento.

Concordancias: Arts. 179, 181, 183, 247 y 286 del CPACA; Art. 7 de la Ley 2213 de 2022.

ARTÍCULO 182A. SENTENCIA ANTICIPADA

<Artículo adicionado por el artículo 42 de la Ley 2080 de 2021. El nuevo texto es el siguiente:> Se podrá dictar sentencia anticipada:

1. Antes de la audiencia inicial:

a) Cuando se trate de asuntos de puro derecho;

b) Cuando no haya que practicar pruebas;

c) Cuando solo se solicite tener como pruebas las documentales aportadas con la demanda y la contestación, y sobre ellas no se hubiese formulado tacha o desconocimiento;

d) Cuando las pruebas solicitadas por las partes sean impertinentes, inconducentes o inútiles.

El juez o magistrado ponente, mediante auto, se pronunciará sobre las pruebas cuando a ello haya lugar, dando aplicación a lo dispuesto en el artículo 173 del Código General del Proceso y fijará el litigio u objeto de controversia.

Cumplido lo anterior, se correrá traslado para alegar en la forma prevista en el' inciso final del artículo 181 de este código y la sentencia se expedirá por escrito.

No obstante estar cumplidos los presupuestos para proferir sentencia anticipada con base en este numeral, si el juez o magistrado ponente considera necesario realizar la audiencia inicial podrá hacerlo, para lo cual se aplicará lo dispuesto en los artículos 179 y 180 de este código.

2. En cualquier estado del proceso, cuando las partes o sus apoderados de común acuerdo lo soliciten, sea por iniciativa propia o por sugerencia del juez. Si la

solicitud se presenta en el transcurso de una audiencia, se dará traslado para alegar dentro de ella. Si se hace por escrito, las partes podrán allegar con la petición sus alegatos de conclusión, de lo cual se dará traslado por diez (10) días comunes al Ministerio Público y demás intervinientes. El juzgador rechazará la solicitud cuando advierta fraude o colusión.

Si en el proceso intervienen litisconsortes necesarios, la petición deberá realizarse conjuntamente con estos. Con la aceptación de esta petición por parte del juez, se entenderán desistidos los recursos que hubieren formulado los peticionarios contra decisiones interlocutorias que estén pendientes de tramitar o resolver.

3. En cualquier estado del proceso, cuando el juzgador encuentre probada la cosa juzgada, la caducidad, la transacción, la conciliación, la falta manifiesta de legitimación en la causa y la prescripción extintiva.

4. En caso de allanamiento o transacción de conformidad con el artículo 176 de este código.

PARÁGRAFO. En la providencia que corra traslado para alegar, se indicará la razón por la cual dictará sentencia anticipada. Si se trata de la causal del numeral 3 de este artículo, precisará sobre cuál o cuáles de las excepciones se pronunciará.

Surtido el traslado mencionado se proferirá sentencia oral o escrita, según se considere. No obstante, escuchados los alegatos, se podrá reconsiderar la decisión de proferir sentencia anticipada. En este caso continuará el trámite del proceso.

Concordancias: Art. 278 del CGP.

Nota 1: De acuerdo con Juan Gabriel Rojas López: «[...] En todos los casos, se debe garantizar el derecho al traslado para alegar como condición previa para emitir la sentencia correspondiente, de acuerdo con lo establecido en el artículo 182A del CPACA. No obstante, después de escuchar los alegatos, se puede reconsiderar la decisión de dictar una sentencia anticipada. En este escenario, el proceso continuará su trámite regular» (ROJAS LÓPEZ, Juan Gabriel. Curso Esencial de Derecho Contencioso-Administrativo. Bogotá: Tirant lo Blanch, 2024, pp. 183).

ARTÍCULO 182B. AUDIENCIAS PÚBLICAS POTESTATIVAS

<Artículo adicionado por el artículo 43 de la Ley 2080 de 2021. El nuevo texto es el siguiente:> En los procesos donde esté involucrado un interés general, o en aquellos donde se vaya a proferir sentencia de unificación jurisprudencial, el juez o magistrado ponente podrá convocar a entidades del Estado, organizaciones privadas o expertos en las materias objeto del proceso, según lo considere, para que en audiencia pública, que puede ser diferente de las reguladas en los artículos anteriores, presenten concepto sobre los puntos materia de debate.

Las entidades, organismos o expertos invitados deberán manifestar expresamente si tienen algún conflicto de interés.

A la audiencia podrán asistir las partes y el Ministerio Público. Al final de la intervención de los convocados, cada una de las partes y el Ministerio Público podrán hacer uso de la palabra por una vez, hasta por veinte (20) minutos, para referirse a los planteamientos de los demás intervinientes en la audiencia. Se podrá prorrogar este plazo si lo considera necesario.

En cualquier momento el juez o magistrado podrá interrogar a los intervinientes en relación con las manifestaciones que realicen en la audiencia.

Concordancias: Arts. 3, 36, 42, 43, 44, 78 y 107 del CGP.

ARTÍCULO 183. ACTAS Y REGISTRO DE LAS AUDIENCIAS Y DILIGENCIAS

Las audiencias y diligencias serán presididas por el Juez o Magistrado Ponente. En el caso de jueces colegiados podrán concurrir los magistrados que integran la sala, sección o subsección si a bien lo tienen. Tratándose de la audiencia de alegaciones y juzgamiento esta se celebrará de acuerdo con el quórum requerido para adoptar la decisión.

Para efectos de su registro se tendrán en cuenta las siguientes reglas:

1. De cada audiencia se levantará un acta, la cual contendrá:

a) El lugar y la fecha con indicación de la hora de inicio y finalización, así como de las suspensiones y las reanudaciones;

b) El nombre completo de los jueces;

c) Los datos de las partes, sus abogados y representantes;

d) Un resumen del desarrollo de la audiencia, con indicación, cuando participen en esta, del nombre de los testigos, peritos, intérpretes y demás auxiliares de la justicia, así como la referencia de los documentos leídos y de los otros elementos probatorios reproducidos, con mención de las conclusiones de las partes;

e) Las solicitudes y decisiones producidas en el curso de la audiencia y las objeciones de las partes y los recursos propuestos;

f) La constancia sobre el cumplimiento de las formalidades esenciales de cada acto procesal surtido en la audiencia;

g) Las constancias que el Juez o el magistrado ponente, o la Sala, Sección o Subsección ordenen registrar y las que soliciten las partes sobre lo acontecido en la audiencia;

h) Cuando así corresponda, el sentido de la sentencia;

i) La firma de las partes o de sus representantes y del Juez o Magistrado Ponente y de los integrantes de la Sala, Sección o Subsección, según el evento. En caso de renuencia de los primeros, se dejará constancia de ello.

2. En los casos en que el juez lo estime necesario podrá ordenar la transcripción literal total o parcial de la audiencia o diligencia, para que conste como anexo.

3. Se deberá realizar una grabación del debate, mediante cualquier mecanismo técnico; dicha grabación deberá conservarse en los términos que ordenan las normas sobre retención documental.

Concordancias: Arts. 179 núm. 3, 181, 182, 247 núm. 4 y 5, y 286 del CPACA; Arts. 107 y 117 del CGP.

ARTÍCULO 184. PROCESO ESPECIAL PARA LA NULIDAD POR INCONSTITUCIONALIDAD

La sustanciación y ponencia de los procesos contenciosos de nulidad por inconstitucionalidad corresponderá a uno de los Magistrados de la Sección respectiva, según la materia, y el fallo a la Sala Plena. Se tramitará según las siguientes reglas y procedimiento:

1. En la demanda de nulidad por inconstitucionalidad se deberán indicar las normas constitucionales que se consideren infringidas y exponer en el concepto de violación las razones que sustentan la inconstitucionalidad alegada.

2. La demanda, su trámite y contestación se sujetarán, en lo no dispuesto en el presente artículo, por lo previsto en los artículos 162 a 175 de este Código. Contra los autos proferidos por el ponente solo procederá el recurso de reposición, excepto el que decrete la suspensión provisional y el que rechace la demanda, los cuales serán susceptibles del recurso de súplica ante la Sala Plena.

3. Recibida la demanda y efectuado el reparto, el Magistrado Ponente se pronunciará sobre su admisibilidad dentro de los diez (10) días siguientes. Cuando la demanda no cumpla alguno de los requisitos previstos en este Código, se le concederán tres (3) días al demandante para que proceda a corregirla señalándole con precisión los requisitos incumplidos. Si no lo hiciere en dicho plazo se rechazará.

4. Si la demanda reúne los requisitos legales, el Magistrado Ponente mediante auto deberá admitirla y además dispondrá:

a) Que se notifique a la entidad o autoridad que profirió el acto y a las personas que, según la demanda o los actos acusados, tengan interés directo en el resultado del proceso, de conformidad con lo dispuesto en este Código, para que en el término de diez (10) días puedan contestar la demanda, proponer excepciones y solicitar pruebas. Igualmente, se le notificará al Procurador General de la Nación, quien obligatoriamente deberá rendir concepto;

b) Que se fije en la Secretaría un aviso sobre la existencia del proceso por el mismo término a que se refiere el numeral anterior, plazo durante el cual cualquier ciudadano podrá intervenir por escrito para defender o impugnar la legalidad del acto administrativo. Adicionalmente, ordenará la publicación del aviso en el sitio web de la Jurisdicción de lo Contencioso Administrativo;

c) Que el correspondiente funcionario envíe los antecedentes administrativos, dentro del término que al efecto se le señale. El incumplimiento por parte del encargado del asunto lo hará incurso en falta disciplinaria gravísima y no impedirá que se profiera la decisión de fondo en el proceso.

En el mismo auto que admite la demanda, el magistrado ponente podrá invitar a entidades públicas, a organizaciones privadas y a expertos en las materias relacionadas con el tema del proceso a presentar por escrito su concepto acerca de puntos relevantes para la elaboración del proyecto de fallo, dentro del plazo prudencial que se señale.

En el caso de que se haya solicitado la suspensión provisional del acto, se resolverá por el Magistrado Ponente en el mismo auto en el que se admite la demanda.

5. Vencido el término de que trata el literal a) del numeral anterior, y en caso de que se considere necesario, se abrirá el proceso a pruebas por un término que no excederá de diez (10) días, que se contará desde la ejecutoria del auto que las decrete.

6. Practicadas las pruebas o vencido el término probatorio, o cuando no fuere necesario practicar pruebas y se haya prescindido de este trámite, según el caso, se correrá traslado por el término improrrogable de diez (10) días al Procurador General de la Nación, sin necesidad de auto que así lo disponga, para que rinda concepto.

7. Vencido el término de traslado al Procurador, el ponente registrará el proyecto de fallo dentro de los quince (15) días siguientes a la fecha de entrada al despacho para sentencia. La Sala Plena deberá adoptar el fallo dentro de los veinte (20) días siguientes, salvo que existan otros asuntos que gocen de prelación constitucional.

Concordancias: Art. 237 núm. 2 de la Const. Pol; Arts. 17 (inc. 4), 51 (inc. 4), 125, 107, 111 núm. 5, 135, 158 (inc. 4), 162-175, 180 núm. 6 (inc. 4), 189 (inc. 9), 226, 236 (inc. 1), 240 (inc. 2), 242, 246 y 277 núm. 6 (inc. 2) del CPACA.

ARTÍCULO 185. TRÁMITE DEL CONTROL INMEDIATO DE LEGALIDAD DE ACTOS

Recibida la copia auténtica del texto de los actos administrativos a los que se refiere el control inmediato de legalidad de que trata el artículo 136 de este Código o aprendido de oficio el conocimiento de su legalidad en caso de inobservancia del deber de envío de los mismos, se procederá así:

1. La sustanciación y ponencia corresponderá a uno de los Magistrados de la Corporación y el fallo a la Sala Plena.

2. Repartido el negocio, el Magistrado Ponente ordenará que se fije en la Secretaría un aviso sobre la existencia del proceso, por el término de diez (10) días, durante los cuales cualquier ciudadano podrá intervenir por escrito para defender o impugnar la legalidad del acto administrativo. Adicionalmente, ordenará la publicación del aviso en el sitio web de la Jurisdicción de lo Contencioso Administrativo.

3. En el mismo auto que admite la demanda, el Magistrado Ponente podrá invitar a entidades públicas, a organizaciones privadas y a expertos en las materias relacionadas con el tema del proceso a presentar por escrito su concepto acerca de puntos relevantes para la elaboración del proyecto de fallo, dentro del plazo prudencial que se señale.

4. Cuando para la decisión sea menester el conocimiento de los trámites que antecedieron al acto demandado o de hechos relevantes para adoptar la decisión, el Magistrado Ponente podrá decretar en el auto admisorio de la demanda las pruebas que estime conducentes, las cuales se practicarán en el término de diez (10) días.

5. Expirado el término de la publicación del aviso o vencido el término probatorio cuando este fuere procedente, pasará el asunto al Ministerio Público para que dentro de los diez (10) días siguientes rinda concepto.

6. Vencido el traslado para rendir concepto por el Ministerio Público, el Magistrado o Ponente registrará el proyecto de fallo dentro de los quince (15) días siguientes a la fecha de entrada al Despacho para sentencia. La Sala Plena de la respectiva Corporación adoptará el fallo dentro de los veinte (20) días siguientes, salvo que existan otros asuntos que gocen de prelación constitucional.

PARÁGRAFO 1o. <Parágrafo adicionado por el artículo 44 de la Ley 2080 de 2021. El nuevo texto es el siguiente:> En los Tribunales Administrativos la sala, subsección o sección dictará la sentencia.

PARÁGRAFO 2o. <Parágrafo adicionado por el artículo 44 de la Ley 2080 de 2021. El nuevo texto es el siguiente:> En el reparto de los asuntos de control inmediato de legalidad no se considerará la materia del acto administrativo.

Concordancias: Art. 20 de la Ley 137 de 1994; Arts. 86, 136, 198, 199, 229, 233, 276-279, 282, 293 y 294 del CPACA; Art. 23 del Acuerdo 080 de 2019, Reglamento Interno del Consejo de Estado.

Nota 1: Tratándose de un mecanismo de control judicial que no supone el ejercicio del derecho de acción, pues no tiene lugar por medio de una demanda ni contiene pretensiones, el numeral tercero del presente artículo utiliza un lenguaje impreciso al referirse al «auto que admite la demanda» (ROJAS LÓPEZ, Juan Gabriel. Curso Esencial de Derecho Contencioso-Administrativo. Bogotá: Tirant lo Blanch, 2024, pp. 85).

ARTÍCULO 185A. TRÁMITE DEL CONTROL AUTOMÁTICO DE LEGALIDAD DE FALLOS CON RESPONSABILIDAD FISCAL

<Artículo INEXEQUIBLE>

Nota 1: La Corte Constitucional declaró la inconstitucionalidad del artículo, considerando que consagraba un tratamiento diferenciado no admisible por la Constitución, de la siguiente manera: «Para solucionar el problema jurídico planteado, la Corte aplicó la metodología del juicio integrado de igualdad en un nivel de intensidad intermedia. Coligió que existía un tratamiento diferenciado entre los responsables fiscales y el resto de destinatarios de actos administrativos que carece de justificación constitucional. Señaló que el patrón de comparación estaba dado por la condición de justiciables, como ciudadanos destinatarios de actos administrativos susceptibles de ser controlados por la jurisdicción. También encontró que el trato diferenciado se concretaba en la manera disímil en que los responsables fiscales y los demás justiciables accedían a la administración de justicia. Según la demanda, unos tienen control automático e integral mientras que los otros deben demandar. Según el derecho viviente del Consejo Estado, la asimetría se traduce en que unos cuentan con todas las garantías procesales y los otros no. Finalmente, y siguiendo la metodología del juicio integrado, la Corte dijo que dicho tratamiento no estaba justificado porque si bien el control automático era efectivamente conducente para lograr los fines constitucionalmente importantes de la celeridad, la seguridad jurídica y la descongestión judicial (extraídos del trámite legislativo de la norma), lo cierto es que el grado de limitación de los derechos de acceso a la administración de justicia en condiciones de igualdad y al debido proceso era desproporcionado en comparación con el nivel de satisfacción de dichos fines» (Corte Constitucional. Sentencia C-091 de 2022. M.P. Cristina Pardo Schlesinger).

ARTÍCULO 186. ACTUACIONES A TRAVÉS DE MEDIOS ELECTRÓNICOS

<Artículo modificado por el artículo 46 de la Ley 2080 de 2021. El nuevo texto es el siguiente:> Todas las actuaciones judiciales susceptibles de surtirse en forma escrita deberán realizarse a través de las tecnologías de la información y las comunicaciones, siempre y cuando en su envío y recepción se garantice su autenticidad, integridad, conservación y posterior consulta, de conformidad con la ley. La autoridad judicial deberá contar con mecanismos que permitan acusar recibo de la información recibida, a través de este medio.

Las partes y sus apoderados deberán realizar sus actuaciones y asistir a las audiencias y diligencias a través de las tecnologías de la información y las comunicaciones. Suministrarán al despacho judicial y a todos los sujetos procesales e intervinientes, el canal digital para que a través de este se surtan todas las actuaciones y notificaciones del proceso o trámite. Así mismo, darán cumplimiento al deber establecido en el numeral 14 del artículo 78 del Código General del Proceso.

El Consejo Superior de la Judicatura adoptará las medidas necesarias para implementar el uso de las tecnologías de la información y las comunicaciones en todas las actuaciones que deba conocer la jurisdicción de lo contencioso administrativo.

Para tal efecto, se deberá incorporar lo referente a la sede judicial electrónica, formas de identificación y autenticación digital para los sujetos procesales, interoperabilidad, acreditación y representación de los ciudadanos por medios digitales, tramitación electrónica de los procedimientos judiciales, expediente judicial electrónico, registro de documentos electrónicos, lineamientos de cooperación digital entre las autoridades con competencias en materia de Administración de Justicia, seguridad digital judicial, y protección de datos personales.

PARÁGRAFO. En el evento que el juez lo considere pertinente, la actuación judicial respectiva podrá realizarse presencialmente o combinando las dos modalidades.

Concordancias: Arts. 205, 206, 305 y 307 del CPACA; Art. 103 del CGP.

Nota 1: La Sección Primera del Consejo de Estado, mediante sentencia del 8 de marzo de 2018, había unificado sus criterios respecto al conteo de términos del traslado de 10 días dispuesto en el art. 22 de la Ley 472 de 1998, en el entendido que el cómputo iniciaría luego de notificarse electrónicamente a las demandadas y terceros a su buzón de notificaciones judiciales o al correo electrónico indicado en el registro mercantil, y luego de vencerse los 25 días dispuestos en el art. 199 de la Ley 1437 de 2011 (Consejo de Estado. Sección Primera. Sentencia del 8 de marzo de 2018. Rad. 25000-23-42-000-2017-03843-01 (AC). C.P. Oswaldo Giraldo López). La unificación se encuentra parcialmente modificada, debido a que la Ley 2080 de 2021 eliminó el término de 25 días y, en su lugar, dispuso que la notificación se surtiría durante los 2 días siguientes al envío del mensaje electrónico.

CAPÍTULO VI
SENTENCIA

ARTÍCULO 187. CONTENIDO DE LA SENTENCIA

La sentencia tiene que ser motivada. En ella se hará un breve resumen de la demanda y de su contestación y un análisis crítico de las pruebas y de los razonamientos legales, de equidad y doctrinarios estrictamente necesarios para fundamentar las conclusiones, exponiéndolos con brevedad y precisión y citando los textos legales que se apliquen.

En la sentencia se decidirá sobre las excepciones propuestas y sobre cualquiera otra que el fallador encuentre probada El silencio del inferior no impedirá que el superior estudie y decida todas las excepciones de fondo, propuestas o no, sin perjuicio de la no reformatio in pejus.

Para restablecer el derecho particular, la Jurisdicción de lo Contencioso Administrativo podrá estatuir disposiciones nuevas en reemplazo de las acusadas y modificar o reformar estas.

Las condenas al pago o devolución de una cantidad líquida de dinero se ajustarán tomando como base el Índice de Precios al Consumidor.

PARÁGRAFO. Adicionado por el art. 61 de la Ley 2195 de 2022. Cuando la sentencia sea declaratoria de responsabilidad en los medios de control de reparación directa y controversias contractuales y el daño haya sido causado por un acto de corrupción, el juez deberá imponer, adicional al daño probado en el proceso, multa al responsable de hasta de mil (1.000) salarios mínimos mensuales legales vigentes, la cual atenderá a la gravedad de la conducta, el grado de participación del demandado y su capacidad económica. El pago de la multa impuesta deberá dirigirse al Fondo de Reparación de las Víctimas de Actos de Corrupción.

En la sentencia se deberán decretar las medidas cautelares que garanticen el pago de la sanción.

Concordancias: Arts. 207, 255, 281-283 y 285-288 del CPACA; Arts. 55 y 56 de la Ley 270 de 1996.

Nota 1: Esta norma no se ocupó de la regulación de materias como la aclaración, corrección y adición de las sentencias, motivo por el cual deberá remitirse a lo dispuesto en el CGP.

ARTÍCULO 188. CONDENA EN COSTAS

Salvo en los procesos en que se ventile un interés público, la sentencia dispondrá sobre la condena en costas, cuya liquidación y ejecución se regirán por las normas del Código de Procedimiento Civil*.

<Inciso adicionado por el artículo 47 de la Ley 2080 de 2021. El nuevo texto es el siguiente:> En todo caso, la sentencia dispondrá sobre la condena en costas cuando se establezca que se presentó la demanda con manifiesta carencia de fundamento legal.

Concordancias: Art. 187 del CPACA; Arts. 361, 365 y 366 del CGP.

Nota 1*: A la fecha, entiéndase Código General del Proceso (CGP).

Nota 2: Por auto de unificación jurisprudencial, el Consejo de Estado determinó que:

«[...] En vigencia de la Ley 1437 de 2011 el auto que aprueba la liquidación de las costas procesales en la jurisdicción contencioso administrativa es apelable al tenor de lo dispuesto en el numeral 5 del artículo 366 del Código General del Proceso, disposición a la que remite el artículo 188 de la Ley 1437 de 2011. Dicha apelación procede a partir del 1 de enero de 2014, fecha en la que entraron a regir plenamente las normas del Código General del Proceso para la jurisdicción contencioso administrativa. Con la entrada en vigor de la Ley 2080 de 2021, el auto que aprueba la liquidación de las costas del proceso sigue siendo apelable» (Consejo de Estado. Sala Plena de lo Contencioso Administrativo. Auto del 31 de mayo de 2022. Rad. 11001-03-15-000-2021-11312-00 (IJ). C.P. Rocío Araújo Oñate).

ARTÍCULO 189. EFECTOS DE LA SENTENCIA

La sentencia que declare la nulidad de un acto administrativo en un proceso tendrá fuerza de cosa juzgada erga omnes. La que niegue la nulidad pedida producirá cosa juzgada erga omnes pero solo en relación con la causa petendi juzgada. Las que declaren la legalidad de las medidas que se revisen en ejercicio del control inmediato de legalidad producirán efectos erga omnes solo en relación con las normas jurídicas superiores frente a las cuales se haga el examen.

Cuando por sentencia ejecutoriada se declare la nulidad de una ordenanza o de un acuerdo distrital o municipal, en todo o en parte, quedarán sin efectos en lo pertinente sus decretos reglamentarios.

Las sentencias de nulidad sobre los actos proferidos en virtud del numeral 2 del artículo 237 de la Constitución Política, tienen efectos hacia el futuro y de cosa juzgada ~~constitucional~~. Sin embargo, el juez podrá disponer unos efectos diferentes.

La sentencia dictada en procesos relativos a contratos, reparación directa y cumplimiento, producirá efectos de cosa juzgada frente a otro proceso que tenga el mismo objeto y la misma causa y siempre que entre ambos haya identidad jurídica de partes.

La sentencia proferida en procesos de restablecimiento del derecho aprovechará a quien hubiere intervenido en ellos y obtenido esta declaración a su favor.

Las sentencias ejecutoriadas serán obligatorias y quedan sometidas a la formalidad del registro de acuerdo con la ley.

En los procesos de nulidad y restablecimiento del derecho, la entidad demandada, dentro de los veinte (20) días hábiles siguientes a la notificación de la sentencia que resuelva definitivamente el proceso, cuando resulte imposible cumplir la orden de reintegro del demandante al cargo del cual fue desvinculado porque la entidad desapareció o porque el cargo fue suprimido y no existe en la entidad un cargo de la misma naturaleza y categoría del que desempeñaba en el momento de la desvinculación, podrá solicitar al juez de primera instancia la fijación de una indemnización compensatoria.

De la solicitud se correrá traslado al demandante por el término de diez (10) días, término durante el cual podrá oponerse y pedir pruebas o aceptar la suma estimada por la parte demandada al presentar la solicitud. En todo caso, la suma se fijará teniendo en cuenta los parámetros de la legislación laboral para el despido injusto y el auto que la señale solo será susceptible de recurso de reposición.

Concordancias: Art. 237 núm. 2 de la Const. Pol; Arts. 17 (inc. 4), 51 (inc. 4), 135-138, 140, 141, 146, 158 (inc.2), 180 núm. 3 (inc. 4), 184 núm. 2, 187, 203, 231 núm. 4 (lit. B), 242 (inc. 1), 267, 277 núm. 6 (inc. 2) del CPACA; Arts. 302-304 del CGP.

Nota 1: La Corte Constitucional declaró la inexequibilidad de la expresión tachada considerando que le otorgaba a las decisiones del Consejo de Estado una consecuencia no conferida por la Constitución. Apoyándose en la motivación de la Sentencia C-039 de 1996, concluyó que la Constitución solo había establecido a la Corte Constitucional, desde una perspectiva orgánica, como única autoridad judicial con carácter de tribunal constitucional (Corte Constitucional. Sentencia C-400 de 2013. M.P. Nilson Pinilla Pinilla).

Nota 2: La Sección Quinta del Consejo de Estado, en la sentencia del 26 de mayo de 2016, unificó sus criterios concernientes a los efectos de las sentencias que declaran la nulidad del acto de elección por irregularidades en su expedición, de la siguiente manera: si la irregularidad no afecta todo el procedimiento de elección, y se puede establecer el momento a partir del cual se ocasionaron las irregularidades, ante la falta del pronunciamiento de la sentencia podría retomar el procedimiento desde el momento en que se presentó la irregularidad; o, por otro lado, realizar un nuevo procedimiento y nueva convocatoria, siempre que no se afecten derechos adquiridos —específicamente cuando existen listas de elegibles— (Consejo de Estado. Sección Quinta. Sentencia del 26 de mayo de 2016. Rad. 11001-03-28-000-2015-00029-00. C.P. Carlos Enrique Moreno Rubio).

ARTÍCULO 190. DEDUCCIÓN POR VALORIZACIÓN

En la sentencia que ordene reparar el daño por ocupación de inmueble ajeno se deducirá del total de la indemnización la suma que las partes hayan calculado como valorización por el trabajo realizado, a menos que ya hubiera sido pagada la mencionada contribución.

En esta clase de procesos, cuando se condenare a la entidad pública o a una privada que cumpla funciones públicas al pago de lo que valga la parte ocupada del inmueble, la sentencia protocolizada y registrada obrará como título traslaticio de dominio.

Concordancias: Art. 90 de la Const. Pol; Arts. 140 y 191 del CPACA.

ARTÍCULO 191. TRANSMISIÓN DE LA PROPIEDAD

Si se tratare de ocupación permanente de una propiedad inmueble, y se condenare a una entidad pública, o a una entidad privada que cumpla funciones públicas al pago de lo que valga la parte ocupada, la sentencia protocolizada y registrada obrará como título traslaticio de dominio.

Concordancias: Art. 90 de la Const. Pol; Arts. 140 y 191 del CPACA.

ARTÍCULO 192. CUMPLIMIENTO DE SENTENCIAS O CONCILIACIONES POR PARTE DE LAS ENTIDADES PÚBLICAS

Cuando la sentencia imponga una condena que no implique el pago o devolución de una cantidad líquida de dinero, la autoridad a quien corresponda su ejecución dentro del término de treinta (30) días contados desde su comunicación, adoptará las medidas necesarias para su cumplimiento.

Las condenas impuestas a entidades públicas consistentes en el pago o devolución de una suma de dinero serán cumplidas en un plazo máximo de diez (10) meses, contados a partir de la fecha de la ejecutoria de la sentencia. Para tal efecto, el beneficiario deberá presentar la solicitud de pago correspondiente a la entidad obligada.

Las cantidades líquidas reconocidas en providencias que impongan o liquiden una condena o que aprueben una conciliación devengarán intereses moratorios a partir de la ejecutoria de la respectiva sentencia o del auto, según lo previsto en este Código.

<Inciso derogado por el artículo 87 de la Ley 2080 de 2021>

Cumplidos tres (3) meses desde la ejecutoria de la providencia que imponga o liquide una condena o de la que apruebe una conciliación, sin que los beneficiarios hayan acudido ante la entidad responsable para hacerla efectiva, cesará la causación de intereses desde entonces hasta cuando se presente la solicitud.

En asuntos de carácter laboral, cuando se condene al reintegro, si dentro del término de tres (3) meses siguientes a la ejecutoria de la providencia que así lo disponga, este no pudiere llevarse a cabo por causas imputables al interesado, en adelante cesará la causación de emolumentos de todo tipo.

El incumplimiento por parte de las autoridades de las disposiciones relacionadas con el reconocimiento y pago de créditos judicialmente reconocidos acarreará las sanciones penales, disciplinarias, fiscales y patrimoniales a que haya lugar.

Ejecutoriada la sentencia, para su cumplimiento, la Secretaría remitirá los oficios correspondientes.

Concordancias: Arts. 187-189, 193-195, 247 y 297-299 del CPACA.

Nota 1: La Corte Constitucional, en sentencia del 7 de junio de 2023, declaró la exequibilidad de la expresión en cursiva considerando que, aunque *prima facie* afectaba los derechos a la seguridad social, al mínimo vital y a la protección especial que se predica de las madres cabeza de familia, de los niños, niñas y adolescentes, de las personas de la tercera edad y de las personas en condición de discapacidad que se benefician de las condenas impuestas a entidades estatales que ordenan el pago de pensiones; se trata de una medida razonable y proporcionada, toda vez que persigue un fin que es constitucionalmente importante: el cumplimiento del principio constitucional de legalidad del gasto, y los principios de planeación y anualidad presupuestal. De la misma manera, determinó que la medida es idónea y proporcional, en tanto es efectivamente conducente para el cumplimiento del fin descrito y no afecta de manera desproporcionada los derechos de los pensionados (Corte Constitucional. Sentencia C-208 de 2023. M.P. Jorge Enrique Ibáñez Najar).

Nota 2: Antes de derogarse el inciso cuarto, la Corte Constitucional declaró la exequibilidad de la expresión en cursiva, considerando que la medida tenía como propósito racionalizar el aparato judicial, contribuir a la efectividad de la justicia, promover los mecanismos alternativos de solución de conflictos, garantizar mayor economía procesal, garantizar el cumplimiento oportuno de las obligaciones generadas por el proceso y racionalizar la segunda instancia (Corte Constitucional. Sentencia C-337 de 2016. M.P. Jorge Iván Palacio Palacio).

ARTÍCULO 193. CONDENAS EN ABSTRACTO

Las condenas al pago de frutos, intereses, mejoras, perjuicios y otros semejantes, impuestas en auto o sentencia, cuando su cuantía no hubiere sido establecida en el proceso, se harán en forma genérica, señalando las bases con arreglo a las cuales se hará la liquidación incidental, en los términos previstos en este Código y en el Código de Procedimiento Civil.

<La expresión tachada fue derogada por el artículo 87 de la Ley 2080 de 2021> Cuando la condena se haga en abstracto se liquidará por incidente que deberá promover el interesado, mediante escrito que contenga la liquidación motivada y especificada de su cuantía, dentro de los sesenta (60) días siguientes a la ejecutoria de la sentencia o al de la fecha de la notificación del auto de obedecimiento al superior, según fuere el caso. Vencido dicho término caducará el derecho y el juez rechazará de plano la liquidación extemporánea. ~~Dicho auto es susceptible del recurso de apelación.~~

Concordancias: Arts. 189, 192, 209, 243, 244, 283 y 284 del CPACA; Art. 283 del CGP.

Nota 1: A la fecha, entiéndase Código de Procedimiento Civil como Código General del Proceso (CGP).

ARTÍCULO 194. APORTES AL FONDO DE CONTINGENCIAS

Todas las entidades que constituyan una sección del Presupuesto General de la Nación, deberán efectuar una valoración de sus contingencias judiciales, en los términos que defina el Gobierno Nacional, para todos los procesos judiciales que se adelanten en su contra.

Con base en lo anterior, las mencionadas entidades deberán efectuar aportes al Fondo de Contingencias de que trata la Ley 448 de 1998, o las normas que la modifiquen o sustituyan, en los montos, condiciones, porcentajes, cuantías y plazos que determine el Ministerio de Hacienda y Crédito Público con el fin de atender, oportunamente, las obligaciones dinerarias contenidas en providencias judiciales en firme.

Esta disposición también se aplicará a las entidades territoriales y demás descentralizadas de todo orden obligadas al manejo presupuestal de contingencias y sometidas a dicho régimen de conformidad con la Ley 448 de 1998 y las disposiciones que la reglamenten.

PARÁGRAFO TRANSITORIO. La presente disposición no se aplica de manera inmediata a los procesos judiciales que a la fecha de la vigencia del presente

Código se adelantan en contra de las entidades públicas. La valoración de su contingencia, el monto y las condiciones de los aportes al Fondo de Contingencias, se hará teniendo en cuenta la disponibilidad de recursos y de acuerdo con las condiciones y gradualidad definidos en la reglamentación que para el efecto se expida.

No obstante lo anterior, en la medida en que una contingencia se encuentre debidamente provisionada en el Fondo de Contingencias, y se genere la obligación de pago de la condena, este se hará con base en el procedimiento descrito en el artículo siguiente. Los procesos cuya condena quede ejecutoriada antes de valorar la contingencia, se pagarán directamente con cargo al presupuesto de la respectiva entidad, dentro de los doce (12) meses siguientes a la ejecutoria de la providencia, previa la correspondiente solicitud de pago.

Las entidades priorizarán, dentro del marco de gasto del sector correspondiente, los recursos para atender las condenas y para aportar al Fondo de Contingencias según la valoración que se haya efectuado.

Concordancias: Arts. 192, 195 y 308 del CPACA; Arts. 1-8 de la Ley 448 de 1998; Arts. 3, 4, 11 y 110 del Decreto 111 de 1996.

ARTÍCULO 195. TRÁMITE PARA EL PAGO DE CONDENAS O CONCILIACIONES

El trámite de pago de condenas y conciliaciones se sujetará a las siguientes reglas:

1. Ejecutoriada la providencia que imponga una condena o apruebe una conciliación cuya contingencia haya sido provisionada en el Fondo de Contingencias, la entidad obligada, en un plazo máximo de diez (10) días, requerirá al Fondo el giro de los recursos para el respectivo pago.

2. El Fondo adelantará los trámites correspondientes para girar los recursos a la entidad obligada en el menor tiempo posible, respetando el orden de radicación de los requerimientos a que se refiere el numeral anterior.

3. La entidad obligada deberá realizar el pago efectivo de la condena al beneficiario, dentro de los cinco (5) días siguientes a la recepción de los recursos.

4. Las sumas de dinero reconocidas en providencias que impongan o liquiden una condena o que aprueben una conciliación, devengarán intereses moratorios a una tasa equivalente al DTF desde su ejecutoria. No obstante, una vez vencido el término de los diez (10) meses de que trata el inciso segundo del artículo 192 de este Código o el de los cinco (5) días establecidos en el numeral anterior, lo que ocurra primero, sin que la entidad obligada hubiese realizado el pago efectivo del

crédito judicialmente reconocido, las cantidades líquidas adeudadas causarán un interés moratoria a la tasa comercial.

La ordenación del gasto y la verificación de requisitos de los beneficiarios, radica exclusivamente en cada una de las entidades, sin que implique responsabilidad alguna para las demás entidades que participan en el proceso de pago de las sentencias o conciliaciones, ni para el Fondo de Contingencias. En todo caso, las acciones de repetición a que haya lugar con ocasión de los pagos que se realicen con cargo al Fondo de Contingencias, deberán ser adelantadas por la entidad condenada.

PARÁGRAFO 1o. El Gobierno Nacional reglamentará el procedimiento necesario con el fin de que se cumplan los términos para el pago efectivo a los beneficiarios. El incumplimiento a las disposiciones relacionadas con el reconocimiento de créditos judicialmente reconocidos y con el cumplimiento de la totalidad de los requisitos acarreará las sanciones penales, disciplinarias y fiscales a que haya lugar.

PARÁGRAFO 2o. El monto asignado para sentencias y conciliaciones no se puede trasladar a otros rubros, y en todo caso serán inembargables, así como los recursos del Fondo de Contingencias. La orden de embargo de estos recursos será falta disciplinaria.

Concordancias: Arts. 192 y 194 del CPACA; Art. 884 del C. Ccio.; Art. 454 de la Ley 599 del 2000.

Nota 1: La Corte Constitucional declaró la exequibilidad del numeral 4° con fundamento en tres razones, con base en las cuales concluyó que la norma no vulnera el derecho a la igualdad: *i)* indicando que el procedimiento para el pago de las obligaciones de la administración pública es completamente distinto al llevado a cabo por los particulares; *ii)* señalando que la norma sí consagra un interés moratorio en contra de la administración pública, pues la DTF no solamente tiene un componente inflacionario, sino también un valor adicional que se reconoce en este caso como el elemento indemnizatorio; y *iii)* precisando que su jurisprudencia ha reconocido la posibilidad de que existan diferencias entre las tasas de interés en el ordenamiento jurídico colombiano, tal como sucede con los intereses civiles y los comerciales. En este sentido, mencionó que históricamente las tasas de interés contempladas en el Código de Comercio han sido muy superiores a la tasa de interés del 6 por ciento anual establecida en el Código Civil, llegando incluso a ser más de cuatro veces mayor en el año 2001 (Corte Constitucional. Sentencia C-604 de 2012. M.P. Jorge Ignacio Pretelt Chaljub).

CAPÍTULO VII
NOTIFICACIONES

ARTÍCULO 196. NOTIFICACIÓN DE LAS PROVIDENCIAS

Las providencias se notificarán a las partes y demás interesados con las formalidades prescritas en este Código y en lo no previsto, de conformidad con lo dispuesto en el Código de Procedimiento Civil.

Concordancias: Arts. 197-205 del CPACA; Arts. 289 y 299 del CGP.

Nota 1: A la fecha, entiéndase Código de Procedimiento Civil como Código General del Proceso (CGP).

ARTÍCULO 197. DIRECCIÓN ELECTRÓNICA PARA EFECTOS DE NOTIFICACIONES

Las entidades públicas de todos los niveles, las privadas que cumplan funciones públicas y el Ministerio Público que actúe ante esta jurisdicción, deben tener un buzón de correo electrónico exclusivamente para recibir notificaciones judiciales.

Para los efectos de este Código se entenderán como personales las notificaciones surtidas a través del buzón de correo electrónico.

Concordancias: Arts. 162, 175, 199 y 205 del CPACA; Arts. 103 y 291 del CGP.

ARTÍCULO 198. PROCEDENCIA DE LA NOTIFICACIÓN PERSONAL

Deberán notificarse personalmente las siguientes providencias:

1. Al demandado, el auto que admita la demanda.

2. A los terceros, la primera providencia que se dicte respecto de ellos.

3. Al Ministerio Público el auto admisorio de la demanda, salvo que intervenga como demandante. Igualmente, se le notificará el auto admisorio del recurso en segunda instancia o del recurso extraordinario en cuanto no actúe como demandante o demandado.

4. Las demás para las cuales este Código ordene expresamente la notificación personal.

Concordancias: Arts. 66-69, 73, 76, 86, 162, 171, 172, 185, 196, 197, 199, 200, 205, 229, 223, 273, 276-279, 282, 293, 294 y 303 del CPACA; Arts. 291 y 293 del CGP.

ARTÍCULO 199. NOTIFICACIÓN PERSONAL DEL AUTO ADMISORIO Y DEL MANDAMIENTO EJECUTIVO A ENTIDADES PÚBLICAS, AL MINISTERIO PÚBLICO, A PERSONAS PRIVADAS QUE EJERZAN FUNCIONES PÚBLICAS Y A LOS PARTICULARES

<Artículo modificado por el artículo 48 de la Ley 2080 de 2021. El nuevo texto es el siguiente:> El auto admisorio de la demanda y el mandamiento ejecutivo contra las entidades públicas y las personas privadas que ejerzan funciones públicas, se deben notificar personalmente a sus representantes legales o a quienes estos hayan delegado la facultad de recibir notificaciones, o directamente a las personas naturales, según el caso, y al Ministerio Público, mediante mensaje dirigido al buzón electrónico para notificaciones judiciales a que se refiere el artículo 197 de este código.

A los particulares se les notificará el auto admisorio de la demanda al canal digital informado en la demanda. Los que estén inscritos en el registro mercantil o demás registros públicos obligatorios creados legalmente para recibir notificaciones judiciales, en el canal indicado en este.

El mensaje deberá identificar la notificación que se realiza y contener copia electrónica de la providencia a notificar. Al Ministerio Público deberá anexársele copia de la demanda y sus anexos. Se presumirá que el destinatario ha recibido la notificación cuando el iniciador recepcione acuse de recibo o se pueda constatar por otro medio el acceso al mensaje electrónico por parte del destinatario. El secretario hará constar este hecho en el expediente.

El traslado o los términos que conceda el auto notificado solo se empezarán a contabilizar a los dos (2) días hábiles siguientes al del envío del mensaje y el término respectivo empezará a correr a partir del día siguiente.

En los procesos que se tramiten ante cualquier jurisdicción en donde estén involucrados intereses litigiosos de la Nación, en los términos del artículo 2° del Decreto Ley 4085 de 2011 o la norma que lo sustituya, deberá remitirse copia electrónica del auto admisorio o mandamiento ejecutivo, en conjunto con la demanda y sus anexos, al buzón de correo electrónico de la Agencia Nacional de Defensa Jurídica del Estado. Esta comunicación no genera su vinculación como sujeto procesal, sin perjuicio de la facultad de intervención prevista en el artículo 610 de la Ley 1564 de 2012. En la misma forma se le remitirá copia de la providencia que termina el proceso por cualquier causa y de las sentencias.

Concordancias: Arts. 18, 20, 22, 24 y 25 de la Ley 527 de 1999; Arts. 86, 162, 171, 172, 175, 185, 197-200, 205 y 299 del CPACA; Arts. 291 y 610-612 del CGP.

ARTÍCULO 200. FORMA DE PRACTICAR LA NOTIFICACIÓN PERSONAL DEL AUTO ADMISORIO DE LA DEMANDA A PERSONAS DE DERECHO PRIVADO QUE NO TENGAN UN CANAL DIGITAL

<Artículo modificado por el artículo 49 de la Ley 2080 de 2021. El nuevo texto es el siguiente:> Las personas de derecho privado que no tengan un canal digital o de no conocerse este, se notificarán personalmente de acuerdo con el artículo 291 del Código General del Proceso.

Concordancias: Arts. 198 y 199 del CPACA; Arts. 108, 291, 292, 300 y 610-612 del CGP.

ARTÍCULO 201. NOTIFICACIONES POR ESTADO

Los autos no sujetos al requisito de la notificación personal se notificarán por medio de anotación en estados electrónicos para consulta en línea bajo la responsabilidad del Secretario. La inserción en el estado se hará el día siguiente al de la fecha del auto y en ella ha de constar:

1. La identificación del proceso.
2. Los nombres del demandante y el demandado.
3. La fecha del auto y el cuaderno en que se halla.
4. La fecha del estado y la firma del Secretario.

El estado se insertará en los medios informáticos de la Rama Judicial y permanecerá allí en calidad de medio notificador durante el respectivo día.

<Inciso modificado por el artículo 50 de la Ley 2080 de 2021. El nuevo texto es el siguiente:> Las notificaciones por estado se fijarán virtualmente con inserción de la providencia, y no será necesario imprimirlos, ni firmarlos por el secretario, ni dejar constancia con firma al pie de la providencia respectiva, y se enviará un mensaje de datos al canal digital de los sujetos procesales.

De los estados que hayan sido fijados electrónicamente se conservará un archivo disponible para la consulta permanente en línea por cualquier interesado, por el término mínimo de diez (10) años.

Cada juzgado dispondrá del número suficiente de equipos electrónicos al acceso del público para la consulta de los estados.

Concordancias: Arts. 171, 173, 177, 196 y 206 del CPACA; Arts. 295 y 296 del CGP; Art. 9 de la Ley 2213 de 2022; Corte Constitucional. Sentencia C-420 de 2020. M.P. Richard Steve Ramírez Grisales.

ARTÍCULO 201A. TRASLADOS

<Artículo adicionado por el artículo 51 de la Ley 2080 de 2021. El nuevo texto es el siguiente:> Los traslados deberán hacerse de la misma forma en que se fijan los estados. Sin embargo, cuando una parte acredite haber enviado un escrito del cual deba correrse traslado a los demás sujetos procesales, mediante la remisión de la copia por un canal digital, se prescindirá del traslado por secretaria, el cual se entenderá realizado a los dos (2) días hábiles siguientes al del envío del mensaje y el término respectivo empezará a correr a partir del día siguiente.

De los traslados que hayan sido fijados electrónicamente se conservará un archivo disponible para la consulta permanente en línea por cualquier interesado, por el término mínimo de diez (10) años.

Concordancias: Arts. 78, 91, 92 y 110 del CGP; Art. 9 de la Ley 2213 de 2022; Corte Constitucional. Sentencia C-420 de 2020. M.P. Richard Steve Ramírez Grisales.

ARTÍCULO 202. NOTIFICACIÓN EN AUDIENCIAS Y DILIGENCIAS O EN ESTRADOS

Toda decisión que se adopte en audiencia pública o en el transcurso de una diligencia se notificará en estrados y las partes se considerarán notificadas aunque no hayan concurrido.

Concordancias: Art. 196 del CPACA; Arts. 294 y 295 del CGP.

ARTÍCULO 203. NOTIFICACIÓN DE LAS SENTENCIAS

Las sentencias se notificarán, dentro de los tres (3) días siguientes a su fecha, mediante envío de su texto a través de mensaje al buzón electrónico para notificaciones judiciales. En este caso, al expediente se anexará la constancia de recibo generada por el sistema de información, y se entenderá surtida la notificación en tal fecha.

A quienes no se les deba o pueda notificar por vía electrónica, se les notificará por medio de edicto en la forma prevista en el artículo 323 del Código de Procedimiento Civil.

Una vez en firme la sentencia, se comunicará al obligado, haciéndole entrega de copia íntegra de la misma, para su ejecución y cumplimiento.

Concordancias: Arts. 182, 186, 196, 197, 202, 291 y 302 del CPACA; Arts. 291, 295 y 302 del CGP.

Nota 1: A la fecha, entiéndase Código de Procedimiento Civil como Código General del Proceso (CGP).

Nota 2: En auto de unificación del 29 de noviembre de 2022, el Consejo de Estado adoptó la siguiente regla de unificación: «La notificación de las sentencias por vía electrónica prevista en el inciso primero del artículo 203 del CPACA se entenderá realizada una vez transcurridos dos (2) días hábiles siguientes al envío del mensaje y los términos empezarán a correr a partir del día siguiente al de la notificación, de conformidad con lo dispuesto en el numeral 2 del artículo 205 del CPACA» (Consejo de Estado. Sala Plena. Auto de unificación del 29 de noviembre de 2022. Rad. 68001-23-33-000-2013-00735-02. Exp. 68177. C.P. Stella Jeannette Carvajal Basto).

ARTÍCULO 204. AUTOS QUE NO REQUIEREN NOTIFICACIÓN

No requieren notificación los autos que contengan órdenes dirigidas exclusivamente al Secretario. Al final de ellos se incluirá la orden "cúmplase".

Concordancias: Art. 196 del CPACA; Art. 299 del CGP.

ARTÍCULO 205. NOTIFICACIÓN POR MEDIOS ELECTRÓNICOS

<Artículo modificado por el artículo 52 de la Ley 2080 de 2021. El nuevo texto es el siguiente:> La notificación electrónica de las providencias se someterá a las siguientes reglas:

1. La providencia a ser notificada se remitirá por el Secretario al canal digital registrado y para su envío se deberán utilizar los mecanismos que garanticen la autenticidad e integridad del mensaje.

2. La notificación de la providencia se entenderá realizada una vez transcurridos dos (2) días hábiles siguientes al envío del mensaje y los términos empezarán a correr a partir del día siguiente al de la notificación.

Se presumirá que el destinatario ha recibido la notificación cuando el iniciador recepcione acuse de recibo o se pueda por otro medio constatar el acceso del destinatario al mensaje. El Secretario hará constar este hecho en el expediente.

De las notificaciones realizadas electrónicamente se conservarán los registros para consulta permanente en línea por cualquier interesado.

Concordancias: Arts. 9, 12, 15, 17, 18, 20-22, 24 y 25 de la Ley 527 de 1999; Arts. 196, 197, 199, 200, 203 y 305 del CPACA; Arts. 103, 111, y 122 del CGP.

ARTÍCULO 206. DEBER DE COLABORACIÓN

Los empleados de cada despacho judicial deberán asistir y auxiliar a los usuarios en la debida utilización de las herramientas tecnológicas que se dispongan en cada oficina para la consulta de información sobre las actuaciones judiciales.

Concordancias: Arts. 2, 6, 7, 9 y 64 de la Ley 270 de 1996.

CAPÍTULO VIII
NULIDADES E INCIDENTES

ARTÍCULO 207. CONTROL DE LEGALIDAD

Agotada cada etapa del proceso, el juez ejercerá el control de legalidad para sanear los vicios que acarrean nulidades, los cuales, salvo que se trate de hechos nuevos, no se podrán alegar en las etapas siguientes.

Concordancias: Arts. 180, 207-209, 243, 284 y 294 del CPACA; Arts. 132 y 135 del CGP.

Nota 1: Al realizar el control automático de los proyectos que posteriormente se convirtieron en la Ley Estatutaria 1285 de 2009, la Corte Constitucional declaró la exequibilidad del artículo 25, cuyo texto es reproducido en este artículo. La Corporación consideró que la existencia de un control de legalidad oficioso al cierre de cada etapa del proceso, y la consecuente prohibición de reclamarse posteriores nulidades —salvo la existencia de nuevos hechos—, constituye una medida constitucionalmente válida, teniendo en cuenta los principios de celeridad y eficacia de la administración de justicia. Sin embargo, la Corte precisó que la constitucionalidad de la norma examinada debe entenderse sin perjuicio de la facultad de ejercer la acción de tutela para garantizar el debido proceso y los demás derechos fundamentales, cuando resulten afectados y se cumplan los requisitos especiales de procedibilidad (Corte Constitucional. Sentencia C-713 de 2008. M.P. Clara Inés Vargas Hernández).

ARTÍCULO 208. NULIDADES

Serán causales de nulidad en todos los procesos las señaladas en el Código de Procedimiento Civil y se tramitarán como incidente.

Concordancias: Arts. 130, 131, 161, 207, 209, 275, 284 y 294 del CPACA; Arts. 14, 107, 121 y 133-138 del CGP.

Nota 1: A la fecha, entiéndase Código de Procedimiento Civil como Código General del Proceso (CGP).

ARTÍCULO 209. INCIDENTES

Solo se tramitarán como incidente los siguientes asuntos:

1. Las nulidades del proceso.

2. La tacha de falsedad de documentos en el proceso ejecutivo sin formulación de excepciones y las demás situaciones previstas en el Código de Procedimiento Civil para ese proceso.

3. La regulación de honorarios de abogado, del apoderado o sustituto al que se le revocó el poder o la sustitución.

4. La liquidación de condenas en abstracto.

5. La adición de la sentencia en concreto cuando entre la fecha definitiva y la entrega de los bienes se hayan causado frutos o perjuicios reconocidos en la sentencia, en los términos del artículo 308 del Código de Procedimiento Civil.

6. La liquidación o fijación del valor de las mejoras en caso de reconocimiento del derecho de retención.

7. La oposición a la restitución del bien por el tercero poseedor.

8. Los consagrados en el capítulo de medidas cautelares en este Código.

9. Los incidentes previstos en normas especiales que establezcan procesos que conozca la Jurisdicción de lo Contencioso Administrativo.

Concordancias: Arts. 101, 174, 178, 187, 189 193, 207, 208, 211, 229, 230, 231, 233, 234, 236, 240, 241, 243, 284, 291, 294 y 299 del CPACA; Arts. 76, 127, 133, 241, 269, 270, 272, 283, 284 y 310 del CGP.

ARTÍCULO 210. OPORTUNIDAD, TRÁMITE Y EFECTO DE LOS INCIDENTES Y DE OTRAS CUESTIONES ACCESORIAS

El incidente deberá proponerse verbalmente o por escrito durante las audiencias o una vez dictada la sentencia, según el caso, con base en todos los motivos existentes al tiempo de su iniciación, y no se admitirá luego incidente similar, a menos que se trate de hechos ocurridos con posterioridad.

La solicitud y trámite se someterá a las siguientes reglas:

1. Quien promueva un incidente deberá expresar lo que pide, los hechos en que se funda y las pruebas que pretenda hacer valer.

2. Del incidente promovido por una parte en audiencia se correrá traslado durante la misma a la otra para que se pronuncie y en seguida se decretarán y practicarán las pruebas en caso de ser necesarias.

3. Los incidentes no suspenderán el curso del proceso y serán resueltos en la audiencia siguiente a su formulación, salvo que propuestos en audiencia sea posible su decisión en la misma.

4. Cuando los incidentes sean de aquellos que se promueven después de proferida la sentencia o de la providencia con la cual se termine el proceso, el juez lo resolverá previa la práctica de las pruebas que estime necesarias. En estos casos podrá citar a una audiencia especial para resolverlo, si lo considera procedente.

Cuando la cuestión accesoria planteada no deba tramitarse como incidente, el juez la decidirá de plano, a menos que el Código de Procedimiento Civil establezca un procedimiento especial o que hubiere hechos que probar, caso en el cual a la petición se acompañará prueba siquiera sumaria de ellos, sin perjuicio de que el juez pueda ordenar la práctica de pruebas.

Concordancias: Arts. 209, 211 y 212 del CPACA; Arts. 128-131 del CGP.

Nota 1: A la fecha, entiéndase Código de Procedimiento Civil como Código General del Proceso (CGP).

CAPÍTULO IX
PRUEBAS

ARTÍCULO 211. RÉGIMEN PROBATORIO

En los procesos que se adelanten ante la Jurisdicción de lo Contencioso Administrativo, en lo que no esté expresamente regulado en este Código, se aplicarán en materia probatoria las normas del Código de Procedimiento Civil.

Concordancias: Arts. 212-222, 247, 252 y 306 del CPACA; Arts. 37, 164-225 y 236-277 del CGP.

Nota 1: A la fecha, entiéndase Código de Procedimiento Civil como Código General del Proceso (CGP).

ARTÍCULO 212. OPORTUNIDADES PROBATORIAS

Para que sean apreciadas por el juez las pruebas deberán solicitarse, practicarse e incorporarse al proceso dentro de los términos y oportunidades señalados en este Código.

En primera instancia, son oportunidades para aportar o solicitar la práctica de pruebas: la demanda y su contestación; la reforma de la misma y su respuesta; la demanda de reconvención y su contestación; las excepciones y la oposición a las mismas; y los incidentes y su respuesta, en este último evento circunscritas a la cuestión planteada.

Las partes podrán presentar los dictámenes periciales necesarios para probar su derecho, o podrán solicitar la designación de perito, en las oportunidades probatorias anteriormente señaladas.

En segunda instancia, cuando se trate de apelación de sentencia, en el término de ejecutoria del auto que admite el recurso, las partes podrán pedir pruebas, que se decretarán únicamente en los siguientes casos:

1. Cuando las partes las pidan de común acuerdo. En caso de que existan terceros diferentes al simple coadyuvante o impugnante se requerirá su anuencia.

2.<Numeral modificado por el artículo 53 de la Ley 2080 de 2021. El nuevo texto es el siguiente:> Cuando fuere negado su decreto en primera instancia o no obstante haberse decretado se dejaron de practicar sin culpa de la parte que las pidió. En este último caso, solo con el fin de practicarlas o de cumplir requisitos que les falten para su perfeccionamiento.

3. Cuando versen sobre hechos acaecidos después de transcurrida la oportunidad para pedir pruebas en primera instancia, pero solamente para demostrar o desvirtuar estos hechos.

4. Cuando se trate de pruebas que no pudieron solicitarse en la primera instancia por fuerza mayor o caso fortuito o por obra de la parte contraria.

5. Cuando con ellas se trate de desvirtuar las pruebas de que tratan los numerales 3 y 4, las cuales deberán solicitarse dentro del término de ejecutoria del auto que las decreta.

PARÁGRAFO. Si las pruebas pedidas en segunda instancia fueren procedentes se decretará un término para practicarlas que no podrá exceder de diez (10) días hábiles.

Concordancias: Arts. 162, 166, 167, 172, 173, 175, 177, 210, 211 y 252 del CPACA; Art. 173 del CGP.

Nota 1: La Sala Plena de lo Contencioso Administrativo, en la Sentencia del 30 de septiembre de 2014, unificó su jurisprudencia en relación con el valor probatorio de las copias simples. El Consejo consideró que, con fundamento en los principios constitucionales de la buena fe y la primacía de lo sustancial sobre lo formal, así como la capacidad del juez de valorar las pruebas desde la sana crítica, las copias simples que no son tachadas por la contraparte deben mantener pleno valor probatorio (Consejo de Estado. Sala Plena de lo Contencioso Administrativo. Sentencia del 30 de septiembre de 2014. Rad. 11001-03-15-000-2007-01081-00. C.P. Alberto Yepes Barreiro). La unificación anterior se fundó, entre otras, en la Sentencia de unificación de la Sala Plena de la Sección Tercera del 28 de agosto de 2013 (Consejo de Estado. Sección Tercera. Sentencia del 28 de agosto de 2013. Rad. 5001-23-31-000-1996-00659-01. Exp. 25022. C.P. Enrique Gil Botero).

ARTÍCULO 213. PRUEBAS DE OFICIO

En cualquiera de las instancias el Juez o Magistrado Ponente podrá decretar de oficio las pruebas que considere necesarias para el esclarecimiento de la verdad. Se deberán decretar y practicar conjuntamente con las pedidas por las partes.

Además, oídas las alegaciones el Juez o la Sala, sección o subsección antes de dictar sentencia también podrá disponer que se practiquen las pruebas necesarias para esclarecer puntos oscuros o difusos de la contienda. Para practicarlas deberá señalar un término de hasta diez (10) días.

En todo caso, dentro del término de ejecutoria del auto que decrete pruebas de oficio, las partes podrán aportar o solicitar, por una sola vez, nuevas pruebas, siempre que fueren indispensables para contraprobar aquellas decretadas de oficio. Tales pruebas, según el caso, serán practicadas dentro de los diez (10) días siguientes al auto que las decrete.

Concordancias: Arts. 40, 176, 182 y 254 del CPACA; Arts. 169 y 170 del CGP.

ARTÍCULO 214. EXCLUSIÓN DE LA PRUEBA POR LA VIOLACIÓN AL DEBIDO PROCESO

Toda prueba obtenida con violación al debido proceso será nula de pleno derecho, por lo que deberá excluirse de la actuación procesal.

Igual tratamiento recibirán las pruebas que sean consecuencia necesaria de las pruebas excluidas o las que solo puedan explicarse en razón de la existencia de aquellas.

La prueba practicada dentro de una actuación declarada nula, conservará su validez y tendrá eficacia respecto de quienes tuvieron oportunidad de contradecirla.

Concordancias: Art. 29 de la Const. Pol; Art. 208 del CPACA; Arts. 14, 164 y 168 del CGP.

ARTÍCULO 215. VALOR PROBATORIO DE LAS COPIAS. <Inciso inicial derogado por el artículo 626 de la Ley 1564 de 2012>.

La regla prevista en el inciso anterior no se aplicará cuando se trate de títulos ejecutivos, caso en el cual los documentos que los contengan deberán cumplir los requisitos exigidos en la ley.

Concordancias: Art. 297 del CPACA; Arts. 244-246, 248, 249, 422 y 626 del CGP.

ARTÍCULO 216. UTILIZACIÓN DE MEDIOS ELECTRÓNICOS PARA EFECTOS PROBATORIOS

Será admisible la utilización de medios electrónicos para efectos probatorios, de conformidad con lo dispuesto en las normas que regulan la materia y en concordancia con las disposiciones de este Código y las del Código de Procedimiento Civil.

Concordancias: Art. 95 de la Ley 270 de 1996; Arts. 5-11 y 28 de la Ley 527 de 1999; Art. 19 de la Ley 194 de 2000; Art. 211 del CPACA; y Arts. 243 y 247 del CGP.

Nota 1: A la fecha, entiéndase Código de Procedimiento Civil como Código General del Proceso (CGP).

ARTÍCULO 217. DECLARACIÓN DE REPRESENTANTES DE LAS ENTIDADES PÚBLICAS

No valdrá la confesión de los representantes de las entidades públicas cualquiera que sea el orden al que pertenezcan o el régimen jurídico al que estén sometidas.

Sin embargo, podrá pedirse que el representante administrativo de la entidad rinda informe escrito bajo juramento, sobre los hechos debatidos que a ella conciernan, determinados en la solicitud. El Juez ordenará rendir informe dentro del término que señale, con la advertencia de que si no se remite en oportunidad sin motivo justificado o no se rinde en forma explícita, se impondrá al responsable una multa de cinco (5) a diez (10) salarios mínimos mensuales legales vigentes.

Concordancias: Art. 104 del CPACA; Arts. 191, 194 y 195 del CGP.

Nota 1: La Corte Suprema de Justicia, refiriéndose al artículo 195 del CGP, indicó:
«[...] los representantes legales de tales dependencias pueden declarar y, por ende, ser interrogados con ese propósito, solo que al fallador le está vedado a la hora de apreciar la versión, valorar aquellas atestaciones que tengan el carácter de confesión —admisión de hechos perjudiciales para la entidad—, en atención a que debe protegerse el interés general y el patrimonio público.
[...]
Luego, aunque la confesión del representante legal de una entidad pública no tenga relevancia para el proceso civil, la declaración de parte sí la tiene, con mayor razón si a través de esa versión puede esclarecerse de mejor manera el conflicto, por provenir de quien conoció o debió conocer los datos que la originaron. De manera que en el evento de que el juez cite al organismo público a declarar, bien para cumplir el interrogatorio exhaustivo de que trata el numeral 7° artículo 372 del Código General del Proceso, o en virtud de la solicitud probatoria que haga uno de los intervinientes en el proceso, aquél deberá comparecer a la respectiva audiencia donde será escuchado.
Al mismo tiempo, cuando el inciso segundo de la regla 195 comentada, señala: *«[s]in embargo, podrá pedirse que el representante administrativo de la entidad rinda informe escrito bajo juramento, sobre los hechos debatidos que a ella conciernan, determinados en la solicitud»*, no está excluyendo la posibilidad de que el representante comparezca al proceso a rendir su declaración de viva voz, la norma, únicamente, establece que si bien la versión que perjudica a la entidad no puede ser estimada, el fallador puede pedirle al representante que presente un informe bajo la gravedad del juramento» (Corte Suprema de Justicia. Sala de Casación Civil. Sentencia del 7 de octubre de 2021. Rad. 11001-22-03-000-2021-01707-01. Exp. STC 13366-2021. M.P. Octavio Augusto Tejeiro Duque).

ARTÍCULO 218. PRUEBA PERICIAL

<Artículo modificado por el artículo 54 de la Ley 2080 de 2021. El nuevo texto es el siguiente:> La prueba pericial se regirá por las normas establecidas en este código, y en lo no previsto por las normas del Código General del Proceso.

Las partes podrán aportar el dictamen pericial o solicitar al juez que lo decrete en las oportunidades establecidas en este código.

El dictamen pericial también podrá ser decretado de oficio por el juez.

Cuando el dictamen sea aportado por las partes o decretado de oficio, la contradicción y práctica se regirá por las normas del Código General del Proceso.

Concordancias: Arts. 166, 175, 211 y 219-222 del CPACA; Arts. 4 y 226-235 del CGP.

ARTÍCULO 219. PRÁCTICA Y CONTRADICCIÓN DEL DICTAMEN PERICIAL SOLICITADO POR LAS PARTES

<Artículo modificado por el artículo 55 de la Ley 2080 de 2021. El nuevo texto es el siguiente:> Cuando el dictamen pericial sea solicitado por las partes, su práctica y contradicción, en lo no previsto en esta ley, se regulará por las normas del dictamen pericial decretado de oficio del Código General del Proceso.

En la providencia que decrete la prueba, el juez o magistrado ponente le señalará al perito el cuestionario que debe resolver, conforme con la petición del solicitante de la prueba.

Rendido el dictamen, permanecerá en la secretaría a disposición de las partes hasta la fecha de la audiencia respectiva, la cual solo podrá realizarse cuando hayan pasado por lo menos quince (15) días desde la presentación del dictamen. Para los efectos de la contradicción del dictamen, el perito siempre deberá asistir a la audiencia.

El término mencionado podrá ampliarse por el plazo que requiera la entidad pública para contratar asesoría técnica o peritos para contradecir el dictamen. En este caso el apoderado de la entidad deberá manifestar, dentro del lapso indicado en el inciso anterior, las razones y el plazo. El juez o magistrado ponente decidirá sobre la solicitud.

PARÁGRAFO. En los casos en que el dictamen pericial fuere rendido por una autoridad pública, sea aportado o solicitado por las partes o decretado de oficio, el juez o magistrado ponente podrá prescindir de su contradicción en audiencia y aplicar lo dispuesto en el parágrafo del artículo 228 del Código General del Proceso.

Concordancias: Arts. 166, 175 y 218 del CPACA; Arts. 47, 227 y 235 del CGP.

ARTÍCULO 220. DESIGNACIÓN Y GASTOS DEL PERITAJE SOLICITADO

<Artículo modificado por el artículo 56 de la Ley 2080 de 2021. El nuevo texto es el siguiente:> Al decretar el dictamen el juez o magistrado ponente designará el perito que debe rendirlo y resolverá de plano la recusación o la manifestación de impedimento del perito, mediante auto que no tendrá recurso alguno.

El perito designado será posesionado con las advertencias de ley y previo juramento. Si es del caso, el juez o magistrado ponente ordenará a la parte que solicitó el dictamen que le suministre al perito lo necesario para viáticos y gastos de la pericia, dentro del término que al efecto señale. Este término podrá ser prorrogado por una sola vez.

Si quien pidió el dictamen no consigna las sumas ordenadas dentro del término otorgado, se entenderá que desiste de la prueba.

Con el dictamen pericial el perito deberá acompañar los soportes de los gastos en que incurrió para la elaboración del dictamen. Las sumas no acreditadas deberá reembolsarlas a órdenes del juzgado.

Concordancias: Arts. 175, 180, 181 y 222 del CPACA; Arts. 228, 231 y 234 del CGP.

ARTÍCULO 221. HONORARIOS DEL PERITO

<Artículo modificado por el artículo 57 de la Ley 2080 de 2021. El nuevo texto es el siguiente:> Practicado el dictamen pericial y surtido la contradicción de este, el juez fijará los honorarios del perito mediante auto que presta mérito ejecutivo, contra el cual solo procede el recurso de reposición. En el evento en que se tramite el proceso ejecutivo la competencia se regirá por el factor conexidad cuando el ejecutado sea una entidad pública. Si el ejecutado es un particular conocerá de este proceso ejecutivo la jurisdicción ordinaria.

La parte que haya solicitado el dictamen pericial asumirá el pago de los honorarios del perito. Cuando el dictamen sea decretado a solicitud de las dos partes, así como cuando sea decretado de oficio, corresponderá su pago a las partes en igual proporción. En el evento en que una de las partes no pague que le corresponde, la otra parte podrá asumir dicho pago.

PARÁGRAFO. De conformidad con lo indicado en el numeral 21 del artículo 85 de la Ley 270 de 1996, el Consejo Superior de la Judicatura mantendrá un listado debidamente actualizado de peritos en todas las áreas del conocimiento que se requieran. Se garantizará que quien integre la lista tenga los conocimientos, la idoneidad, la experiencia y la disponibilidad para rendir el dictamen. Igualmente, establecerá los parámetros y tarifas para la remuneración de los servicios prestados por los peritos de acuerdo con los precios del mercado para los servicios de cada profesión. En el caso de que se trate de un asunto de especial complejidad, la autoridad judicial podrá fijar los honorarios al perito sin sujeción a la tarifa oficial.

Concordancias: Art. 218 del CPACA; Arts. 230, 234, 235, 363 y 364 del CGP.

ARTÍCULO 222. REGLAS ESPECIALES PARA LAS ENTIDADES PÚBLICAS

<Artículo modificado por el artículo 58 de la Ley 2080 de 2021. El nuevo texto es el siguiente:>

1. Para aportar el dictamen pericial o contradecirlo en los casos previstos en la ley, se faculta a las entidades públicas para que mediante contratación directa seleccionen los expertos que atenderán la prueba pericial requerida en un proceso judicial. Esta pericia también podrá ser contratada durante las restricciones establecidas en la Ley 996 de 2005.

Con el mismo fin se podrán contratar asesorías técnicas.

2. Cuando la experticia sea rendida por una entidad pública el juez deberá ordenar honorarios a favor de esta.

Concordancias: Art. 220 del CPACA; Arts. 227, 228 y 231 del CGP.

CAPÍTULO X
INTERVENCIÓN DE TERCEROS

ARTÍCULO 223. COADYUVANCIA EN LOS PROCESOS DE SIMPLE NULIDAD

En los procesos que se tramiten con ocasión de pretensiones de simple nulidad, desde la admisión de la demanda y hasta en la audiencia inicial, cualquier persona podrá pedir que se la tenga como coadyuvante del demandante o del demandado.

El coadyuvante podrá independientemente efectuar todos los actos procesales permitidos a la parte a la que ayuda, en cuanto no esté en oposición con los de esta.

Antes del vencimiento del término para aclarar, reformar o modificar la demanda, cualquier persona podrá intervenir para formular nuevos cargos o para solicitar que la anulación se extienda a otras disposiciones del mismo acto, caso en el cual se surtirán los mismos traslados ordenados para la reforma de la demanda principal.

Concordancias: Arts. 137, 171, 172, 173, 179, 180 y 228 del CPACA; Arts. 71, 610 y 611 del CGP.

ARTÍCULO 224. COADYUVANCIA, LITISCONSORTE FACULTATIVO E INTERVENCIÓN AD EXCLUDENDUM EN LOS PROCESOS QUE SE TRAMITAN CON OCASIÓN DE PRETENSIONES DE NULIDAD Y RESTABLECIMIENTO DEL DERECHO, CONTRACTUALES Y DE REPARACIÓN DIRECTA

Desde la admisión de la demanda y hasta antes de que se profiera el auto que fija fecha para la realización de la audiencia inicial, en los procesos con ocasión de pretensiones de nulidad y restablecimiento del derecho, contractuales y de reparación directa, cualquier persona que tenga interés directo, podrá pedir que se la tenga como coadyuvancia o impugnadora, litisconsorte o como interviniente ad excludendum.

El coadyuvante podrá efectuar los actos procesales permitidos a la parte que ayuda, en cuanto no estén en oposición con los de esta y no impliquen disposición del derecho en litigio.

En los litisconsorcios facultativos y en las intervenciones ad excludendum es requisito que no hubiere operado la caducidad. Igualmente, se requiere que la formulación de las pretensiones en demanda independiente hubiera dado lugar a la acumulación de procesos.

De la demanda del litisconsorte facultativo y el interviniente ad excludendum, se dará traslado al demandado por el término establecido en el artículo 172 de este Código.

Concordancias: Arts. 138, 140, 141, 171, 172 y 180 del CPACA; Arts. 60, 62, 63, 67, 69, 70, 71, 610 y 611 del CGP.

ARTÍCULO 225. LLAMAMIENTO EN GARANTÍA

Quien afirme tener derecho legal o contractual de exigir a un tercero la reparación integral del perjuicio que llegare a sufrir, o el reembolso total o parcial del pago que tuviere que hacer como resultado de la sentencia, podrá pedir la citación de aquel, para que en el mismo proceso se resuelva sobre tal relación.

El llamado, dentro del término de que disponga para responder el llamamiento que será de quince (15) días, podrá, a su vez, pedir la citación de un tercero en la misma forma que el demandante o el demandado.

El escrito de llamamiento deberá contener los siguientes requisitos:

1. El nombre del llamado y el de su representante si aquel no puede comparecer por sí al proceso.

2. La indicación del domicilio del llamado, o en su defecto, de su residencia, y la de su habitación u oficina y los de su representante, según fuere el caso, o la manifestación de que se ignoran, lo último bajo juramento, que se entiende prestado por la sola presentación del escrito.

3. Los hechos en que se basa el llamamiento y los fundamentos de derecho que se invoquen.

4. La dirección de la oficina o habitación donde quien hace el llamamiento y su apoderado recibirán notificaciones personales.

El llamamiento en garantía con fines de repetición se regirá por las normas de la Ley 678 de 2001 o por aquellas que la reformen o adicionen.

Concordancias: Art. 90 de la Const. Pol; Ley 678 de 2001; Arts. 159, 160, 197 y 198 del CPACA; Arts. 64-66 del CGP.

ARTÍCULO 226. IMPUGNACIÓN DE LAS DECISIONES SOBRE INTERVENCIÓN DE TERCEROS

<Artículo derogado por el artículo 87 de la Ley 2080 de 2021>.

ARTÍCULO 227. TRÁMITE Y ALCANCES DE LA INTERVENCIÓN DE TERCEROS

<Artículo modificado por el artículo 85 de la Ley 2080 de 2021. El nuevo texto es el siguiente:> En lo no regulado en este Código sobre la intervención de terceros se aplicarán las normas del Código General del Proceso.

Concordancias: Art. 306 del CPACA; Arts. 60-72, 610 y 611 del CGP.

ARTÍCULO 228. INTERVENCIÓN DE TERCEROS EN PROCESOS ELECTORALES E IMPROCEDENCIA EN LOS PROCESOS DE PÉRDIDAS DE INVESTIDURA

En los procesos electorales cualquier persona puede pedir que se la tenga como impugnador o coadyuvante. Su intervención solo se admitirá hasta el día inmediatamente anterior a la fecha de celebración de la audiencia inicial.

En los procesos de pérdida de investidura de miembros de corporaciones de elección popular no se admitirá intervención de terceros.

Concordancias: Arts. 183, 184 y 264 de la Const. Pol; Arts. 139, 143, 283 y 296 del CPACA.

Nota 1: La Corte Constitucional declaró la exequibilidad del último inciso del artículo 146 del CCA —modificado por el artículo 48 de la Ley 446 de 1998—, entre otras disposiciones, cuyo texto es similar al del último inciso de este artículo. En consideración de la Corte, la restricción de la intervención de terceros en el proceso de pérdida de investidura cumple una finalidad constitucionalmente relevante, en tanto cierra la posibilidad de que este recurso procesal se aproveche para desfigurar el carácter breve y sumario del proceso de pérdida de investidura, o para fines distintos de la preservación ética de la condición de congresista (Corte Constitucional. Sentencia C-139 de 1999. M.P. Fabio Morón Díaz).

CAPÍTULO XI
MEDIDAS CAUTELARES

ARTÍCULO 229. PROCEDENCIA DE MEDIDAS CAUTELARES

En todos los procesos declarativos que se adelanten ante esta jurisdicción, antes de ser notificado, el auto admisorio de la demanda o en cualquier estado del proceso, a petición de parte debidamente sustentada, podrá el Juez o Magistrado Ponente decretar, en providencia motivada, las medidas cautelares que considere necesarias para proteger y garantizar, provisionalmente, el objeto del proceso y la efectividad de la sentencia, de acuerdo con lo regulado en el presente capítulo.

La decisión sobre la medida cautelar no implica prejuzgamiento.

PARÁGRAFO. <Aparte tachado INEXEQUIBLE> Las medidas cautelares en los procesos que tengan por finalidad la defensa y protección de los derechos e intereses colectivos ~~y en los procesos de tutela~~ del conocimiento de la Jurisdicción de lo Contencioso Administrativo se regirán por lo dispuesto en este capítulo y podrán ser decretadas de oficio.

Concordancias: Art. 88 de la Const. Pol; Arts. 5, 25 y 26 de la Ley 472 de 1998; Arts. 144, 230-235, 237, 241 y 277 del CPACA; Arts. 112, 298 y 588-597 del CGP.

Nota 1: En cuanto a las medidas cautelares en los procesos que tengan por finalidad la defensa y protección de los intereses colectivos, el juez tiene una mayor libertad de apreciación, puesto que el artículo 25 de la Ley 472 de 1998 dispone que puede decretar las medidas previas que considere pertinentes para prevenir un daño inminente o para hacer cesar lo que lo hubiese causado. El artículo 43 de la misma ley prescribe que el juez, también, puede decretar las medidas procedentes. Las medidas cautelares en la Ley 472 de 1998 pueden considerarse como de régimen abierto, atípico e innominado. Es por esta razón que Santofimio Gamboa señala que tal normativa rompe con el esquema individualista y procesalista del régimen tradicional, que se fundamentan en la seguridad jurídica para establecer y justificar una lista cerrada (SANTOFIMIO GAMBOA, Jaime Orlando. Acciones populares y medidas cautelares en defensa de los derechos e intereses colectivos. Un paso en la consolidación del Estado social de derecho. Bogotá: Universidad Externado de Colombia, 2010, pp. 65-66).

ARTÍCULO 230. CONTENIDO Y ALCANCE DE LAS MEDIDAS CAUTELARES

Las medidas cautelares podrán ser preventivas, conservativas, anticipativas o de suspensión, y deberán tener relación directa y necesaria con las pretensiones de la demanda. Para el efecto, el Juez o Magistrado Ponente podrá decretar una o varias de las siguientes medidas:

1. Ordenar que se mantenga la situación, o que se restablezca al estado en que se encontraba antes de la conducta vulnerante o amenazante, cuando fuere posible.

2. Suspender un procedimiento o actuación administrativa, inclusive de carácter contractual. A esta medida solo acudirá el Juez o Magistrado Ponente cuando no exista otra posibilidad de conjurar o superar la situación que dé lugar a su adopción y, en todo caso, en cuanto ello fuere posible el Juez o Magistrado Ponente indicará las condiciones o señalará las pautas que deba observar la parte demandada para que pueda reanudar el procedimiento o actuación sobre la cual recaiga la medida.

3. Suspender provisionalmente los efectos de un acto administrativo.

4. Ordenar la adopción de una decisión administrativa, o la realización o demolición de una obra con el objeto de evitar o prevenir un perjuicio o la agravación de sus efectos.

5. Impartir órdenes o imponerle a cualquiera de las partes del proceso obligaciones de hacer o no hacer.

PARÁGRAFO. Si la medida cautelar implica el ejercicio de una facultad que comporte elementos de índole discrecional, el Juez o Magistrado Ponente no podrá sustituir a la autoridad competente en la adopción de la decisión correspondiente, sino que deberá limitarse a ordenar su adopción dentro del plazo que fije para el efecto en atención a la urgencia o necesidad de la medida y siempre con arreglo a los límites y criterios establecidos para ello en el ordenamiento vigente.

Concordancias: Art. 238 de la Const. Pol; Arts. 23-27 de la Ley 678 de 2001; Arts. 91, 229, 231, 233, 234 y 237-241 del CPACA; Art. 112 del CGP.

ARTÍCULO 231. REQUISITOS PARA DECRETAR LAS MEDIDAS CAUTELARES

Cuando se pretenda la nulidad de un acto administrativo, la suspensión provisional de sus efectos procederá por violación de las disposiciones invocadas en la demanda o en la solicitud que se realice en escrito separado, cuando tal violación surja del análisis del acto demandado y su confrontación con las normas superiores invocadas como violadas o del estudio de las pruebas allegadas con la solicitud. Cuando adicionalmente se pretenda el restablecimiento del derecho y la indemnización de perjuicios deberá probarse al menos sumariamente la existencia de los mismos.

En los demás casos, las medidas cautelares serán procedentes cuando concurran los siguientes requisitos:

1. Que la demanda esté razonablemente fundada en derecho.

2. Que el demandante haya demostrado, así fuere sumariamente, la titularidad del derecho o de los derechos invocados.

3. Que el demandante haya presentado los documentos, informaciones, argumentos y justificaciones que permitan concluir, mediante un juicio de ponderación de intereses, que resultaría más gravoso para el interés público negar la medida cautelar que concederla.

4. Que, adicionalmente, se cumpla una de las siguientes condiciones:

a) Que al no otorgarse la medida se cause un perjuicio irremediable, o

b) Que existan serios motivos para considerar que de no otorgarse la medida los efectos de la sentencia serían nugatorios.

Concordancias: Art. 238 de la Const. Pol; Arts. 137, 138, 229, 230, 232-234 y 237 del CPACA.

ARTÍCULO 232. CAUCIÓN

El solicitante deberá prestar caución con el fin de garantizar los perjuicios que se puedan ocasionar con la medida cautelar. El Juez o Magistrado Ponente determinará la modalidad, cuantía y demás condiciones de la caución, para lo cual podrá ofrecer alternativas al solicitante.

<Segundo inciso derogado por el artículo 87 de la Ley 2080 de 2021>

No se requerirá de caución cuando se trate de la suspensión provisional de los efectos de los actos administrativos, de los procesos que tengan por finalidad la defensa y protección de los derechos e intereses colectivos, de los procesos de tutela, ni cuando la solicitante de la medida cautelar sea una entidad pública.

Concordancias: Arts. 144, 229-231, 243 y 244 del CPACA; Arts. 603 y 604 del CGP.

ARTÍCULO 233. PROCEDIMIENTO PARA LA ADOPCIÓN DE LAS MEDIDAS CAUTELARES

La medida cautelar podrá ser solicitada desde la presentación de la demanda y en cualquier estado del proceso.

El Juez o Magistrado Ponente al admitir la demanda, en auto separado, ordenará correr traslado de la solicitud de medida cautelar para que el demandado se pronuncie sobre ella en escrito separado dentro del término de cinco (5) días, plazo que correrá en forma independiente al de la contestación de la demanda.

Esta decisión, que se notificará simultáneamente con el auto admisorio de la demanda, no será objeto de recursos. De la solicitud presentada en el curso del proceso, se dará traslado a la otra parte al día siguiente de su recepción en la forma establecida en el artículo 108 del Código de Procedimiento Civil.

El auto que decida las medidas cautelares deberá proferirse dentro de los diez (10) días siguientes al vencimiento del término de que dispone el demandado para pronunciarse sobre ella. En este mismo auto el Juez o Magistrado Ponente deberá fijar la caución. La medida cautelar solo podrá hacerse efectiva a partir de la ejecutoria del auto que acepte la caución prestada.

Con todo, si la medida cautelar se solicita en audiencia se correrá traslado durante la misma a la otra parte para que se pronuncie sobre ella y una vez evaluada por el Juez o Magistrado Ponente podrá ser decretada en la misma audiencia.

Cuando la medida haya sido negada, podrá solicitarse nuevamente si se han presentado hechos sobrevinientes y en virtud de ellos se cumplen las condiciones requeridas para su decreto. Contra el auto que resuelva esta solicitud no procederá ningún recurso.

Concordancias: Arts. 171, 229-232, 234-236 y 242 del CPACA; Arts. 298, 360 588 y 590 del CGP.

ARTÍCULO 234. MEDIDAS CAUTELARES DE URGENCIA

Desde la presentación de la solicitud y sin previa notificación a la otra parte, el Juez o Magistrado Ponente podrá adoptar una medida cautelar, cuando cumplidos los requisitos para su adopción, se evidencie que por su urgencia, no es posible agotar el trámite previsto en el artículo anterior. Esta decisión será susceptible de los recursos a que haya lugar.

La medida así adoptada deberá comunicarse y cumplirse inmediatamente, previa la constitución de la caución señalada en el auto que la decrete.

Concordancias: Arts. 229-232, 235, 236, 242, 243 y 277 del CPACA; Arts. 298 y 588 del CGP.

Nota 1: La Sección Quinta del Consejo de Estado, en sentencia del 26 de noviembre de 2020, unificó sus criterios sobre el traslado de la medida cautelar, estableciendo que sí es compatible con el proceso de nulidad electoral, así como la posibilidad de prescindir de él, en los términos del art. 234. La motivación para unificar su posición se fundó en siete razones: i) el art. 233 no distingue la clase de procedimientos, ii) el término de 5 días es corto y razonable, lo que no afecta la celeridad del proceso; iii) resulta acorde con el principio democrático y los derechos a elegir y ser elegido que se le permita al demandado ejercer el derecho de contradicción; iv) el ejercicio del derecho de contradicción a la hora de decidir respecto a la medida cautelar contra un acto de designación, le brinda al juez mayores elementos de juicio para adoptar una decisión acertada; v) el art. 234 contempla la posibilidad de prescindir del traslado ante situaciones de urgencia y riesgo; vi) la aplicación del art. 233 no supone la inaplicación del art. 277; y vii) la Sección ha tenido como práctica general garantizar el derecho de contradicción del demandado antes de resolver la solicitud de una medida cautelar (Consejo de Estado. Sección Quinta. Sentencia del 26 de noviembre de 2020. Rad. 44001-23-33-000-2020-00022-01. C.P. Rocío Araújo Oñate).

ARTÍCULO 235. LEVANTAMIENTO, MODIFICACIÓN Y REVOCATORIA DE LA MEDIDA CAUTELAR

El demandado o el afectado con la medida podrá solicitar el levantamiento de la medida cautelar prestando caución a satisfacción del Juez o Magistrado Ponente en los casos en que ello sea compatible con la naturaleza de la medida, para garantizar la reparación de los daños y perjuicios que se llegaren a causar.

La medida cautelar también podrá ser modificada o revocada en cualquier estado del proceso, de oficio o a petición de parte, cuando el Juez o Magistrado advierta que no se cumplieron los requisitos para su otorgamiento o que estos ya no se presentan o fueron superados, o que es necesario variarla para que se cumpla, según el caso; en estos eventos no se requerirá la caución de que trata el inciso anterior.

La parte a favor de quien se otorga una medida está obligada a informar, dentro de los tres (3) días siguientes a su conocimiento, todo cambio sustancial que se produzca en las circunstancias que permitieron su decreto y que pueda dar lugar a su modificación o revocatoria. La omisión del cumplimiento de este deber, cuando la otra parte hubiere estado en imposibilidad de conocer dicha modificación, será sancionada con las multas o demás medidas que de acuerdo con las normas vigentes puede imponer el juez en ejercicio de sus poderes correccionales.

Concordancias: Arts. 229-232, 234, 236 y 240 del CPACA; Arts. 44, 316, 603 y 604 del CGP.

ARTÍCULO 236. TÉRMINO PARA RESOLVER LOS RECURSOS

<Artículo modificado por el artículo 59 de la Ley 2080 de 2021. El nuevo texto es el siguiente:> Los recursos procedentes contra el auto que decida sobre medidas cautelares deberán ser resueltos en un término máximo de veinte (20) días.

Concordancias: Arts. 229, 230, 233-235, 243 y 243A-246 del CPACA; Art. 323 del CGP.

ARTÍCULO 237. PROHIBICIÓN DE REPRODUCCIÓN DEL ACTO SUSPENDIDO O ANULADO

Ningún acto anulado o suspendido podrá ser reproducido si conserva en esencia las mismas disposiciones anuladas o suspendidas, a menos que con posterioridad a la sentencia o al auto, hayan desaparecido los fundamentos legales de la anulación o suspensión.

Concordancias: Art. 238 de la Const. Pol; Arts. 9, 88, 91, 189 y 230 del CPACA; Art. 39 de la Ley 1952 de 2019.

ARTÍCULO 238. PROCEDIMIENTO EN CASO DE REPRODUCCIÓN DEL ACTO SUSPENDIDO

Si se trata de la reproducción del acto suspendido, bastará solicitar la suspensión de los efectos del nuevo acto, acompañando al proceso copia de este. Esta solicitud se decidirá inmediatamente, cualquiera que sea el estado del proceso y en la sentencia definitiva se resolverá si se declara o no la nulidad de ambos actos.

<Inciso modificado por el artículo 87 de la Ley 2080 de 2021> La solicitud de suspensión provisional será resuelta por auto del juez o Magistrado Ponente.

Concordancias: Arts. 88, 91, 187, 189, 229, 230 y 233-237 del CPACA.

ARTÍCULO 239. PROCEDIMIENTO EN CASO DE REPRODUCCIÓN DEL ACTO ANULADO

El interesado podrá pedir la suspensión provisional y la nulidad del acto que reproduce un acto anulado, mediante escrito razonado dirigido al juez que decretó la anulación, con el que acompañará la copia del nuevo acto.

Si el juez o Magistrado Ponente considera fundada la acusación de reproducción ilegal, dispondrá que se suspendan de manera inmediata los efectos del nuevo acto, ordenará que se dé traslado de lo actuado a la entidad responsable de la reproducción y convocará a una audiencia, con el objeto de decidir sobre la nulidad.

En esa audiencia, el juez o Magistrado Ponente decretará la nulidad del nuevo acto cuando encuentre demostrado que reproduce el acto anulado, y compulsará copias a las autoridades competentes para las investigaciones penales y disciplinarias a que hubiere lugar.

La solicitud será denegada, cuando de lo debatido en la audiencia se concluya que la reproducción ilegal no se configuró.

Concordancias: Arts. 88, 91, 189, 229, 230, 234 y 237 del CPACA; Art. 454 de la Ley 599 del 2000; Art. 39 de la Ley 1952 de 2019.

ARTÍCULO 240. RESPONSABILIDAD

Salvo los casos de suspensión provisional de actos administrativos de carácter general, cuando la medida cautelar sea revocada en el curso del proceso por considerar que su decreto era improcedente o cuando la sentencia sea desestimatoria, el solicitante responderá patrimonialmente por los perjuicios que se hayan causado, los cuales se liquidarán mediante incidente promovido dentro de los treinta (30) días siguientes a la ejecutoria de la providencia.

<Artículo derogado por el artículo 87 de la Ley 2080 de 2021>

Concordancias: Arts. 209, 210, 235 y 243-246 del CPACA; Arts. 80 y 81 del CGP; Art. 39 de la Ley 1952 de 2019.

ARTÍCULO 241. SANCIONES

El incumplimiento de una medida cautelar dará lugar a la apertura de un incidente de desacato como consecuencia del cual se podrán imponer multas sucesivas por cada día de retardo en el cumplimiento hasta por el monto de dos (2) salarios mínimos mensuales legales vigentes a cargo del renuente, sin que sobrepase cincuenta (50) salarios mínimos mensuales legales vigentes.

<Inciso modificado por el artículo 60 de la Ley 2080 de 2021. El nuevo texto es el siguiente:> La sanción será impuesta por la misma autoridad judicial que profirió la orden en contra del representante legal o director de la entidad pública, o del particular responsable del cumplimiento de la medida cautelar. Esta se impondrá mediante trámite incidental y será susceptible del recurso de reposición, el cual se decidirá en el término de cinco (5) días.

El incumplimiento de los términos para decidir sobre una medida cautelar constituye falta grave.

Concordancias: Arts. 59-60A de la Ley 270 de 1996; Arts. 209, 210, 230, 233, 234 y 237 del CPACA; Arts. 44 y 127-129 del CGP; Art. 67 de la Ley 1952 de 2019.

CAPÍTULO XII
RECURSOS ORDINARIOS Y TRÁMITE

ARTÍCULO 242. REPOSICIÓN

<Artículo modificado por el artículo 61 de la Ley 2080 de 2021. El nuevo texto es el siguiente:> El recurso de reposición procede contra todos los autos, salvo norma legal en contrario. En cuanto a su oportunidad y trámite, se aplicará lo dispuesto en el Código General del Proceso.

Concordancias: Arts. 188, 189, 236, 277 y 303 del CPACA; Arts. 318 y 319 del CGP.

ARTÍCULO 243. APELACIÓN

<Artículo modificado por el artículo 62 de la Ley 2080 de 2021. El nuevo texto es el siguiente:> Son apelables las sentencias de primera instancia y los siguientes autos proferidos en la misma instancia:

1. El que rechace la demanda o su reforma, y el que niegue total o parcialmente el mandamiento ejecutivo.
2. El que por cualquier causa le ponga fin al proceso.
3. El que apruebe o impruebe conciliaciones extrajudiciales o judiciales. El auto que aprueba una conciliación solo podrá ser apelado por el Ministerio Público.
4. El que resuelva el incidente de liquidación de la condena en abstracto o de los perjuicios.
5. El que decrete, deniegue o modifique una medida cautelar.
6. El que niegue la intervención de terceros.
7. El que niegue el decreto o la práctica de pruebas.
8. Los demás expresamente previstos como apelables en este código o en norma especial.

PARÁGRAFO 1o. El recurso de apelación contra las sentencias y las providencias listadas en los numerales 1 a 4 de este artículo se concederá en el efecto suspensivo. La apelación de las demás providencias se surtirá en el efecto devolutivo, salvo norma expresa en contrario.

PARÁGRAFO 2o. En los procesos e incidentes regulados por otros estatutos procesales y en el proceso ejecutivo, la apelación procederá y se tramitará conforme a las normas especiales que lo regulan. En estos casos el recurso siempre deberá sustentarse ante el juez de primera instancia dentro del término previsto para recurrir.

PARÁGRAFO 3o. La parte que no obre como apelante podrá adherirse al recurso interpuesto por otra de las partes, en lo que la sentencia apelada le fuere desfavorable. El escrito de adhesión, debidamente sustentado, podrá presentarse ante el juez que la profirió mientras el expediente se encuentre en su despacho, o ante el superior, hasta el vencimiento del término de ejecutoria del auto que admite la apelación.

La adhesión quedará sin efecto si se produce el desistimiento del apelante principal.

PARÁGRAFO 4o. Las anteriores reglas se aplicarán sin perjuicio de las normas especiales que regulan el trámite del medio de control de nulidad electoral.

Concordancias: Arts. 236, 240, 244, 247, 277 y 303 del CPACA; Arts. 320-322 y 326-330 del CGP; Arts. 2 y 14 de la Ley 1881 de 2018; Art. 113 de la Ley 2220 de 2022.

Nota 1: La Corte Constitucional declaró la exequibilidad de las expresiones «por los jueces administrativos» y «Los autos a que se refieren los numerales 1, 2, 3 y 4 relacionados anteriormente, serán apelables cuando sean proferidos por los tribunales administrativos en primera instancia» de la regulación original, ahora derogados por la Ley 2080 de 2021. En su criterio, regular de distinta manera el recurso de apelación respecto de providencias judiciales que no ponen fin a la actuación procesal ni tienen gran incidencia en ella, y que pueden considerarse en el trámite de la apelación de la sentencia o en el ámbito de otros mecanismos de protección de derechos, constituye una diferencia de trato justificada en términos constitucionales (Corte Constitucional. Sentencia C-329 de 2015. M.P. Mauricio González Cuervo).

Nota 2: La Sección Quinta del Consejo de Estado, en el auto del 14 de julio de 2021, rectificó la posición proferida en el auto del 18 de marzo, en relación con la aplicación de la Ley 2080 de 2021. Según la providencia, la modificación legislativa no se condiciona a la aplicación de otras normas, sino que debe aplicarse integralmente, de manera que el auto que resuelve sobre las excepciones que no terminan el proceso no es apelable (Consejo de Estado. Sección Quinta. Auto del 14 de julio de 2021. Rad. 11001-03-28-000-2020-00072-00. C.P. Rocío Araújo Oñate).

ARTÍCULO 243A. PROVIDENCIAS NO SUSCEPTIBLES DE RECURSOS ORDINARIOS

<Artículo adicionado por el artículo 63 de la Ley 2080 de 2021. El nuevo texto es el siguiente:> Providencias no susceptibles de recursos ordinarios. No son susceptibles de recursos ordinarios las siguientes providencias:

1. Las sentencias proferidas en el curso de la única o segunda instancia.

2. Las relacionadas con el levantamiento o revocatoria de las medidas cautelares.

3. Las que decidan los recursos de reposición, salvo que contengan puntos no decididos en el auto recurrido, caso en el cual podrán interponerse los recursos procedentes respecto de los puntos nuevos.

4. Las que decidan los recursos de apelación, queja y súplica.

5. Las que resuelvan los conflictos de competencia.

6. Las decisiones que se profieran durante el trámite de impedimentos y las recusaciones, salvo lo relativo a la imposición de multas, que son susceptibles de reposición.

7. Las que nieguen la petición regulada por el inciso final del artículo 233 de este código.

8. Las que decidan la solicitud de avocar el conocimiento de un proceso para emitir providencia de unificación, en los términos del artículo 271 de este código.

9. Las providencias que decreten pruebas de oficio.

10. Las que señalen fecha y hora para llevar a cabo la audiencia inicial.

11. Las que corran traslado de la solicitud de medida cautelar.

12. Las que nieguen la adición o la aclaración de autos o sentencias. Dentro de la ejecutoria del auto o sentencia que resuelva la aclaración o adición podrán interponerse los recursos procedentes contra la providencia objeto de aclaración o adición. Si se trata de sentencia, se computará nuevamente el término para apelarla.

13. Las que nieguen dar trámite al recurso de súplica, cuando este carezca de sustentación.

14. En el medio de control electoral, además de las anteriores, tampoco procede recurso alguno contra las siguientes decisiones: las de admisión o inadmisión de la demanda o su reforma; las que decidan sobre la acumulación de procesos; las que rechacen de plano una nulidad procesal, y las que concedan o admitan la apelación de la sentencia.

15. Las que ordenan al perito pronunciarse sobre nuevos puntos.

16. Las que resuelven la recusación del perito.

17. Las demás que por expresa disposición de este código o por otros estatutos procesales, no sean susceptibles de recursos ordinarios.

Concordancias: Arts. 39, 40, 130, 131, 139, 170, 171, 181, 187, 208, 213, 218, 229-233, 242-247, 271, 282 y 306 del CPACA; Arts. 14, 121, 133 a 138, 228, 285 y 287 del CGP.

ARTÍCULO 244. TRÁMITE DEL RECURSO DE APELACIÓN CONTRA AUTOS

<Artículo modificado por el artículo 64 de la Ley 2080 de 2021. El nuevo texto es el siguiente:> La interposición y decisión del recurso de apelación contra autos se sujetará a las siguientes reglas:

1. La apelación podrá interponerse directamente o en subsidio de la reposición. Cuando se acceda total o parcialmente a la reposición interpuesta por una de las partes, la otra podrá apelar el nuevo auto, si fuere susceptible de este recurso.

2. Si el auto se profiere en audiencia, la apelación deberá interponerse y sustentarse oralmente a continuación de su notificación en estrados o de la del auto que niega total o parcialmente la reposición. De inmediato, el juez o magistrado dará traslado del recurso a los demás sujetos procesales, con el fin de que se pro-

nuncien, y a continuación, resolverá si lo concede o no, de todo lo cual quedará constancia en el acta.

3. Si el auto se notifica por estado, el recurso deberá interponerse y sustentarse por escrito ante quien lo profirió, dentro de los tres (3) días siguientes a su notificación o a la del auto que niega total o parcialmente la reposición. En el medio de control electoral, este término será de dos (2) días.

De la sustentación se dará traslado por secretaría a los demás sujetos procesales por igual término, sin necesidad de auto que así lo ordene. Los términos serán comunes si ambas partes apelaron. Este traslado no procederá cuando se apele el auto que rechaza la demanda o niega total o parcialmente el mandamiento ejecutivo.

Surtido el traslado, el secretario pasará el expediente a despacho y el juez o magistrado ponente concederá el recurso en caso de que sea procedente y haya sido sustentado.

4. Una vez concedido el recurso, se remitirá el expediente al superior para que lo decida de plano.

Concordancias: Art. 243 del CPACA; Arts. 320-326, 328 y 330 del CGP.

ARTÍCULO 245. QUEJA

<Artículo modificado por el artículo 65 de la Ley 2080 de 2021. El nuevo texto es el siguiente:> Este recurso se interpondrá ante el superior cuando no se conceda, se rechace o se declare desierta la apelación, para que esta se conceda, de ser procedente.

Asimismo, cuando el recurso de apelación se conceda en un efecto diferente al señalado en la ley y cuando no se concedan los recursos extraordinarios de revisión y unificación de jurisprudencia previstos en este código.

Para su trámite e interposición se aplicará lo establecido en el artículo 353 del Código General del Proceso.

Concordancias: Arts. 150, 153, 243, 244, 247, 248, 251-253, 256, 258, 261-263, 265 y 266 del CPACA; Arts. 352 y 353 del CGP.

Nota 1: De acuerdo con Rojas López, el «[...] propósito fundamental del recurso de queja es garantizar la coherencia y consistencia en las decisiones judiciales, evitando que algún sujeto procesal se vea perjudicado debido a errores judiciales resultantes de la negación de la apelación u otros recursos extraordinarios, o debido a su concesión con un efecto no previsto en la ley» (Rojas López, Juan Gabriel. Curso Esencial de Derecho Contencioso-Administrativo. Bogotá: Tirant lo Blanch, 2024, pp. 227-228).

Nota 2: Mediante auto de importancia jurídica, con fines de unificación, el pleno de la Sala de lo Contencioso Administrativo del Consejo de Estado determinó que la entrada en vigencia del CGP y su aplicación plena en la jurisdicción de lo contencioso administrativo, así como en materia arbitral, fue a partir del 1° de enero de 2014, salvo ciertos asuntos regulados por la norma de transición del Código (Consejo de Estado. Sala Plena de lo Contencioso Administrativo. Auto del 25 de junio de 2014. Rad. 25000-23-36-000-2012-00395-01. C.P. Enrique Gil Botero).

ARTÍCULO 246. SÚPLICA

<Artículo modificado por el artículo 66 de la Ley 2080 de 2021. El nuevo texto es el siguiente:> El recurso de súplica procede contra los siguientes autos dictados por el magistrado ponente:

1. Los que declaren la falta de competencia o de jurisdicción en cualquier instancia.

2. Los enlistados en los numerales 1 a 8 del artículo 243 de este código cuando sean dictados en el curso de la única instancia, o durante el trámite de la apelación o de los recursos extraordinarios.

3. Los que durante el trámite de la apelación o de los recursos extraordinarios, los rechace o declare desiertos.

4. Los que rechacen de plano la extensión de jurisprudencia.

Este recurso no procede contra los autos mediante los cuales se resuelva la apelación o queja.

La suplica se surtirá en los mismos efectos previstos para la apelación de autos. Su interposición y decisión se sujetará a las siguientes reglas:

a) El recurso de súplica podrá interponerse directamente o en subsidio de la reposición. Cuando se acceda total o parcialmente a la reposición interpuesta por una de las partes, la otra podrá interponer recurso de súplica contra el nuevo auto, si fuere susceptible de este último recurso;

b) Si el auto se profiere en audiencia, el recurso deberá interponerse y sustentarse oralmente a continuación de su notificación en estrados o de la del auto que niega total o parcialmente la reposición. De inmediato, el magistrado ponente dará traslado del recurso a los demás sujetos procesales, con el fin de que se pronuncien, y a continuación ordenará remitir la actuación o sus copias al competente para decidir, según el efecto en que deba surtirse;

c) Si el auto se notifica por estado, el recurso deberá interponerse y sustentarse por escrito ante quien lo profirió dentro de los tres (3) días siguientes a su notificación o a la del auto que niega total o parcialmente la reposición. En el medio de control electoral este término será de dos (2) días.

El escrito se agregará al expediente y se mantendrá en la secretaría por dos (2) días a disposición de los demás sujetos procesales, sin necesidad de auto que así lo ordene. Este traslado no procederá cuando el recurso recaiga contra el auto que rechaza la demanda, o el que niega total o parcialmente el mandamiento ejecutivo. Surtido el traslado, el secretario pasará el expediente o sus copias al competente para decidir, según el efecto en que deba surtirse;

d) El recurso será decidido por los demás integrantes de la sala, sección o subsección de la que haga parte quien profirió el auto recurrido. Será ponente para resolverlo el magistrado que sigue en turno a aquel;

e) En aquellos casos en que el recurrente no sustente el recurso, el juez o magistrado ponente, de plano, se abstendrá de darle trámite.

Concordancias: Arts. 180, 184, 236, 240, 242-244, 247 y 303 del CPACA; Arts. 331 y 332 del CGP.

Nota 1: La Sección Quinta del Consejo de Estado, en auto del 14 de julio de 2021, rectificó la posición proferida en el auto del 18 de marzo, en relación con la aplicación de la Ley 2080 de 2021. Según la providencia, la modificación legislativa no se condiciona a la aplicación de otras normas, sino que debe aplicarse integralmente, precisando que el recurso de súplica procede contra el auto que declara la excepción previa de falta de jurisdicción o competencia y contra el que declara las excepciones previas que impliquen la terminación del proceso (Consejo de Estado. Sección Quinta. Auto del 14 de julio de 2021. Rad. 11001-03-28-000-2020-00072-00. C.P. Rocío Araújo Oñate).

Nota 2: Antes de la modificación de la Ley 2080 de 2021, la Sección Quinta unificó su jurisprudencia sobre el trámite del recurso de súplica en los procesos electorales, cuando se interponía en el desarrollo de una audiencia. Conforme a la unificación, el recurso de súplica debe interponerse, sustentarse y trasladarse en la misma audiencia. Agotado lo anterior, la Secretaría remite el expediente al despacho del magistrado que sigue en turno al que dictó la providencia, con el fin de que elabore la ponencia que habrá de ser resuelta por la respectiva Sala (Consejo de Estado. Sección Quinta. Auto del 17 de marzo de 2016. Rad. 11001-03-28-000-2015-00029-00. C.P. Alberto Yepes Barreiro).

ARTÍCULO 247. TRÁMITE DEL RECURSO DE APELACIÓN CONTRA SENTENCIAS

<Artículo modificado por el artículo 67 de la Ley 2080 de 2021. El nuevo texto es el siguiente:> El recurso de apelación contra las sentencias proferidas en primera instancia se tramitará de acuerdo con el siguiente procedimiento:

1. El recurso deberá interponerse y sustentarse ante la autoridad que profirió la providencia, dentro de los diez (10) días siguientes a su notificación. Este término también aplica para las sentencias dictadas en audiencia.

2. <Numeral modificado por el artículo 132 de la Ley 2080 de 2021. El nuevo texto es el siguiente:> Cuando el fallo de primera instancia sea de carácter condenatorio, total o parcialmente, y contra este se interponga el recurso de apelación, el juez o magistrado ponente citará a audiencia de conciliación que deberá celebrarse antes de resolverse sobre la concesión del recurso, cuando las partes de común acuerdo la soliciten y propongan fórmula conciliatoria, o a petición del agente del ministerio público, cuando el recurrente sea la entidad condenada. El agente del Ministerio Público deberá sustentar su petición en uno de los siguientes criterios: 1) la existencia de precedentes jurisprudenciales o sentencias de unificación que permitan anticipar la confirmación de la sentencia; 2) cuando a partir del análisis de las pruebas aportadas al proceso y de las consideraciones contenidas en la sentencia condenatoria de primera instancia puede evidenciarse una alta probabilidad de condena.

En el evento en que se solicite la celebración de la audiencia de conciliación por parte del agente del Ministerio Público, la entidad condenada en primera instancia deberá someter nuevamente a consideración del Comité de Conciliación el caso, para que este determine la procedencia o improcedencia de presentar fórmula conciliatoria. En caso de no presentarse la fórmula conciliatoria, el apoderado de la entidad deberá allegar copia del acta del Comité en la que conste el estudio de los argumentos fácticos y normativos que justifican su decisión.

En caso de que el agente del Ministerio Público esté en desacuerdo con la decisión adoptada por el Comité de Conciliación pese a las sentencias de unificación existentes; así como al precedente judicial y la alta probabilidad de condena, deberá dejar constancia de esta circunstancia en la audiencia de conciliación.

El Juez de segunda instancia, de oficio o a solicitud del Ministerio Público, si advierte temeridad o renuencia en la posición no conciliatoria de alguna de las partes, condenará a la misma o a los servidores públicos que intervinieron en las correspondientes conversaciones a cancelar multas a favor del tesoro nacional de 5 a 100 SMLMV

3. Si el recurso fue sustentado oportunamente y reúne los demás requisitos legales, se concederá mediante auto en el que se dispondrá remitir el expediente al superior. Recibido el expediente por el superior, este decidirá sobre su admisión si encuentra reunidos los requisitos.

4. Desde la notificación del auto que concede la apelación y hasta la ejecutoria del que la admite en segunda instancia, los sujetos procesales podrán pronunciarse en relación con el recurso de apelación formulado por los demás intervinientes.

5. Si fuere necesario decretar pruebas, una vez practicadas, el superior autorizará la presentación de alegatos por escrito, para lo cual concederá un término de diez (10) días. En caso contrario, no habrá lugar a dar traslado para alegar. El secretario pasará el expediente al despacho para dictar sentencia dentro de los diez (10) días siguientes de concluido el término para alegar o de ejecutoria del auto que admite el recurso.

6. El Ministerio Público podrá emitir concepto desde que se admite el recurso y hasta antes de que ingrese el proceso al despacho para sentencia.

7. La sentencia se dictará dentro de los veinte (20) días siguientes. En ella se ordenará devolver el expediente al juez de primera instancia para su obedecimiento y cumplimiento.

Concordancias: Arts. 192, 212, 243, 245, 292 y 293 del CPACA; Arts. 320, 325 y 327-329 del CGP; Arts. 2 y 14 de la Ley 1881 de 2018.

TÍTULO VI
RECURSOS EXTRAORDINARIOS

CAPÍTULO I
RECURSO EXTRAORDINARIO DE REVISIÓN

ARTÍCULO 248. PROCEDENCIA

El recurso extraordinario de revisión procede contra las sentencias ejecutoriadas dictadas por las secciones y subsecciones de la Sala de lo Contencioso Administrativo del Consejo de Estado, por los Tribunales Administrativos y por los jueces administrativos.

Concordancias: Art. 67 de la Ley 472 de 1998; Art. 149 núm. 7 del CPACA; Arts. 354 y ss. del CGP; Art. 19 de la Ley 1881 de 2018; Art. 86 de la Ley 2381 de 2024.

Nota 1: Este recurso es un mecanismo procesal que supone una excepción a la cosa juzgada, en la medida que constituye un medio de impugnación de las sentencias que han producido plenos efectos jurídicos. De ahí que las decisiones que se produzcan, con ocasión de su interposición, estén sometidas a las causales taxativamente previstas en la ley y sean de carácter excepcional y restrictivo, en tanto no comporta una nueva oportunidad procesal para reabrir el debate judicial, suplir la omisión probatoria de las partes, corregir yerros en la interpretación o la aplicación del derecho o en la valoración de las pruebas.

ARTÍCULO 249. COMPETENCIA

De los recursos de revisión contra las sentencias dictadas por las secciones o subsecciones del Consejo de Estado conocerá la Sala Plena de lo Contencioso Administrativo *sin exclusión de la sección que profirió la decisión.*

De los recursos de revisión contra las sentencias ejecutoriadas proferidas por los Tribunales Administrativos conocerán las secciones y subsecciones del Consejo de Estado según la materia.

De los recursos de revisión contra las sentencias ejecutoriadas proferidas por tos jueces administrativos conocerán los Tribunales Administrativos.

<Inciso adicionado por el artículo 68 de la Ley 2080 de 2021. El nuevo texto es el siguiente:> Las reglas de competencia previstas en los incisos anteriores también se aplicarán para conocer de la solicitud de revisión de las decisiones judiciales proferidas en esta jurisdicción, regulada en el artículo 20 de la Ley 797 de 2003.

Concordancias: Art. 107 del CPACA; Acuerdo 321 de 2014 «Por medio del cual se reglamenta la integración y funcionamiento de las Salas Especiales de Decisión de que trata el artículo 107 de la Ley 1437 de 2011»; Arts. 28 y ss. Acuerdo 80 de 2019 del Consejo de Estado.

Nota 1: El fragmento en cursiva del primer inciso fue declarado exequible por la Corte Constitucional. El actor consideró que la norma vulnera el principio de imparcialidad y el derecho al debido proceso; no obstante, la Sala sostuvo: «Por ello, el presupuesto que asegura el principio de imparcialidad judicial en el estudio de las causales antes referidas, es la imposibilidad que a través de ellas, se pretenda atacar cuestiones intrínsecas al desarrollo del proceso de pérdida de la investidura y que no se alegaron en su oportunidad a través de las acciones legales pertinentes. Es decir, tal y como acontece frente al resto de causales de revisión, esta causal específica debe tratarse, de conformidad con lo establecido en la jurisprudencia constitucional, sobre una cuestión jurídica nueva, que no pudo ser alegada dentro del proceso» (Corte Constitucional. Sentencia C-450 de 2015. M.P. María Victoria Calle Correa).

ARTÍCULO 250. CAUSALES DE REVISIÓN

Sin perjuicio de lo previsto en el artículo 20 de la Ley 797 de 2003, son causales de revisión:

1. Haberse encontrado o recobrado después de dictada la sentencia documentos decisivos, con los cuales se hubiera podido proferir una decisión diferente y que el recurrente no pudo aportarlos al proceso por fuerza mayor o caso fortuito o por obra de la parte contraria.

2. Haberse dictado la sentencia con fundamento en documentos falsos o adulterados.

3. Haberse dictado la sentencia con base en dictamen de peritos condenados penalmente por ilícitos cometidos en su expedición.

4. Haberse dictado sentencia penal que declare que hubo violencia o cohecho en el pronunciamiento de la sentencia.

5. Existir nulidad originada en la sentencia que puso fin al proceso y contra la que no procede recurso de apelación.

6. Aparecer, después de dictada la sentencia a favor de una persona, otra con mejor derecho para reclamar.

7. No tener la persona en cuyo favor se decretó una prestación periódica, al tiempo del reconocimiento, la aptitud legal necesaria o perder esa aptitud con posterioridad a la sentencia o sobrevenir alguna de las causales legales para su pérdida.

8. Ser la sentencia contraria a otra anterior que constituya cosa juzgada entre las partes del proceso en que aquella fue dictada. Sin embargo, no habrá lugar a revisión si en el segundo proceso se propuso la excepción de cosa juzgada y fue rechazada.

Concordancias: Art. 20 de la Ley 797 de 2003; Art. 355 del CGP.

Nota 1: Para el Consejo de Estado, a excepción de la causal del numeral 4°: «[...] ninguno de los yerros que posibilitan la revisión extraordinaria aluden a la actividad interpretativa del operador jurídico de las instancias, ni a la hermenéutica soporte de la decisión; no cuestionan la labor intelectual de juzgamiento, sino irregularidades procesales y probatorias, como se observa en cada una de las causales previstas en el mencionado artículo» (Consejo de Estado. Sala Plena de lo Contencioso Administrativo. Sala Cuarta Especial de Decisión. Sentencia del 7 de febrero de 2017. Rad. 11001-03-15-000-2013-02042-00 [REV]. C.P. Lucy Jeannette Bermúdez Bermúdez).

Nota 2: Las causales 8 y 5 son de índole procedimental; mientras que las causales 1, 2, 3, 6 y 7 recaen sobre aspectos que atañen a la validez intrínseca o insuficiencia de los elementos de prueba que determinaron el sentido de la decisión (Consejo de Estado. Sala Plena de lo Contencioso Administrativo. Sala Cuarta Especial de Decisión. Sentencia del 7 de febrero de 2017. Rad. 11001-03-15-000-2013-02042-00 [REV]. C.P. Lucy Jeannette Bermúdez Bermúdez).

Nota 3: La causal prevista en el numeral 1° de este artículo exige los siguientes presupuestos para su configuración: i) que se trate de pruebas documentales, quedando excluidos otros medios de convicción; ii) que las pruebas sean decisivas, es decir, que de haber obrado en el proceso hubieran cambiado la decisión o tuvieran la entidad suficiente para influir en el sentido del fallo; iii) que se hayan recobrado después de dictada la sentencia, por estar refundidas o extraviadas para el momento previsto en la ley para su aportación al proceso; iv) que preexistan al proceso que originó la revisión, no resultando admisibles aquellas fechadas posteriormente y tampoco las que a pesar de haber existido antes, no se aportaron o solicitaron oportunamente; v) que no se aportasen por fuerza mayor o caso fortuito o por obra de la parte contraria, circunstancia que corresponde acreditar al demandante (Consejo de Estado. Sala Plena de lo Contencioso Administrativo. Sentencia del 17 de julio de 2013. Rad. 11001-03-15-000-2009-00062-00[REV]. C.P. Alfonso Vargas Rincón; Consejo de Estado. Sala Plena de lo Contencioso Administrativo. Sentencia del 18 de octubre de 2005. Rad. 1998-00173[REV]).

No obstante, se precisa que aun cuando resulta imperioso que el recurrente pruebe que la imposibilidad de aportar el documento obedeció al actuar intencional de la contraparte o a circunstancias de fuerza mayor o caso fortuito, es decir, en el marco del quinto supuesto descrito, el Consejo de Estado solo ha acogido esta causal si se trata del primer suceso. En particular, se señaló:

«[...] la jurisprudencia de esta Sala ha distinguido entre la fuerza mayor y el caso fortuito, en el entendido que solo cuando se da la primera puede prosperar la causal, en cuanto extraña y por ende externa a la esfera jurídica de las vinculadas a la relación jurídica procesal, de suerte que aunque imprevisible, impone a cada quien asumir su propio riesgo. El caso fortuito, por el contrario, proviene de la propia actividad, por lo que, aún imprevisible por parte de quien pretende beneficiarse en la prueba, tampoco conlleva responsabilidad en cuanto cada quien está obligado a asumir su propio riesgo y a reparar por su traslado a terceros, esto es, a quien resulta ser ajeno al mismo.

De donde no puede argüirse *"olvido, incuria o abandono de la parte"*, por parte de quien pretende beneficiarse con la prueba, tampoco *"dificultad por grave que pueda parecer, por cuanto la ley exige una verdadera 'imposibilidad' apreciada objetivamente"* [...]» (Consejo de Estado. Sala de lo Contencioso Administrativo. Sección Segunda. Subsección B. Sentencia del 18 de mayo de 2018. Exp. 1001-14. C.P. Sandra Lisset Ibarra Vélez).

Nota 4: La causal prevista en el numeral 2° de este artículo se configura cuando la calificación de falsedad, o de adulteración, recae sobre el documento o documentos que sirvieron de fundamento principal para la decisión recurrida, motivo por el cual no puede tratarse de cualquier documento, sino de aquel o aquellos que tuvieron incidencia directa en el sentido de la decisión de la sentencia.

Para demostrar la falsedad o adulteración no se requiere de sentencia penal que declare su existencia —motivo por el cual no se contempla, en principio, la prejudicialidad penal, como sí ocurre en la jurisdicción ordinaria (numeral 2°, del art. 365 del CGP)—, pues «[...] al juez de lo Contencioso le corresponde esa labor a la luz de la llamada "falsedad civil", en virtud de la cual se ocupa de definir, objetivamente, la existencia de una adulteración total o parcial, material o ideológica del documento, mediante el examen de su contenido o integridad material», para lo cual se apoya en los conceptos de falsedad ideológica y material de la ciencia penal (Consejo de Estado. Sección Cuarta. Sentencia del 1° de agosto de 2016. Exp. 21635. C.P. Jorge Octavio Ramírez Ramírez).

Nota 5: Debido a que el legislador no determinó los eventos en los que se configura una «nulidad originada en la sentencia», fue la jurisprudencia del Consejo de Estado la que dotó de contenido la causal 5ª de este artículo, señalando que esa condición se refiere a situaciones «[...] originadas en la misma sentencia recurrida o en circunstancias sobrevinientes con influencia en la decisión, por desconocimiento grave o insaneable de alguna ritualidad sustantiva propia de la actuación» (Consejo de Estado. Sección Tercera. Subsección B. Sentencia del 07 de octubre de 2019. Rad. 11001-33-31-035-2008-00180-01).

Lo anterior supone corroborar: i) que el vicio alegado se originó en la sentencia, es decir, que se materializó con la adopción misma del fallo y no antes; y ii) que la anomalía es de tal magnitud que configura un defecto insaneable de la actuación, al punto que, de no presentarse ese yerro, la decisión adoptada hubiese sido diferente (Consejo de Estado. Sala Especial de Decisión No. 26. Sentencia del 14 de agosto de 2018. Rad. 11001-03-15-000-2014-03093-00; Consejo de Estado. Sala Especial de Decisión No. 22. Sentencia del 3 de diciembre de 2019. Rad. 11001-03-15-000-2014-03093-00; y Consejo de Estado. Sección Segunda. Subsección A. Sentencia del 18 de noviembre de 2018. Rad. 11001-03-25-000-2015-00996-00).

Sobre el primer punto —que el vicio alegado se originó en la sentencia— la jurisprudencia también ha establecido que, por regla general, no es posible «[...] alegar como fundamento del recurso, alguna causa de nulidad acaecida en una etapa previa a la sentencia, ya que 'la proposición de nulidades procesales se encuentra sometida a las reglas de oportunidad y legitimación previstas en el artículo 142 del Código de Procedimiento Civil [hoy, artículo 134 del Código General del Proceso], sin perjuicio del deber que el artículo 145 ibidem, impone al juez de declarar de oficio las nulidades insaneables que observe antes de dictar sentencia'» (Consejo de Estado. Sala Especial de Decisión No. 13. Sentencia del 07 de junio de 2016. Rad. 11001-03-15-000-2015-02493-00).

En cuanto al segundo punto —que la anomalía es de tal magnitud que configura un defecto insaneable de la actuación—, señaló que son dos los grupos de anomalías que pueden dar lugar a un defecto insaneable derivado de la sentencia: el primer grupo, relacionado con irregularidades que constituyen causal de nulidad del proceso y que solo pudieron ser advertidas en la sentencia, lo cual estaría referido a las causales de nulidad procesal previstas en la Ley 1437 de 2011, en el Código de Procedimiento Civil o en el Código General del Proceso, siempre y cuando solo hayan podido advertirse en la sentencia.

El segundo grupo se refiere a los vicios propios de la sentencia que pueden llevar a vulnerar el artículo 29 de la Constitución, refiriéndose a la inobservancia de aspectos procesales de tal transcendencia que afecten la garantía del debido proceso, lo que excluye la posibilidad de formular cuestionamientos que se refieran al contenido de la motivación, a la valoración probatoria o a la aplicación de una determinada norma (Consejo de Estado. Sala Especial de Decisión No. 26. Sentencia del 03 de febrero de 2015. Rad. 11001-03-15-000-1998-00157-01; Consejo de Estado. Sala Especial de Decisión No. 26. Sentencia del 03 de febrero de 2015. Rad. 11001-03-15-000-2011-01639-00; y Consejo de Estado. Sala Especial de Decisión No. 22. Sentencia del 02 de febrero de 2016. Rad. 11001-03-15-000-2015-02342-00).

Nota 6: La Subsección A, de la Sección Segunda del Consejo de Estado indicó así sobre la causal prevista en el numeral 7° de este artículo:

«[...] el Código de Procedimiento Administrativo y de lo Contencioso Administrativo se refiere a prestación periódica y no solo a pensión periódica, tal como ocurría en el numeral 4 del artículo 188 del C.C.A., lo que permite inferir que esta causal amplía su cobertura no solo a las pensiones, sino también a las demás prestaciones sociales o salariales de carácter periódico que pueden devenir de una relación laboral vigente. Incluso, podría pensarse en prestaciones periódicas de carácter no laboral ordenadas en la sentencia, como por ejemplo: el pago de una indemnización por estamentos o el reconocimiento de un lucro cesante en las mismas condiciones, en virtud de un contrato de prestación de servicios incumplido» (Consejo de Estado. Sección Segunda. Subsección A. Sentencia del 13 de febrero de 2020. Rad. 11001-03-25-000-2016-00287-00. Exp. 1637-16. C.P. Rafael Francisco Suárez Vargas).

Nota 7: La causal prevista en el numeral 8° de este artículo exige los siguientes presupuestos para su configuración: i) que existan dos sentencias contradictorias; ii) que la sentencia contrariada constituya cosa juzgada entre las partes del proceso que fue dictada; y iii) que en el segundo proceso no se haya propuesto como excepción la cosa juzgada, exigiéndosele al recurrente demostrar la imposibilidad de haber propuesto al interior del proceso ordinario dicha excepción, bien sea porque estuvo representado por curador *ad-litem* o porque ignoraba la existencia del proceso anterior, puesto que no puede premiarse la inactividad o negligencia de quien pudiendo alegar ese hecho exceptivo oportunamente, no lo hizo (Consejo de Estado. Sala Plena de lo Contencioso Administrativo. Sentencia del 02 de abril de 2013. Rad. 11001-015-000-2001-00118-01[REV]. C.P. Gerardo Arenas Monsalve).

Igualmente, se pone de presente que para comprender la citada causal debe tenerse presente el alcance y los efectos que el Código General del Proceso le da a la cosa juzgada en su artículo 303 —concurrencia de los elementos de identidad de causa, objeto y partes—.

ARTÍCULO 251. TÉRMINO PARA INTERPONER EL RECURSO

El recurso podrá interponerse dentro del año siguiente a la ejecutoria de la respectiva sentencia.

En los casos contemplados en los numerales 3 y 4 del artículo precedente, deberá interponerse el recurso dentro del año siguiente a la ejecutoria de la sentencia penal que así lo declare.

En el caso del numeral 7, el recurso deberá presentarse dentro del año siguiente a la ocurrencia de los motivos que dan lugar al recurso.

En los casos previstos en el artículo 20 de la Ley 797 de 2003, el recurso deberá presentarse dentro de los cinco (5) años siguientes a la ejecutoria de la providencia judicial o en los casos de que ella no se requiera, dentro del mismo término contado a partir del perfeccionamiento del acuerdo transaccional o conciliatorio.

ARTÍCULO 252. REQUISITOS DEL RECURSO

El recurso debe interponerse mediante escrito que deberá contener:

1. La designación de las partes y sus representantes.
2. Nombre y domicilio del recurrente.
3. Los hechos u omisiones que le sirvan de fundamento.
4. La indicación precisa y razonada de la causal invocada.

Con el recurso se deberá acompañar poder para su interposición y las pruebas documentales que el recurrente tenga en su poder y solicitará las que pretende hacer valer.

Concordancias: Arts. 162 y 303 núm. 5 del CPACA.

ARTÍCULO 253. TRÁMITE

<Artículo modificado por el artículo 69 de la Ley 2080 de 2021. El nuevo texto es el siguiente:> Recibido el expediente, el magistrado ponente resolverá sobre la admisión del recurso. Si este se inadmite por no reunir los requisitos formales exigidos en el artículo 252, se concederá al recurrente un plazo de cinco (5) días para subsanar los defectos advertidos.

El recurso se rechazará cuando:

1. No se presente en el término legal.
2. Haya sido formulado por quien carece de legitimación para hacerlo.
3. No se subsanen en término las falencias advertidas en la inadmisión.

Admitido el recurso, este auto se notificará personalmente a la otra parte y al Ministerio Público para que lo contesten dentro de los diez (10) días siguientes, si a bien lo tienen, y pidan pruebas.

Dentro de este trámite no se podrán proponer excepciones previas y tampoco procederá la reforma del recurso de revisión.

PARÁGRAFO. En ningún caso, el trámite del recurso de revisión suspende el cumplimiento de la sentencia.

ARTÍCULO 254. PRUEBAS

Si se decretaren pruebas de oficio o a solicitud de parte, se señalará un término máximo de treinta (30) días para practicarlas.

ARTÍCULO 255. SENTENCIA

<Artículo modificado por el artículo 70 de la Ley 2080 de 2021. El nuevo texto es el siguiente:> Vencido el período probatorio se dictará sentencia.

Si el competente encuentra fundada alguna de las causales de los numerales 1 a 4 y 6 a 8 del artículo 250 de este código, o la del literal b) del artículo 20 de la Ley 797 de 2003, invalidará la sentencia revisada y dictará la que en derecho corresponde.

En la sentencia que invalide la decisión revisada se resolverá sobre las restituciones, cancelaciones, perjuicios, frutos, mejoras, deterioros y demás consecuencias de dicha invalidación. Si en el expediente no existiere prueba para imponer la condena en concreto, esta se hará en abstracto y se dará cumplimiento a lo dispuesto en el artículo 193 de este código.

Si halla fundada la causal del numeral 5 del señalado artículo 250, o la del literal a) del artículo 20 de la Ley 797 de 2003, declarará la nulidad de la sentencia o de la actuación afectada con la causal que dio lugar a la revisión, y devolverá el proceso a la autoridad judicial de origen para que rehaga lo actuado o dicte sentencia de nuevo, según corresponda.

Si se declara infundado el recurso, se condenará en costas y perjuicios al recurrente.

Concordancias: Art. 270 del CPACA.

CAPÍTULO II
RECURSO EXTRAORDINARIO DE UNIFICACIÓN DE JURISPRUDENCIA

ARTÍCULO 256. FINES

El recurso extraordinario de unificación de jurisprudencia tiene como fin asegurar la unidad de la interpretación del derecho, su aplicación uniforme y garantizar los derechos de las partes y de los terceros que resulten perjudicados con la providencia recurrida y, cuando fuere del caso, reparar los agravios inferidos a tales sujetos procesales.

Concordancias: Art. 11 de la Ley 1285 de 2009; Arts. 10 y 102 del CPACA.

Nota 1: El recurso extraordinario de unificación de jurisprudencia integra la pretensión de coherencia del ordenamiento en el derecho administrativo y la garantía de seguridad jurídica de los operadores. Asimismo, concreta la vinculatoriedad de la jurisprudencia de unificación del Consejo de Estado. Al respecto, se advierte que el recurso extraordinario no supone la supresión de la independencia judicial (Art. 230 de la Const. Pol.) de los jueces de inferior jerarquía, la justicia del caso concreto y la facultad para apartarse de la jurisprudencia de forma razonada y argumentada desde una perspectiva constitucional.

ARTÍCULO 257. PROCEDENCIA

<Artículo modificado por el artículo 71 de la Ley 2080 de 2021. El nuevo texto es el siguiente:> El recurso extraordinario de unificación de jurisprudencia procede contra las sentencias dictadas en única y en segunda instancia por los tribunales administrativos, tanto para los procesos que se rigen por el Decreto 01 de 1984 como para aquellos que se tramitan por la Ley 1437 de 2011.

Tratándose de sentencias de contenido patrimonial o económico, el recurso procederá siempre que la cuantía de la condena o, en su defecto, de las pretensiones de la demanda, sea igual o exceda de los siguientes montos vigentes al momento de la interposición del recurso:

1. Doscientos cincuenta (250) salarios mínimos mensuales legales vigentes, en los procesos de nulidad y restablecimiento del derecho en que se controviertan actos administrativos de cualquier autoridad.
2. Doscientos cincuenta (250) salarios mínimos mensuales legales vigentes, en los procesos que se promuevan sobre el monto, distribución o asignación de impuestos, contribuciones y tasas nacionales, departamentales, municipales o distritales.
3. Cuatrocientos cincuenta (450) salarios mínimos mensuales legales vigentes, en los procesos sobre contratos de las entidades estatales, en sus distintos órdenes.
4. Cuatrocientos cincuenta (450) salarios mínimos mensuales legales vigentes, en los procesos de reparación directa y en la repetición que el Estado ejerza contra los servidores o exservidores públicos y personas privadas que de conformidad con la ley cumplan funciones públicas.

PARÁGRAFO. En los procesos de nulidad y restablecimiento del derecho de carácter laboral y pensional procederá el recurso extraordinario sin consideración de la cuantía.

Este recurso no procederá para los asuntos previstos en los artículos 86, 87 y 88 de la Constitución Política.

Nota 1: El aparte «por los tribunales administrativos» en el primer inciso pertenecía al texto original de la Ley 1437 de 2011 y permaneció en el artículo 71 de la Ley 2080 de 2021. Este fragmento fue declarado exequible por la Corte Constitucional. El cargo que estudió la Corporación fue la vulneración de los derechos a la igualdad y al acceso a la administración de justicia, así como el principio de seguridad jurídica, en la medida en que se excluye su procedencia respecto de los fallos que en esas mismas instancias se profieren por las distintas secciones y subsecciones que integran el Consejo de Estado. Al respecto, la Corporación estimó la exequibilidad de la norma estimando que la teleología del recurso es el respeto del precedente vinculante vertical, lo que supone jerarquía y subordinación funcional, presupuesto que no se identifica entre las providencias de las distintas secciones y subsecciones del Consejo de Estado. De la providencia, se destaca: «En el asunto *sub-judice*, el recurso extraordinario objeto de controversia se encuentra regulado como una vía para asegurar el respeto del precedente vertical consagrado en sentencias de unificación; por lo que, a partir de dicho objetivo, se entiende que su procedencia se circunscriba a las decisiones de "*única y segunda instancia*" dictadas por los tribunales administrativos. En efecto, como ya se ha dicho, en relación con los jueces de inferior jerarquía se entiende que su desconocimiento puede corregirse a través de los medios ordinarios de contradicción; y en cuanto a las dependencias internas que integran el Consejo de Estado, no se presenta el supuesto de sujeción jerárquica o de subordinación funcional que explica la viabilidad de este recurso, conforme se explicó con anterioridad» (Corte Constitucional. Sentencia C-179 de 2016. M.P. Luis Guillermo Guerrero Pérez).

Nota 2: Durante la vigencia de la versión original del artículo, la Sección Segunda del Consejo de Estado unificó jurisprudencia sobre la procedencia del recurso extraordinario de unificación en materia laboral. Así:
«a- El recurso extraordinario de unificación jurisprudencial contenido en el Código de Procedimiento Administrativo y de lo Contencioso Administrativo es procedente respecto de sentencias dictadas en procesos judiciales que se iniciaron, tramitaron y terminaron bajo el imperio de leyes anteriores a la vigencia de aquel, como lo es el Código Contencioso Administrativo. Ello en virtud de su naturaleza extraordinaria y de lo dispuesto en el artículo 308 del CPACA.
b- En los procesos de nulidad y restablecimiento del derecho de carácter laboral, que no provengan de un contrato de trabajo, son requisitos para la concesión del recurso extraordinario de unificación de jurisprudencia (i) que la decisión impugnada haya sido proferida en única o segunda instancia por un Tribunal Administrativo; (ii) que el recurrente goce de legitimación en la causa y (iii) que se interponga oportunamente y por escrito.
c- Inaplicar el requisito de cuantía consagrado en el numeral 1 del artículo 257 del CPACA respecto del recurso extraordinario de unificación de jurisprudencia en materia laboral cuando su exigencia, en el caso concreto, se traduzca en el desconocimiento del derecho fundamental de acceso a la administración de justicia o tutela judicial efectiva» (Consejo de Estado. Sección Segunda. Auto de Unificación del 28 de marzo de 2019. Rad. 0288-15. C.P. William Hernández Gómez).
Nótese que lo decidido en 2019 fue tenido en cuenta por el legislador en la reforma de 2021, que eliminó el requisito de la cuantía para asuntos laborales en el parágrafo e incluyó a los procesos tramitados mediante el Decreto 1 de 1984 como objeto del recurso.

ARTÍCULO 258. CAUSAL

Habrá lugar al recurso extraordinario de unificación de jurisprudencia cuando la sentencia impugnada contraríe o se oponga a una sentencia de unificación del Consejo de Estado.

Nota 1: Son sentencias de unificación las que se dictan: i) por razones de importancia jurídica, trascendencia económica o social, necesidad de sentar o unificar jurisprudencia o precisar su alcance o resolver las divergencias en su interpretación y aplicación —art. 271

del CPACA—; ii) con ocasión del recurso extraordinario de revisión —art. 248 del CPACA—; iii) con ocasión del recurso extraordinario de unificación de jurisprudencia —art. 256 del CPACA—; y iv) con ocasión del mecanismo eventual de revisión previsto en el artículo 36A de la Ley 270 de 1996, adicionado por el artículo 11 de la Ley 1285 de 2009.

ARTÍCULO 259. COMPETENCIA

Del recurso extraordinario de unificación de jurisprudencia previsto en este capítulo conocerá, según el acuerdo correspondiente del Consejo de Estado y en atención a su especialidad, la respectiva sección de la Sala de lo Contencioso Administrativo de la misma Corporación.

Concordancias: Acuerdo 80 de 2019 del Consejo de Estado.

Nota 1: En cualquier caso, el Art. 111 núm. 3 habilita faculta a la Sala Plena de lo Contencioso Administrativo para asumir el conocimiento y expedir las sentencias de unificación en los términos del Art. 271.

ARTÍCULO 260. LEGITIMACIÓN

Se encuentran legitimados para interponer el recurso cualquiera de las partes o de los terceros procesales que hayan resultado agraviados por la providencia, quienes deberán actuar por medio de apoderado a quien se haya otorgado poder suficiente; sin embargo, no se requiere otorgamiento de nuevo poder.

PARÁGRAFO. No podrá interponer el recurso quien no apeló la sentencia de primer grado ni adhirió a la apelación de la otra parte, cuando el fallo de segundo grado sea exclusivamente confirmatorio de aquella.

ARTÍCULO 261. INTERPOSICIÓN

<Artículo modificado por el artículo 72 de la Ley 2080 de 2021. El nuevo texto es el siguiente:>

El recurso extraordinario de unificación de jurisprudencia deberá interponerse y sustentarse por escrito ante quien expidió la providencia, a más tardar dentro de los diez (10) días siguientes a su ejecutoria.

Si el recurso se interpuso y sustentó en término, el ponente lo concederá dentro de los cinco (5) días siguientes y ordenará remitir el expediente al competente para resolverlo. De lo contrario, lo rechazará o declarará desierto; según el caso.

La concesión del recurso no impide la ejecución de la sentencia, salvo cuando haya sido recurrida totalmente por ambas partes y por los terceros reconocidos en el proceso. Sin embargo, cuando el recurso no comprenda todas las decisiones, se cumplirá lo no recurrido. Lo anterior, sin perjuicio de lo regulado en el artículo 264 de este código.

Nota 1: De la redacción, se concluye que, actualmente, el recurso extraordinario de unificación de jurisprudencia debe interponerse y sustentarse simultáneamente. Sin embargo, esta es una novedad de la Ley 2080 de 2021 pues, en su versión original, los tribunales administrativos debían conceder el recurso y posteriormente ordenar traslado para que la parte recurrente lo sustente.

ARTÍCULO 262. REQUISITOS DEL RECURSO

El recurso extraordinario de unificación de jurisprudencia deberá contener.

1. La designación de las partes.
2. La indicación de la providencia impugnada.
3. La relación concreta, breve y sucinta de los hechos en litigio.
4. La indicación precisa de la sentencia de unificación jurisprudencial que se estima contrariada y las razones que le sirven de fundamento.

Nota 1: Se destaca que, si bien se debe indicar la sentencia de unificación jurisprudencial que se estima contrariada y las razones que le sirven de fundamento, no es necesario anexar copia de esta.

ARTÍCULO 263. CUANTÍA DEL INTERÉS PARA RECURRIR

Cuando sea necesario tener en cuenta el valor del interés para recurrir y este no aparezca determinado, antes de resolver sobre la concesión del recurso, el ponente, en el Tribunal Administrativo, dispondrá que aquel se justiprecie por un perito, dentro del término que le señale y a costa del recurrente. Si por culpa de este, no se practica el dictamen, se declarará desierto el recurso. El dictamen no es objetable. Denegado el recurso por el Tribunal Administrativo o declarado desierto, el interesado podrá recurrir en queja ante el Consejo de Estado.

Concordancias: Arts. 352-353 del CGP y Art. 245 del CPACA.

ARTÍCULO 264. SUSPENSIÓN DE LA SENTENCIA RECURRIDA

Cuando el recurrente fuere único, este podrá solicitar que se suspenda el cumplimiento de la providencia recurrida, para lo cual deberá prestar caución dentro de los diez (10) días siguientes a la notificación del auto que la ordene, para responder por los perjuicios que se llegaren a causar. La naturaleza y monto para prestarla serán fijados por el ponente en el tribunal. Si el recurrente no otorga la caución en la forma y términos ordenados, continuará el trámite del recurso pero no se suspenderá la ejecución de la sentencia.

<Inciso modificado por el artículo 73 de la Ley 2080 de 2021. El nuevo texto es el siguiente:> Si la caución prestada es suficiente se decretará la suspensión del cumplimiento de la sentencia en el mismo auto que conceda el recurso. Si el recurrente no otorga la caución en la forma y términos ordenados, continuará el trámite del recurso, pero no se suspenderá la ejecución de la sentencia.

Nota 1: La norma, reiterativa al cierre de ambos incisos, prevé lo que, para este asunto en particular, podría identificarse como una medida cautelar especial.

ARTÍCULO 265. ADMISIÓN DEL RECURSO

<Artículo modificado por el artículo 74 de la Ley 2080 de 2021. El nuevo texto es el siguiente:> Concedido el recurso por el Tribunal y remitido el expediente al Consejo de Estado se someterá a reparto en la sección que corresponda.

Si el recurso reúne los requisitos legales, el magistrado ponente lo admitirá. Si carece de los requisitos consagrados en el artículo 262, señalará los defectos para que el recurrente los subsane en el término de cinco (5) días, si este no lo hiciere, lo rechazará y ordenará devolver el expediente al despacho de origen.

El recurso también será rechazado cuando fuere improcedente pese a haberse concedido.

PARÁGRAFO. El recurso se rechazará de plano y se condenará en costas al recurrente, cuando no se fundamente directamente en una sentencia de unificación jurisprudencial o cuando sea evidente que esta no es aplicable al caso.

ARTÍCULO 266. TRÁMITE DEL RECURSO

En el auto que admita el recurso se ordenará dar traslado por quince (15) días al opositor u opositores y al Ministerio Público, si este no fuere el recurrente.

Vencido el término anterior, el ponente, dentro de los diez (10) siguientes, podrá citar a las partes a audiencia que se llevará a cabo dentro de los treinta (30) días contados a partir de la ejecutoria del auto que la señale, para oír a cada parte, por el término de veinte (20) minutos, en los asuntos que considere necesario.

Celebrada la audiencia o fallida esta, por la no comparecencia de las partes, el ponente registrará proyecto de decisión, si fuere sentencia dentro de los cuarenta (40) días siguientes.

ARTÍCULO 267. EFECTOS DE LA SENTENCIA

<Artículo modificado por el artículo 75 de la Ley 2080 de 2021. El nuevo texto es el siguiente:> Si prospera el recurso, total o parcialmente, la sala anulará, en lo pertinente, la providencia recurrida y dictará la que deba reemplazarla o adoptará las decisiones que correspondan. Si el recurso es desestimado, se condenará en costas al recurrente.

Cuando el Consejo de Estado anule una providencia que se cumplió en forma total o parcial, declarará sin efecto los actos procesales realizados con tal fin, y dispondrá que el juez de primera o única instancia proceda a las restituciones y adopte las medidas a que hubiere lugar. Además, el Consejo de Estado ordenará que en el auto de obedecimiento a lo resuelto en el recurso extraordinario se cancele la caución de que trata el artículo 264.

Si el recurso de unificación de jurisprudencia no prospera, la caución seguirá amparando los perjuicios causados, los cuales se liquidarán y aprobarán mediante incidente, ante el despacho de primera o única instancia, según el caso. Este deberá proponerse dentro de los sesenta (60) días siguientes a la notificación del auto de obedecimiento a lo resuelto por el superior.

Concordancias: Art. 270 del CPACA.

ARTÍCULO 268. DESISTIMIENTO

<Artículo modificado por el artículo 76 de la Ley 2080 de 2021. El nuevo texto es el siguiente:> El recurrente podrá desistir del recurso mientras no se haya dictado resolución judicial que ponga fin al mismo. Si el desistimiento solo proviene de alguno de los recurrentes, el recurso continuará respecto de las personas no comprendidas en el desistimiento.

El desistimiento debe ser incondicional, salvo acuerdo de las partes, y solo perjudica a los solicitantes y a sus causahabientes.

A la solicitud le serán aplicables las disposiciones contenidas en el artículo 316 del Código General del Proceso, en lo pertinente, incluida la condena en costas.

Cuando el recurrente sea una entidad, órgano u organismo estatal, el desistimiento deberá estar suscrito por el apoderado judicial con autorización previa y escrita de su representante, debidamente acreditado, según lo previsto en el artículo 159 de este código.

TÍTULO VII
EXTENSIÓN Y UNIFICACIÓN DE LA JURISPRUDENCIA

CAPÍTULO I
EXTENSIÓN DE LA JURISPRUDENCIA DEL CONSEJO DE ESTADO

ARTÍCULO 269. PROCEDIMIENTO PARA LA EXTENSIÓN DE LA JURISPRUDENCIA DEL CONSEJO DE ESTADO A TERCEROS

<Artículo modificado por el artículo 77 de la Ley 2080 de 2021. El nuevo texto es el siguiente:> Si se niega la extensión de los efectos de una sentencia de unificación o la autoridad hubiere guardado silencio en los términos del artículo 102 de este código, el interesado, a través de apoderado, podrá acudir ante el Consejo de Estado mediante escrito razonado en el que evidencie que se encuentra en similar situación de hecho y de derecho del demandante al cual se le reconoció el derecho en la sentencia de unificación invocada.

Al escrito deberá acompañar copia de la actuación surtida ante la autoridad competente y manifestar, bajo la gravedad del juramento, que se entenderá prestado con la sola presentación de la solicitud, que no ha acudido a la jurisdicción de lo contencioso administrativo, con el fin de obtener el reconocimiento del derecho que se pretende.

Si el escrito no cumple los requisitos, se inadmitirá para que se corrija dentro del término de los diez (10) días siguientes. En caso de no hacerlo, se rechazará la solicitud de extensión.

La petición de extensión se rechazará de plano por el ponente cuando:

1. El peticionario ya hubiere acudido a la Jurisdicción de lo Contencioso Administrativo, con el fin de obtener el reconocimiento del derecho que se pretende en la solicitud de extensión.

2. Se haya presentado extemporáneamente.

3. Se pida extender una sentencia que no sea de unificación.

4. La sentencia de unificación invocada no sea de aquellas que reconocen un derecho.

5. Haya operado la caducidad del medio de control procedente o la prescripción total del derecho reclamado.

6. Se establezca que no procede la extensión solicitada por no existir o no estar acreditada la similitud entre la situación planteada por el peticionario y la sentencia de unificación invocada.

De cumplir con los requisitos se admitirá la solicitud y del escrito se dará traslado a la entidad frente a la cual se solicita la extensión y a la Agencia Nacional de Defensa Jurídica del Estado, por el término común de treinta (30) días, para que aporten las pruebas que consideren pertinentes. La entidad convocada y la Agencia Nacional de Defensa Jurídica del Estado solo podrán oponerse a la extensión, por las mismas razones a las que se refiere el artículo 102 de este Código.

Vencido el término de traslado referido anteriormente, las partes y el Ministerio Público podrán presentar por escrito sus alegaciones en el término común de diez (10) días, sin necesidad de auto que lo ordene.

Dentro de los treinta (30) días siguientes al vencimiento del término anterior, se decidirá la petición. Si la solicitud se estima procedente, la Sala ordenará por escrito la extensión de la jurisprudencia y el reconocimiento del derecho a que hubiere lugar. Esta decisión tendrá los mismos efectos del fallo extendido.

Cuando resulte pertinente se convocará a audiencia de alegatos en la cual se adoptará la decisión a que haya lugar. A esta audiencia se podrá ordenar la presencia del funcionario de la entidad que tenga la competencia para decidir el asunto, el cual tendrá la obligación de asistir so pena de incurrir en falta grave.

Si la extensión del fallo implica el reconocimiento de un derecho patrimonial al peticionario, que deba ser liquidado, la liquidación se hará en la misma decisión con base en las pruebas aportadas.

De no existir acervo probatorio suficiente para la liquidación, la decisión se dictará en abstracto, caso en el cual la liquidación se hará, a petición de la parte interesada, mediante el trámite incidental previsto en el artículo 193 de este código para la liquidación de condenas. El peticionario promoverá el incidente mediante escrito presentado dentro de los treinta (30) días siguientes a la ejecutoria de la decisión que ordene la extensión, ante la autoridad judicial que habría sido competente para conocer del medio. de control en relación con el asunto que dio lugar a la extensión de la jurisprudencia.

Contra la decisión que liquide el derecho patrimonial procede el recurso de reposición, exclusivamente por desacuerdo en su monto.

Negada la solicitud de extensión; el interesado podrá acudir a la autoridad para que resuelva de fondo el asunto, según las reglas generales, si no lo hubiere decidido con anterioridad. En este caso, el pronunciamiento de la autoridad podrá ser susceptible de control judicial por el medio de control de nulidad y restablecimiento del derecho, cuando este proceda.

Si ya existiere decisión administrativa de fondo, o si el medio de control procedente no requiere pronunciamiento expreso de la entidad, con la ejecutoria de la providencia que niega la extensión se reanudará el término para demandar, conforme a las reglas establecidas para la presentación de la demanda.

Si el Consejo de Estado encuentra que la solicitud de extensión de jurisprudencia es manifiestamente improcedente condenará en costas al peticionario.

PARÁGRAFO 1o. La sola decisión sobre extensión de jurisprudencia no será causal de impedimento o recusación del funcionario judicial.

PARÁGRAFO 2o. En ningún caso, se tramitará el mecanismo de extensión de jurisprudencia si la materia o asunto no es de conocimiento de la jurisdicción de lo contencioso administrativo, según las reglas previstas en los artículos 104 y 105 de este código.

Concordancias: Arts. 102 y 270 del CPACA; Sentencia C-816 de 2011.

Nota 1: El texto original del presente artículo fue modificado por el artículo 616 del CGP y, posteriormente, por el artículo 77 de la ley 2080 de 2021. El texto original disponía el siguiente fragmento: «La administración podrá oponerse por las mismas razones a que se refiere el artículo 102 de este Código». El mismo fue declarado exequible por la Corte Constitucional. De la providencia, se destaca: «En todo caso, las expresiones "si se niega la extensión de los efectos de una sentencia de unificación", del inciso 1° del artículo 269 de la misma Ley, y "la administración podrá oponerse por las mismas razones a que se refiere el artículo 102 de este Código", del inciso 2º del mismo artículo, se declararan compatibles con la Constitución, bajo el entendimiento que tanto la negación administrativa de la extensión de los efectos al solicitante como la oposición de la administración en el marco del procedimiento del artículo 269 de la Ley 1437/11, proceden por las causales consagradas en los incisos 1º y 2º del respectivo inciso» (Corte Constitucional. Sentencia C-588 de 2012. M.P. Mauricio Gonzáles Cuervo). Se denota que la expresión vigente equivale a: «La entidad convocada y la Agencia Nacional de Defensa Jurídica del Estado solo podrán oponerse a la extensión, por las mismas razones a las que se refiere el artículo 102 de este Código» (énfasis fuera de texto), contenida en el 11° inciso.

Nota 2: El artículo 269 complementa el mecanismo de extensión de jurisprudencia regulado en el artículo 102 del CPACA, a través de un procedimiento judicial que confía al máximo órgano de la jurisdicción de lo contencioso administrativo la revisión de la decisión negativa emitida por la autoridad competente. Se trata de una verificación sobre la similitud fáctica y jurídica entre la situación del interesado y el caso resuelto en la sentencia de unificación jurisprudencial que se invoque desconocida. A diferencia del trámite ante la autoridad —art. 102—, el interesado debe actuar a través de apoderado y, como este mecanismo está pensado para evitar el litigio contencioso administrativo, es incompatible con la vía judicial ordinaria para el reclamo de lo pretendido.

ARTÍCULO 270. SENTENCIAS DE UNIFICACIÓN JURISPRUDENCIAL

<Artículo modificado por el artículo 78 de la Ley 2080 de 2021. El nuevo texto es el siguiente:> Para los efectos de este Código se tendrán como sentencias de unificación jurisprudencial las que profiera o haya proferido el Consejo de Estado por importancia jurídica o trascendencia económica o social o por necesidad de unificar o sentar jurisprudencia precisar su alcance o resolver las divergencias en su interpretación y aplicación; las proferidas al decidir los recursos extraordinarios y las relativas mecanismo eventual de revisión previsto en el artículo 36A de la Ley 270 de 1996, adicionado por el artículo 11 de la Ley 1285 de 2009.

Concordancias: Art. 11 de la Ley 1285 de 2009; Arts. 10, 102, 248, 150, 245, 248, 256, 269 y 271 del CPACA.

Nota 1: El texto original del artículo fue declarado exequible (Corte Constitucional. Sentencia C-588 de 2012. M.P. Mauricio Gonzáles Cuervo).

Nota 2: Las sentencias de unificación jurisprudencial del Consejo de Estado son una manifestación de la consolidación del precedente judicial en el Derecho Administrativo y la transformación de su sistema de fuentes, sin perjuicio de la aplicación preferente de las sentencias expedidas por la Corte Constitucional, tal como se expresó en la Sentencia C-634 de 2011. En torno, a la finalidad de las sentencias de unificación, Cristian Andrés Díaz Díez expresa: «Es cierto que las sentencias de unificación jurisprudencial persiguen la finalidad de establecer la forma correcta como se debe interpretar una disposición normativa, más allá de la solución dada a un caso específico por el Consejo de Estado, por lo cual dicha interpretación autorizada no puede estar en otro lugar sino en la parte considerativa del fallo, por ser allí donde se plasma la motivación, expresándose los argumentos directamente vinculados con el sentido de la decisión. Sin embargo, no solo la *ratio decidendi* de las sentencias de unificación jurisprudencial revisten un carácter obligatorio, sino cualquier otra interpretación hecha por el Consejo de Estado a una norma jurídica constitucional, legal o reglamentaria, en la parte motiva del fallo, con lo cual se derrumba la clásica distinción entre *ratio decidendi* y *obiter dictum*» (DÍAZ DÍEZ, Cristian Andrés. El precedente en el derecho administrativo. Medellín: Librería Jurídica Sánchez R. Ltda, CEDA y Facultad de Derecho y Ciencias Políticas de la Universidad de Antioquia, 2016, pp. 133).

ARTÍCULO 271. DECISIONES POR IMPORTANCIA JURÍDICA, TRASCENDENCIA ECONÓMICA O SOCIAL O NECESIDAD DE SENTAR JURISPRUDENCIA O PRECISAR SU ALCANCE O RESOLVER LAS DIVERGENCIAS EN SU INTERPRETACIÓN Y APLICACIÓN

<Artículo modificado por el artículo 79 de la Ley 2080 de 2021. El nuevo texto es el siguiente:> Por razones de importancia jurídica, trascendencia económica o social o necesidad de sentar o unificar jurisprudencia o precisar su alcance o resolver las divergencias en su interpretación y aplicación que ameriten la expedición de una sentencia o auto de unificación jurisprudencial, el Consejo de Estado podrá asumir conocimiento de los asuntos pendientes de fallo o de decisión interlocutoria. Dicho conocimiento podrá asumirse de oficio; por remisión de las secciones o subsecciones del Consejo de Estado, o de los tribunales; a solicitud de parte, o por solicitud de la Agencia Nacional de Defensa Jurídica del Estado o del Ministerio Público. Los procesos susceptibles de este mecanismo que se tramiten ante los tribunales administrativos deben ser de única o de segunda instancia.

En estos casos, corresponde a la Sala Plena de lo Contencioso Administrativo del Consejo de Estado dictar sentencias y autos de unificación jurisprudencial sobre los asuntos que provengan de sus secciones. Las secciones de la Sala de lo Contencioso Administrativo del Consejo de Estado dictarán sentencias y autos de unificación en esos mismos eventos, en relación con los asuntos que provengan de las subsecciones de la corporación, de los despachos de los magistrados que las integran, o de los tribunales, según el caso. Las decisiones que pretendan unificar o sentar jurisprudencia sobre aspectos procesales que sean transversales a todas las secciones del Consejo de Estado, solo podrán ser proferidas por la Sala Plena de lo Contencioso Administrativo.

Para asumir el trámite a solicitud de parte o de la Agencia Nacional de Defensa Jurídica del Estado, la petición deberá formularse hasta antes de que se registre ponencia de fallo. Si la petición proviene de un consejero de Estado, del tribunal administrativo, o del Ministerio Público, esta podrá formularse sin la limitación temporal anterior. La Agencia Nacional de Defensa Jurídica del Estado solo podrá solicitarlo cuando previamente haya intervenido o se haya hecho parte dentro del proceso.

La petición contendrá una exposición sobre las circunstancias que imponen el conocimiento del proceso y las razones que determinan la importancia jurídica trascendencia económica o social o la necesidad de Unificar o sentar jurisprudencia, o precisar su alcance o resolver las divergencias en su interpretación y aplicación.

La petición que se formule para que el Consejo de Estado asuma el conocimiento del proceso no suspenderá su trámite, salvo que el Consejo de Estado adopte dicha decisión.

La instancia competente decidirá si avoca o no el conocimiento del asunto, mediante auto no susceptible de recursos.

PARÁGRAFO. El Consejo de Estado implementará un mecanismo electrónico de fácil acceso que permita comunicar y alertar a sus integrantes y a la ciudadanía en general respecto de aquellas materias o temas que estén en trámite en la Corporación, y que por su importancia jurídica, trascendencia económica o social o por necesidad de unificar o sentar jurisprudencia o precisar su alcance o resolver las divergencias en su interpretación y aplicación, puedan ser propuestos para ser asumidos de oficio por la Sala Plena de lo Contencioso Administrativo, para los fines previstos en este artículo.

Este mecanismo también permitirá que los juzgados y tribunales del país informen sobre procesos en trámite en los respectivos distritos judiciales, que por tener circunstancias similares, puedan ser asumidos por el Consejo de Estado para los fines de este artículo. Así mismo, servirá para advertir las divergencias en la interpretación o aplicación de las sentencias y autos de unificación por parte del Consejo de Estado.

Concordancias: Arts. 10, 102, 269 y 270 del CPACA.

Nota 1: De la reforma del artículo 79 de la Ley 2080 de 2021 se destaca el reconocimiento expreso de la competencia para dictar «autos de unificación», facultad que la Corporación ya había asumido en la jurisprudencia años antes. Véase: Consejo de Estado. Sala Plena de lo Contencioso Administrativo. Auto de Unificación Jurisprudencial del 25 de junio de 2014. Rad. 49299. C.P. Enrique Gil Botero. A su vez, se identifica que la reforma conservó las causales de unificación referentes a «[...] importancia jurídica, trascendencia económica o social o necesidad de sentar jurisprudencia» y agregó: «[...] sentar o unificar jurisprudencia o precisar su alcance o resolver las divergencias en su interpretación y aplicación que ameriten la expedición de una sentencia o auto de unificación jurisprudencial». Al respecto, se destaca la vaguedad e indeterminación de las causales del texto original y del vigente, pues solo la jurisprudencia puede caso a caso, informar sobre el contenido de *conceptos jurídicos indeterminados* como «importancia jurídica», «trascendencia económica o social», «necesidad de sentar jurisprudencia».

CAPÍTULO II
MECANISMO EVENTUAL DE REVISIÓN

ARTÍCULO 272. FINALIDAD DE LA REVISIÓN EVENTUAL EN LAS ACCIONES POPULARES Y DE GRUPO

La finalidad de la revisión eventual establecida en el artículo 36A de la Ley 270 de 1996, Estatutaria de Administración de Justicia, adicionado por artículo 11 de la Ley 1285 de 2009, es la de unificar la jurisprudencia en tratándose de los procesos promovidos para la protección de los derechos e intereses colectivos y la reparación de daños causados a un grupo y, en consecuencia, lograr la aplicación de la ley en condiciones iguales frente a la misma situación fáctica y jurídica.

Concordancias: Art. 36A de la Ley 270 de 1996; Arts. 270, 272, 273 y 274 del CPACA.

ARTÍCULO 273. PROCEDENCIA

La revisión eventual procederá, a petición de parte o del Ministerio Público, contra las sentencias o providencias que determinen la finalización o archivo de los procesos promovidos para la protección de los derechos e intereses colectivos y la reparación de daños causados a un grupo, proferidas por los Tribunales Administrativos, que no sean susceptibles del recurso de apelación ante el Consejo de Estado, en los siguientes casos:

1. Cuando la providencia objeto de la solicitud de revisión presente contradicciones o divergencias interpretativas, sobre el alcance de la ley aplicada entre tribunales.

2. Cuando la providencia objeto de la solicitud se oponga en los mismos términos a que se refiere el numeral anterior a una sentencia de unificación del Consejo de Estado o a jurisprudencia reiterada de esta Corporación.

Nota 1: La Corte Constitucional se declaró inhibida para pronunciarse sobre la exequibilidad de los fragmentos «los Tribunales Administrativos» y el «Consejo de Estado» (Corte Constitucional. Sentencia C-189 de 2021. M.P. José Fernando Reyes Cuartas).

ARTÍCULO 274. COMPETENCIA Y TRÁMITE

De la revisión eventual conocerá la sección que el reglamento determine según su especialidad y para su trámite se observarán las siguientes reglas:

1. La petición deberá formularse dentro de los ocho (8) días siguientes al de la ejecutoria de la sentencia o providencia con la cual se ponga fin al respectivo proceso.

2. En la petición deberá hacerse una exposición razonada sobre las circunstancias que imponen la revisión, y acompañarse a la misma copia de las providencias relacionadas con la solicitud.

3. Los Tribunales Administrativos, dentro del término de ocho (8) días contados a partir de la radicación de la petición, deberán remitir, con destino a la correspondiente sección que el reglamento determine, el expediente, para que dentro del término máximo de tres (3) meses, a partir de su recibo, esta resuelva, mediante auto motivado, sobre la petición de revisión.

4. Cuando se decida no seleccionar una determinada providencia, cualquiera de las partes o el Ministerio Público podrá insistir en su petición, dentro de los cinco (5) días siguientes a la notificación de dicha decisión. La decisión de selección o no selección y la resolución de la insistencia serán motivadas.

5. La sentencia sobre las providencias seleccionadas para revisión será proferida, con el carácter de Sentencia de Unificación por la sección que el reglamento determine según su especialidad, dentro de los seis (6) meses siguientes a la fecha de su selección.

6. Si prospera la revisión, total o parcialmente, se invalidará, en lo pertinente, la sentencia o el auto, y se dictará la providencia de reemplazo o se adoptarán las disposiciones que correspondan, según el caso. Si la sentencia impugnada se cumplió en forma total o parcial, la Sentencia de Unificación dejará sin efectos los actos procesales realizados y dispondrá que el juez inferior ejecute las órdenes sobre las restituciones y adopte las medidas a que haya lugar.

PARÁGRAFO. La presentación de la solicitud y el trámite de la revisión eventual, no suspende la ejecución de la providencia objeto del mismo.

Nota 1: La Corte Constitucional se declaró inhibida para pronunciarse sobre la exequibilidad de los fragmentos «los Tribunales Administrativos» y el «Consejo de Estado» (Corte Constitucional. Sentencia C-189 de 2021. M.P. José Fernando Reyes Cuartas).

TÍTULO VIII
DISPOSICIONES ESPECIALES PARA EL TRÁMITE Y DECISIÓN DE LAS PRETENSIONES DE CONTENIDO ELECTORAL

ARTÍCULO 275. CAUSALES DE ANULACIÓN ELECTORAL

Los actos de elección o de nombramiento son nulos en los eventos previstos en el artículo 137 de este Código y, además, cuando:

1. Se haya ejercido cualquier tipo de violencia sobre los nominadores, los electores o las autoridades electorales.

2. Se hayan destruido los documentos, elementos o el material electoral, así como cuando se haya ejercido cualquier tipo de violencia o sabotaje contra estos o contra los sistemas de votación, información, transmisión o consolidación de los resultados de las elecciones.

3. Los documentos electorales contengan datos contrarios a la verdad o hayan sido alterados con el propósito de modificar los resultados electorales.

4. Los votos emitidos en la respectiva elección se computen con violación del sistema constitucional o legalmente establecido para la distribución de curules o cargos por proveer.

5. Se elijan candidatos o se nombren personas que no reúnan las calidades y requisitos constitucionales o legales de elegibilidad o que se hallen incursas en causales de inhabilidad.

6. Los jurados de votación o los miembros de las comisiones escrutadoras sean cónyuges, compañeros permanentes o parientes de los candidatos hasta en tercer grado de consanguinidad, segundo de afinidad o único civil.

7. Tratándose de la elección por voto popular por circunscripciones distintas a la nacional, los electores no sean residentes en la respectiva circunscripción.

8. <Aparte tachado INEXEQUIBLE> Tratándose de la elección por voto popular, el candidato incurra en doble militancia política **~~al momento de la elección~~**.

Concordancias: Art. 263 de la Const. Pol.; Ley 96 de 1985; Reglamento 01 de 2003 del CNE.

Nota 1: El fragmento tachado (al momento de la elección) del numeral 8 del presente artículo fue declarado inexequible por la Corte Constitucional. De la providencia, se destaca: «En vista de las anteriores circunstancias, para el análisis de la expresión demandada son relevantes dos hipótesis de doble militancia, las que corresponden a los candidatos y a los directivos de los partidos o movimientos políticos que se inscriban como candidatos. En ambas hipótesis se incurre en doble militancia con anterioridad a las elecciones y no en las elecciones o al momento de las elecciones. Por lo tanto, es evidente que el candidato no puede incurrir en doble militancia en el momento de la elección, sino antes, ni incurre en doble militancia al momento de la elección, sino dentro del proceso electoral en el que dicha elección tiene lugar, específicamente al momento de la inscripción. Así, pues, la expresión demandada resulta contraria a lo dispuesto en las antedichas reglas constitucionales y estatutarias y, por tanto, debe declararse inexequible» (Corte Constitucional. Sentencia C-334 de 2014. M.P. Mauricio González Cuervo).

ARTÍCULO 276. TRÁMITE DE LA DEMANDA

Recibida la demanda deberá ser repartida a más tardar el día siguiente hábil y se decidirá sobre su admisión dentro de los tres (3) días siguientes.

El auto admisorio de la demanda no es susceptible de recursos y quedará en firme al día siguiente al de la notificación por estado al demandante.

Si la demanda no reúne los requisitos formales mediante auto no susceptible de recurso se concederá al demandante tres (3) días para que los subsane. En caso de no hacerlo se rechazará.

<Inciso derogado por el artículo 87 de la Ley 2080 de 2021>

ARTÍCULO 277. CONTENIDO DEL AUTO ADMISORIO DE LA DEMANDA Y FORMAS DE PRACTICAR SU NOTIFICACIÓN

Si la demanda reúne los requisitos legales se admitirá mediante auto, en el que se dispondrá:

1. Que se notifique personalmente al elegido o nombrado, con sujeción a las siguientes reglas:

a) <Aparte tachado INEXEQUIBLE> Cuando hubiere sido elegido o nombrado para un cargo unipersonal o se demande la nulidad del acto por las causales 5 y 8 del artículo 275 de este Código relacionadas con la falta de las calidades y requisitos previstos en la Constitución, la ley o el reglamento, o por hallarse incursos en causales de inhabilidad o en doble militancia política **~~al momento de la elección~~**, la notificación personal se surtirá en la dirección suministrada por el demandante, mediante entrega de copia de la providencia que haga el citador a quien deba ser notificado, previa identificación de este mediante documento idóneo, y suscripción del acta respectiva en la que se anotará la fecha en que se práctica la notificación, el nombre del notificado y la providencia a notificar.

b) Si no se puede hacer la notificación personal de la providencia dentro de los dos (2) días siguientes a su expedición en la dirección informada por el demandante o este manifiesta que la ignora, se notificará al elegido o nombrado, sin necesidad de orden especial, mediante aviso que se publicará por una vez en dos (2) periódicos de amplia circulación en el territorio de la respectiva circunscripción electoral.

c) El aviso deberá señalar su fecha y la de la providencia que se notifica, el nombre del demandante y del demandado, y la naturaleza del proceso, advirtiendo que la notificación se considerará surtida en el término de cinco (5) días contados a partir del día siguiente al de su publicación.

Igualmente, en el aviso de publicación se informará a la comunidad de la existencia del proceso, para que cualquier ciudadano con interés, dentro del mismo término anterior, intervenga impugnando o coadyuvando la demanda, o defendiendo el acto demandado.

La copia de la página del periódico en donde aparezca el aviso se agregará al expediente. Igualmente, copia del aviso se remitirá, por correo certificado, a la dirección indicada en la demanda como sitio de notificación del demandado y a la que figure en el directorio telefónico del lugar, de lo que se dejará constancia en el expediente.

d) Cuando se demande la elección por voto popular a cargos de corporaciones públicas con fundamento en las causales 1, 2, 3, 4, 6 y 7 del artículo 275 de este Código relacionadas con irregularidades o vicios en la votación o en los escrutinios, caso en el cual se entenderán demandados todos los ciudadanos elegidos por los actos cuya nulidad se pretende, se les notificará la providencia por aviso en los términos de los literales anteriores.

e) Los partidos o movimientos políticos y los grupos significativos de ciudadanos quedarán notificados mediante la publicación de los avisos aludidos.

f) Las copias de la demanda y de sus nexos quedarán en la Secretaría a disposición del notificado, y el traslado o los términos que conceda el auto notificado solo comenzarán a correr tres (3) días después de la notificación personal o por aviso, según el caso.

g) Si el demandante no acredita las publicaciones en la prensa requeridas para surtir las notificaciones por aviso previstas en los literales anteriores, dentro de los veinte (20) días siguientes a la notificación al Ministerio Público del auto que la ordena, se declarará terminado el proceso por abandono y se ordenará archivar el expediente.

2. Que se notifique personalmente a la autoridad que expidió el acto y a la que intervino en su adopción, según el caso, mediante mensaje dirigido al buzón electrónico para notificaciones judiciales, en los términos previstos en este Código.

3. Que se notifique personalmente al Ministerio Público, en los términos previstos de este Código.

4. Que se notifique por estado al actor.

5. Que se informe a la comunidad la existencia del proceso a través del sitio web de la Jurisdicción de lo Contencioso Administrativo o, en su defecto, a través de otros medios eficaces de comunicación, tales como radio o televisión institucional, teniendo en cuenta el alcance o ámbito de aplicación del acto de elección demandado.

6. Que, en tratándose de elección por voto popular, se informe al Presidente de la respectiva corporación pública, para que por su conducto se entere a los miembros de la corporación que han sido demandados.

En el caso de que se haya pedido la suspensión provisional del acto acusado, la que debe solicitarse en la demanda, se resolverá en el mismo auto admisorio, el cual debe ser proferido por el juez, la sala o sección. Contra este auto solo procede en los procesos de única instancia el recurso de reposición y, en los de primera, el de apelación.

Nota 1: El fragmento tachado (al momento de la elección) del literal a) del numeral 1 del presente artículo fue declarado inexequible por la Corte Constitucional. Para la Corporación, del entramado constitucional se desprende que la doble militancia se configura desde el momento de la inscripción de la candidatura y no de la elección (Corte Constitucional. Sentencia C-334 de 2014. M.P. Mauricio González Cuervo).

ARTÍCULO 278. REFORMA DE LA DEMANDA

La demanda podrá reformarse por una sola vez dentro de los tres (3) días siguientes a la notificación del auto admisorio de la demanda al demandante y se resolverá dentro de los tres (3) días siguientes. Podrán adicionarse cargos contra el acto cuya nulidad se pretende siempre que no haya operado la caducidad, en caso contrario se rechazará la reforma en relación con estos cargos. Contra el auto que resuelva sobre la admisión de la reforma de la demanda no procederá recurso.

Nota 1: El fragmento subrayado fue declarado exequible (Corte Constitucional. Sentencia C-437 de 2013. M.P. Jorge Ignacio Pretelt Chaljub).

ARTÍCULO 279. CONTESTACIÓN DE LA DEMANDA

La demanda podrá ser contestada dentro de los quince (15) días siguientes al día de la notificación personal del auto admisorio de la demanda al demandado o al día de la publicación del aviso, según el caso.

ARTÍCULO 280. PROHIBICIÓN DEL DESISTIMIENTO

En los procesos electorales no habrá lugar al desistimiento de la demanda.

ARTÍCULO 281. IMPROCEDENCIA DE ACUMULACIÓN DE CAUSALES DE NULIDAD OBJETIVAS Y SUBJETIVAS

En una misma demanda no pueden acumularse causales de nulidad relativas a vicios en las calidades, requisitos e inhabilidades del elegido o nombrado, con las que se funden en irregularidades en el proceso de votación y en el escrutinio.

La indebida acumulación dará lugar a la inadmisión de la demanda para que se presenten de manera separada, sin que se afecte la caducidad del medio de control.

ARTÍCULO 282. ACUMULACIÓN DE PROCESOS

Deberán fallarse en una sola sentencia los procesos en que se impugne un mismo nombramiento, o una misma elección cuando la nulidad se impetre por irregularidades en la votación o en los escrutinios.

Por otra parte, también se acumularán los procesos fundados en falta de requisitos o en inhabilidades cuando se refieran a un mismo demandado.

En el Consejo de Estado y en los Tribunales Administrativos, vencido el término para contestar la demanda en el proceso que llegue primero a esta etapa, el Secretario informará al Magistrado Ponente el estado en que se encuentren los demás, para que se proceda a ordenar su acumulación.

En los juzgados administrativos y para efectos de la acumulación, proferido el auto admisorio de la demanda el despacho ordenará remitir oficios a los demás juzgados del circuito judicial comunicando el auto respectivo.

La decisión sobre la acumulación se adoptará por auto. Si se decreta, se ordenará fijar aviso que permanecerá fijado en la Secretaría por un (1) día convocando a las partes para la diligencia de sorteo del Magistrado Ponente o del juez de los procesos acumulados. Contra esta decisión no procede recurso. El señalamiento para la diligencia se hará para el día siguiente a la desfijación del aviso.

Esta diligencia se practicará en presencia de los jueces, o de los Magistrados del Tribunal Administrativo o de los Magistrados de la Sección Quinta del Consejo de Estado a quienes fueron repartidos los procesos y del Secretario y a ella podrán asistir las partes, el Ministerio Público y los demás interesados.

La falta de asistencia de alguna o algunas de las personas que tienen derecho a hacerlo no la invalidará, con tal que se verifique la asistencia de la mayoría de los jueces o Magistrados, o en su lugar del Secretario y dos testigos.

ARTÍCULO 283. AUDIENCIA INICIAL

Al día siguiente del vencimiento del término para contestar la demanda, el juez o Magistrado Ponente, mediante auto que no tendrá recurso, fijará fecha para la celebración de la audiencia inicial, la cual se llevará a cabo en un término no menor de cinco (5) días ni mayor de ocho (8) días a la fecha del auto que la fijé. Dicha audiencia tiene por objeto proveer al saneamiento, fijar el litigio y decretar pruebas.

Cuando se trate de asuntos de puro derecho o no fuere necesario practicar pruebas, se procederá en la forma establecida en este Código para el proceso ordinario.

ARTÍCULO 284. NULIDADES

Las nulidades de carácter procesal se regirán por lo dispuesto en el artículo 207 de este Código. La formulación extemporánea de nulidades se rechazará de plano y se tendrá como conducta dilatoria del proceso. Contra el auto que rechaza de plano una nulidad procesal no habrá recursos.

ARTÍCULO 285. AUDIENCIA DE PRUEBAS

La audiencia de pruebas se regirá por lo establecido en este Código para el proceso ordinario.

Cuando se trate de pruebas documentales constitutivas de los antecedentes del acto de elección por voto popular, se deberán solicitar al Registrador Nacional de Estado Civil o al Consejo Nacional Electoral, quienes tendrán la obligación de enviarlos de manera inmediata.

ARTÍCULO 286. AUDIENCIA DE ALEGACIONES Y DE JUZGAMIENTO

Practicadas las pruebas el juez o Magistrado Ponente fijará la fecha para la audiencia de alegaciones y de juzgamiento, la cual se sujetará a lo previsto para el proceso ordinario en este Código.

ARTÍCULO 287. PRESUPUESTOS DE LA SENTENCIA ANULATORIA DEL ACTO DE ELECCIÓN POPULAR

Para garantizar el respeto de la voluntad legítima mayoritaria de los electores habrá lugar a declarar la nulidad de la elección por voto popular, cuando el juez establezca que las irregularidades en la votación o en los escrutinios son de tal incidencia que de practicarse nuevos escrutinios serían otros los elegidos.

ARTÍCULO 288. CONSECUENCIAS DE LA SENTENCIA DE ANULACIÓN

Las sentencias que disponen la nulidad del acto de elección tendrán las siguientes consecuencias:

1. Cuando se declare la nulidad del acto de elección por la causal señalada en el numeral 1 del artículo 275 de este Código se ordenará repetir o realizar la elección en el puesto o puestos de votación afectados.

Si los actos de violencia afectaron el derecho de voto a más del veinticinco (25) por ciento de los ciudadanos inscritos en el censo de una circunscripción electoral, se ordenará repetir la elección en toda la circunscripción.

2. Cuando se anule la elección, la sentencia dispondrá la cancelación de las credenciales correspondientes, declarar la elección de quienes finalmente resulten elegidos y les expedirá su credencial, si a ello hubiere lugar. De ser necesario el juez de conocimiento practicará nuevos escrutinios.

3. En los casos previstos en los numerales 5 y 8 del artículo 275 de este Código, la nulidad del acto de elección por voto popular implica la cancelación de la respectiva credencial que se hará efectiva a la ejecutoria de la sentencia.

4. Cuando la nulidad del acto de elección sea declarada con fundamento en la causal 6 del artículo 275 de este Código, se anularán únicamente los votos del candidato o candidatos respecto de quiénes se configure esta situación y no afectará a los demás candidatos.

Si como consecuencia de lo resuelto debiere practicarse por el juez, tribunal o por el Consejo de Estado un nuevo escrutinio, se señalará en la misma sentencia día y hora para ello. Este señalamiento no podrá hacerse para antes del segundo día hábil siguiente al de la ejecutoria del fallo ni para después del quinto, contado en la misma forma. Estos términos podrán ampliarse prudencialmente cuando para la práctica de la diligencia fuere necesario allegar documentos que se encuentren en otras dependencias. En tal caso se dispondrá solicitarlos a la autoridad, funcionario o corporación en cuyo poder se encuentren, a fin de que los envíen a la mayor brevedad posible, bajo pena de multa de quince (15) a cien (100) salarios mínimos mensuales legales vigentes por toda demora injustificada, sin perjuicio de que se envíen copias de las piezas pertinentes del expediente a las autoridades competentes con el fin de que se investiguen las posibles infracciones a la legislación penal.

Corresponderá al Consejo de Estado ejecutar las sentencias que ordenen la práctica de un nuevo escrutinio, cuando hubieren sido dictadas en procesos de que conoce esta entidad en única instancia. En los demás casos la ejecución corresponderá al juez o tribunal que hubiere dictado el fallo de primera instancia. Estas reglas se aplicarán igualmente cuando se trate de la rectificación total o parcial de un escrutinio.

PARÁGRAFO. En los casos de nulidad por irregularidades en el proceso de votación y de escrutinios, la autoridad judicial que haga el nuevo escrutinio expedirá el acto de elección y las respectivas credenciales a quienes resulten elegidos y, por el mismo hecho, quedarán sin valor ni efecto las expedidas a otras personas.

Nota 1: La Corte Constitucional se declaró inhibida para pronunciarse sobre la expresión «[...] y no afectará a los demás candidatos» del numeral cuarto del presente artículo (Corte Constitucional. Sentencia C-334 de 2014. M.P. Mauricio González Cuervo).

Nota 2: El Consejo de Estado unificó jurisprudencia en el siguiente sentido: «[...] con la finalidad de unificar criterio sobre las consecuencias que se pueden derivar de la declaratoria de nulidad del acto de elección por irregularidades en su expedición, cuando no se modulen los efectos, esta Sala precisará las posibles consecuencias:

Si la irregularidad no afecta todo el procedimiento de elección, y se puede establecer concretamente el momento a partir del cual se ocasionaron las irregularidades, podría, ante la falta de un pronunciamiento en la sentencia:

1. Retomarse el procedimiento justo en el momento antes de que se presentó la irregularidad, bajo el entendido de que se sabe con certeza que parte de la actuación no estuvo viciada.

2. Llevarse a cabo un nuevo procedimiento y una nueva convocatoria, siempre y cuando no se desconozcan derechos adquiridos. Al respecto la Corte Constitucional ha dicho que la lista de elegibles es inmodificable una vez ha sido publicada y está en firme, toda vez que los aspirantes que figuran en dicho listado no tienen una mera expectativa de ser

nombrados sino que, en realidad, son titulares de derechos adquiridos, empero en aquellos casos en los cuales solo se ha adelantado la etapa de inscripción, no puede hablarse de derechos adquiridos, porque hasta ese momento solo se tiene una mera expectativa de participar y eventualmente de acceder al cargo al que se postula. Sobre el particular esta Corporación ha dicho:
"En lo relativo a la supuesta vulneración del derecho al trabajo, se debe resaltar que la presentación del concurso de méritos ***constituye una mera expectativa que sólo puede concretarse con la superación de todas las etapas del mismo****, por lo que no se puede hablar de la vulneración del derecho al trabajo sino de la presunta afectación de una aspiración de acceder a un empleo público. Distinto sería cuando la persona acreedora a un nombramiento en un cargo de carrera no es designada pese a integrar la lista de elegibles y haber obtenido el primer lugar en el correspondiente concurso"*» (Consejo de Estado. Sección Quinta. Sentencia del 26 de mayo del 2016. Rad. 2015-00029. C.P. Carlos Enrique Moreno Rubio).

ARTÍCULO 289. NOTIFICACIÓN Y COMUNICACIÓN DE LA SENTENCIA

La sentencia se notificará personalmente, el día siguiente a su expedición, a las partes y al agente del Ministerio Público. Transcurridos dos (2) días sin que se haya hecho notificación personal, se notificará por edicto, que durará fijado por tres (3) días. Una vez ejecutoriada, la sentencia se comunicará de inmediato por el Secretario a las entidades u organismos correspondientes.

ARTÍCULO 290. ACLARACIÓN DE LA SENTENCIA

Hasta los dos (2) días siguientes a aquel en el cual quede notifica <sic>, podrán las partes o el Ministerio Público pedir que la sentencia se aclare. La aclaración se hará por medio de auto que se notificará por estado al día siguiente de dictado y contra él no será admisible recurso alguno. En la misma forma se procederá cuando la aclaración sea denegada.

ARTÍCULO 291. ADICIÓN DE LA SENTENCIA

Contra el auto que niegue la adición no procede recurso alguno.

ARTÍCULO 292. APELACIÓN DE LA SENTENCIA

El recurso se interpondrá y sustentará ante él *a quo* en el acto de notificación o dentro de los cinco (5) días siguientes, y se concederá en el efecto suspensivo. Si el recurso no es sustentado oportunamente el inferior lo declarará desierto y ejecutoriada la sentencia.

Sustentado el recurso, se enviará al superior a más tardar al día siguiente para que decida sobre su admisión. Si reúne los requisitos legales, será admitido mediante auto en el que ordenará a la Secretaría poner el memorial que lo fundamente a disposición de la parte contraria, por tres (3) días. Si ambas partes apelaren, los términos serán comunes.

Contra el auto que concede y el qué admite la apelación no procede recurso.

PARÁGRAFO. Los Secretarios serán responsables de las demoras que ocurran en el envío de los expedientes.

ARTÍCULO 293. TRÁMITE DE LA SEGUNDA INSTANCIA

El trámite de la segunda instancia se surtirá de conformidad con las siguientes reglas:

1. El reparto del negocio se hará a más tardar dentro del segundo día a su llegada al tribunal o al Consejo de Estaco <sic>. El mismo día, o al siguiente, el ponente dispondrá en un solo auto sobre la admisión del recurso y que el expediente permanezca en Secretaría por tres (3) días para que las partes presenten sus alegatos por escrito.

2. Vencido el término de alegatos previa entrega del expediente, el agente del Ministerio Público deberá presentar su concepto, dentro de los cinco (5) días siguientes.

3. Los términos para fallar se reducirán a la mitad de los señalados para la primera instancia.

4. La apelación contra los autos se decidirá de plano.

5. En la segunda instancia no se podrán proponer hechos constitutivos de nulidad que debieron ser alegados en primera instancia, salvo la falta de competencia funcional y la indebida notificación del auto admisorio de la demanda al demandado o a su representarte.

ARTÍCULO 294. NULIDADES ORIGINADAS EN LA SENTENCIA

La nulidad procesal originada en la sentencia únicamente procederá por incompetencia funcional, indebida notificación del auto admisorio de la demanda al demandado o a su representante, por omisión de la etapa de alegaciones y cuando la sentencia haya sido adoptada por un número inferior de Magistrados al previsto por la ley.

Mediante auto no susceptible de recuso, el juez o Magistrado Ponente rechazará de plano por improcedente la solicitud de nulidad contra la sentencia que se funde en causal distinta de las mencionadas.

ARTÍCULO 295. PETICIONES IMPERTINENTES

La presentación de peticiones impertinentes así como la interposición de recursos y nulidades improcedentes serán considerados como formas de dilatar el proceso y se sancionarán con multa de cinco (5) a diez (10) salarios mínimos mensuales legales vigentes.

ARTÍCULO 296. ASPECTOS NO REGULADOS

En lo no regulado en este título se aplicarán las disposiciones del proceso ordinario en tanto sean compatibles con la naturaleza del proceso electoral.

TÍTULO IX
PROCESO EJECUTIVO

ARTÍCULO 297. TÍTULO EJECUTIVO

Para los efectos de este Código, constituyen título ejecutivo:

1. Las sentencias debidamente ejecutoriadas proferidas por la Jurisdicción de lo Contencioso Administrativo, mediante las cuales se condene a una entidad pública al pago de sumas dinerarias.

2. Las decisiones en firme proferidas en desarrollo de los mecanismos alternativos de solución de conflictos, en las que las entidades públicas queden obligadas al pago de sumas de dinero en forma clara, expresa y exigible.

3. Sin perjuicio de la prerrogativa del cobro coactivo que corresponde a los organismos y entidades públicas, prestarán mérito ejecutivo los contratos, los documentos en que consten sus garantías, junto con el acto administrativo a través del cual se declare su incumplimiento, el acta de liquidación del contrato, o cualquier acto proferido con ocasión de la actividad contractual, en los que consten obligaciones claras, expresas y exigibles, a cargo de las partes intervinientes en tales actuaciones.

4. Las copias auténticas de los actos administrativos con constancia de ejecutoria, en los cuales conste el reconocimiento de un derecho o la existencia de una obligación clara, expresa, y exigible a cargo de la respectiva autoridad administrativa. La autoridad que expida el acto administrativo tendrá el deber de hacer constar que la copia auténtica corresponde al primer ejemplar.

ARTÍCULO 298. PROCEDIMIENTO

<Artículo modificado por el artículo 80 de la Ley 2080 de 2021. El nuevo texto es el siguiente:> Una vez transcurridos los términos previstos en el artículo 192 de este código, sin que se haya cumplido la condena impuesta por esta jurisdicción, el juez o magistrado competente, según el factor de conexidad, librará mandamiento ejecutivo según las reglas previstas en el Código General del Proceso para la ejecución de providencias, previa solicitud del acreedor.

Si el título lo constituye una conciliación aprobada por esta jurisdicción o un laudo arbitral en que hubiere sido parte una entidad pública, el mandamiento ejecutivo se librará, previa solicitud del acreedor, una vez transcurridos seis (6) meses desde la firmeza de la decisión o desde la fecha que en ella se señale, bajo las mismas condiciones y consecuencias establecidas para las sentencias como título ejecutivo. En este caso, se observarán las reglas establecidas en el Código General del Proceso para la ejecución de providencias judiciales.

Si la ejecución se inicia con título derivado de conciliación aprobada por esta jurisdicción, se aplicará el factor de competencia por conexidad. Si la base de ejecución es un laudo arbitral, operarán los criterios de competencia por cuantía y territorial, definidos en este código.

PARÁGRAFO. Los defectos formales del título ejecutivo podrán declararse por el juez de oficio en la sentencia o en el auto que ordene seguir adelante la ejecución, según fuere el caso.

ARTÍCULO 299. DE LA EJECUCIÓN EN MATERIA DE CONTRATOS

<Artículo modificado por el artículo 81 de la Ley 2080 de 2021. El nuevo texto es el siguiente:> Salvo lo establecido en este código para el cobro coactivo a favor de las entidades públicas, en la ejecución de los títulos derivados de las actuaciones relacionadas con contratos celebrados por entidades públicas, se observarán las reglas establecidas en el Código General del Proceso para el proceso ejecutivo. El juez competente se determinará de acuerdo con los factores de competencia territorial y de cuantía, establecidos en este código.

En relación con el mandamiento de pago, regulado en el artículo 430 del Código General del Proceso, en la jurisdicción de lo contencioso administrativo se aplicarán las siguientes reglas:

Presentada la demanda acompañada de documento que preste mérito ejecutivo, el juez librará mandamiento ordenando al demandado que cumpla la obligación en la forma pedida, si fuere procedente, o en la que aquel considere legal.

Los requisitos formales del título ejecutivo sólo podrán discutirse mediante recurso de reposición contra el mandamiento ejecutivo. No se admitirá ninguna controversia sobre los requisitos del título que no haya sido planteada por medio de dicho recurso. No obstante, los defectos formales del título ejecutivo podrán reconocerse o declararse por el juez de oficio en la sentencia o en el auto que ordene seguir adelante la ejecución, según fuere el caso.

TÍTULO X
EL MINISTERIO PÚBLICO

ARTÍCULO 300. INTERVENCIÓN DEL MINISTERIO PÚBLICO

El Procurador General de la Nación intervendrá ante la Jurisdicción de lo Contencioso Administrativo directamente o:

1. Ante el Consejo de Estado, por medio de los Procuradores delegados distribuidos por el Procurador General de la Nación entre las secciones de la Sala de lo Contencioso Administrativo.

2. Ante los Tribunales Administrativos y Juzgados Administrativos del Circuito, por medio de los Procuradores Judiciales para asuntos administrativos distribuidos por el Procurador General de la Nación.

Concordancias: Arts. 118, 275, 276-278 de la Const. Pol.; Arts. 2, 3, 200, 201 de la Ley 1952 de 2019.

ARTÍCULO 301. CALIDADES

Los procuradores delegados y judiciales deberán reunir las mismas calidades que se requieren para ser miembros de la corporación ante la cual habrán de actuar.

ARTÍCULO 302. DESIGNACIÓN

Los procuradores delegados y judiciales ante la Jurisdicción de lo Contencioso Administrativo serán designados por el Procurador General de la Nación de acuerdo con sus competencias.

ARTÍCULO 303. ATRIBUCIONES DEL MINISTERIO PÚBLICO

El Ministerio Público está facultado para actuar como demandante o como sujeto procesal especial y podrá intervenir en todos los procesos e incidentes que se adelanten ante la Jurisdicción de lo Contencioso Administrativo en defensa del orden jurídico, del patrimonio público y de los derechos y garantías fundamentales.

En los procesos ejecutivos se notificará personalmente al Ministerio Público el mandamiento de pago, la sentencia y el primer auto en la segunda instancia.

Además tendrá las siguientes atribuciones especiales:

1. Solicitar la vinculación al proceso de los servidores o ex servidores públicos, que con su conducta dolosa o gravemente culposa, hayan dado lugar a la presentación de demandas que pretendan la reparación patrimonial a cargo de cualquier entidad pública.

2. Solicitar que se declare la nulidad de actos administrativos.

3. Pedir que se declare la nulidad absoluta de los contratos estatales.

4. Interponer los recursos contra los autos que aprueben o imprueben acuerdos logrados en conciliación judicial.

5. Interponer los recursos extraordinarios de que trata este Código.

6. Solicitar la aplicación de la figura de la extensión de la jurisprudencia, y la aplicación del mecanismo de revisión eventual de providencias de que trata este Código.

7. Adelantar las conciliaciones prejudiciales o extrajudiciales.

PARÁGRAFO. Presentada la solicitud de la conciliación, el agente del Ministerio Público, de oficio o por solicitud de la parte convocante, verificará la existencia de jurisprudencia unificada que resulte aplicable al caso, de acuerdo con lo regulado en el presente Código sobre la materia. De confirmarlo, si la autoridad demandada expresa su negativa a conciliar, suspenderá la audiencia para que el respectivo comité de conciliación reconsidere su posición y si es del caso, proponga una fórmula de arreglo para la reanudación de la audiencia o manifieste las razones por las cuales considera que no es aplicable la jurisprudencia unificada.

Concordancias: Art. 178 de la Ley 136 de 1994; Art. 38 de la Ley 1551 de 2012.

TÍTULO XI
PLAN ESPECIAL DE DESCONGESTIÓN, RÉGIMEN DE TRANSICIÓN, VIGENCIA Y DEROGATORIAS

ARTÍCULO 304. PLAN ESPECIAL DE DESCONGESTIÓN

Dentro del año siguiente contado a partir de la promulgación de la ley, el Consejo Superior de la Judicatura con la participación del Consejo de Estado, preparará y adoptará, entre otras medidas transitorias, un Plan Especial de Descongestión de la Jurisdicción de lo Contencioso Administrativo*, cuyo objetivo es el de llevar hasta su terminación todos los procesos judiciales promovidos antes de la entrada en vigencia de la presente ley y que se encuentren acumulados en los juzgados y tribunales administrativos y en el Consejo de Estado.

El Plan Especial de Descongestión funcionará bajo la metodología de Gerencia de Proyecto, adscrito a la Sala Administrativa del Consejo Superior de la Judicatura, la cual contratará un gerente de proyecto de terna presentada por la Sala Plena del Consejo de Estado, corporación que tendrá en cuenta, especialmente, a profesionales con experiencia en diagnósticos sobre congestión judicial, conocimiento especializado sobre el funcionamiento la Jurisdicción de lo Contencioso Administrativo y en dirección y ejecución de proyectos en grandes organizaciones. El gerente de proyecto será responsable de dirigir la ejecución del plan y coordinar las tareas operativas con el Consejo de Estado, los tribunales y juzgados de lo contencioso administrativo y las demás instancias administrativas o judiciales involucradas.

El Plan Especial de Descongestión se ejecutará en el grupo de despachos judiciales seleccionados para el efecto, de acuerdo con los volúmenes de negocios a evacuar y funcionará en forma paralela a los despachos designados para asumir las nuevas competencias y procedimientos establecidos en esté Código. Estos despachos quedarán excluidos del reparto de acciones constitucionales.

El Plan Especial de Descongestión tendrá dos fases que se desarrollarán con base en los siguientes parámetros:

1. Fase de Diagnóstico. Será ejecutada por personal contratado para el efecto, diferente a los empleados de los despachos. En ella se realizarán al menos las siguientes tareas:

a) Inventario real de los procesos acumulados en cada despacho.

b) Clasificación técnica de los procesos que cursan en cada despacho, aplicando metodologías de clasificación por especialidad, afinidad temática, cuantías, estado del trámite procesal, entre otras.

c) Inventario clasificado de los procesos que cursan en cada circuito, distrito y acumulado nacional.

d) Costeo y elaboración del presupuesto especial para el Plan Especial de Descongestión.

e) Análisis del mapa real de congestión y definición de las estrategias y medidas a tomar con base en los recursos humanos, financieros y de infraestructura física y tecnológica disponibles.

f) Determinación de los despachos especiales que tendrán a su cargo el plan de descongestión, asignando la infraestructura física y tecnológica apropiada.

3. Fase de Ejecución. En ella se realizarán al menos las siguientes labores:

a) Capacitación de los funcionarios y empleados participantes.

b) Entrega de los procesos clasificados a evacuar por cada despacho, y señalamiento de metas.

c) Publicación y divulgación del plan a la comunidad en general y a todos los estamentos interesados.

d) Coordinación, seguimiento y control a la ejecución del plan.

La ejecución del Plan Especial de Descongestión no podrá sobrepasar el término de cuatro (4) años contados a partir de su adopción por parte del Consejo de Estado y el Consejo Superior de la Judicatura*.

Concordancias: Art. 197 de la Ley 1450 de 2011.

Nota 1: Artículo declarado exequible (Corte Constitucional. Sentencia C-334 de 2012. M.P. Mauricio González Cuervo).

Nota 2*: Entiéndase: Comisión Nacional de Disciplina Judicial (AL 2 de 2015).

ARTÍCULO 305. IMPLANTACIÓN DEL NUEVO SISTEMA PROCESAL

Con el fin de conseguir la transición hacia la implantación del nuevo régimen procesal y de competencias previstos en este Código, el Consejo Superior de la Judicatura con la participación del Consejo de Estado, deberá realizar los análisis necesarios y tomar las decisiones correspondientes, por lo menos, en los siguientes asuntos:

1. Implantación de los nuevos despachos y su distribución a nivel de circuitos y distritos judiciales con base en las nuevas funciones y competencias y demás aspectos del nuevo régimen que permitan determinar la demanda de servidos por cada despacho, tribunal o corporación de la jurisdicción.
2. Número actual de jueces, magistrado y demás servidores judiciales para determinar, de acuerdo con las cargas esperadas de trabajo, los ajustes necesarios con el fin de atender con eficacia y eficiencia el nuevo sistema y, en consecuencia, asignar el personal requerido.
3. Previsión de la demanda y ejecución de planes de capacitación en el nuevo sistema a los jueces, magistrados y demás servidores judiciales.
4. Definición y dotación de la infraestructura requerida para el normal funcionamiento de la jurisdicción bajo el nuevo régimen y en particular en cuanto a las sedes, salas de audiencia, sistemas de grabación, equipos de video, computación, entre otros recursos físicos y tecnológicos.
5. Diseño y puesta en operación de sistemas de información ordenados en este Código y los demás necesarios para su desarrollo y la adecuada administración de justicia en lo contencioso administrativo.

ARTÍCULO 306. ASPECTOS NO REGULADOS

En los aspectos no contemplados en este Código se seguirá el Código de Procedimiento Civil* en lo que sea compatible con la naturaleza de los procesos y actuaciones que correspondan a la Jurisdicción de lo Contencioso Administrativo.

Nota 1: A la fecha, entiéndase Código de Procedimiento Civil como Código General del Proceso (CGP).

Nota 2: Este artículo precisa un aspecto importante, pues establece que este Código General del Proceso es subsidiario y supletivo a la segunda parte de este Código que regula las reglas procesales en la Jurisdicción de lo Contencioso Administrativo.

ARTÍCULO 307. RECURSOS PARA LA IMPIMENTACIÓN <SIC, IMPLEMENTACIÓN> Y DESARROLLO DEL CÓDIGO

La implementación y desarrollo de la presente ley se atenderá con los recursos que el Gobierno Nacional viene asignando a La Rama Judicial, en cumplimiento de lo dispuesto en el parágrafo transitorio del artículo 10 de la Ley 1285 de 2009, de acuerdo con las disponibilidades presupuestales, el Marco Fiscal de Mediano Plazo y el Marco de Gastos de Mediano Plazo.

ARTÍCULO 308. RÉGIMEN DE TRANSICIÓN Y VIGENCIA

El presente Código comenzará a regir el dos (2) de julio del año 2012.

Este Código sólo se aplicará a los procedimientos y las actuaciones administrativas que se inicien, así como a las demandas y procesos que se instauren con posterioridad a la entrada en vigencia.

Los procedimientos y las actuaciones administrativas, así como las demandas y procesos en curso a la vigencia de la presente ley seguirán rigiéndose y culminarán de conformidad con el régimen jurídico anterior.

Nota 1: El Consejo de Estado unificó jurisprudencia en el sentido de precisar que:
«[...] a- El recurso extraordinario de unificación jurisprudencial contenido en el Código de Procedimiento Administrativo y de lo Contencioso Administrativo es procedente respecto de sentencias dictadas en procesos judiciales que se iniciaron, tramitaron y terminaron bajo el imperio de leyes anteriores a la vigencia de aquel, como lo es el Código Contencioso Administrativo. Ello en virtud de su naturaleza extraordinaria y de lo dispuesto en el artículo 308 del CPACA.
b- En los procesos de nulidad y restablecimiento del derecho de carácter laboral, que no provengan de un contrato de trabajo, son requisitos para la concesión del recurso extraordinario de unificación de jurisprudencia (i) que la decisión impugnada haya sido proferida en única o segunda instancia por un Tribunal Administrativo; (ii) que el recurrente goce de legitimación en la causa y (iii) que se interponga oportunamente y por escrito.
c- Inaplicar el requisito de cuantía consagrado en el numeral 1 del artículo 257 del CPACA respecto del recurso extraordinario de unificación de jurisprudencia en materia laboral cuando su exigencia, en el caso concreto, se traduzca en el desconocimiento del derecho fundamental de acceso a la administración de justicia o tutela judicial efectiva.
Las anteriores reglas de unificación deben aplicarse de manera retrospectiva o retroactiva a todos los casos pendientes de discusión tanto en sede administrativa como en vía judicial, siendo inmodificables los casos respecto de los cuales ya ha operado la cosa juzgada, en virtud del principio de seguridad jurídica» (Consejo de Estado. Sección Segunda. Auto del 28 de marzo de 2019. Exp. 0288-15. C.P. William Hernández Gómez).

ARTÍCULO 309. DEROGACIONES

Deróganse a partir de la vigencia dispuesta en el artículo anterior todas las disposiciones que sean contrarias a este Código, en especial, el Decreto 01 de 1984, el Decreto 2304 de 1989, los artículos 30 a 63 y 164 de la Ley 446 de 1998, la Ley 809 de 2003, la Ley 954 de 2005, la Ley 1107 de 2006, *el artículo 73 de la Ley 270 de 1996*, el artículo 9o de la Ley 962 de 2005, y los artículos 57 a 72 del Capítulo V, 102 a 112 del Capítulo VIII y 114 de la Ley 1395 de 2010.

Inciso derogado por el artículo 626 de la Ley 1564 de 2012

Nota 1: La expresión «[...] el artículo 73 de la Ley 270 de 1996 [...]» fue declarada exequible puesto que «[...] la circunstancia de que el artículos 309 de la Ley 1437 de 2011, haya dispuesto una derogatoria expresa del artículo 73 de la Ley Estatutaria de la Administración de Justicia, no comparta una violación de los artículos 152 literal a) y 153 de la Constitución, en razón a que, como se explicó anteriormente, en dicha materia tienen reserva los elementos estructurales esenciales de la función pública de justicia, esto es, la determinación de los principios que informan la administración de justicia, así como los órganos encargados de ejercerla y sus competencias generales» (Corte Constitucional. Sentencia C-818 de 2011. M.P. Jorge Ignacio Pretelt Chaljub).

El Presidente del honorable Senado de la República,

ARMANDO BENEDETTI VILLANEDA

El Secretario General del honorable Senado de la República,

EMILIO OTERO DAJUD

El Presidente de la honorable Cámara de Representantes,

CARLOS ALBERTO ZULUAGA DÍAZ

El Secretario General de la honorable Cámara de Representantes,

JESÚS ALFONSO RODRÍGUEZ CAMARGO

REPÚBLICA DE COLOMBIA - GOBIERNO NACIONAL

Publíquese y ejecútese.

Dada en Bogotá, D. C., a 18 de enero de 2011.

JUAN MANUEL SANTOS CALDERÓN

El Ministro del Interior y de Justicia,

GERMÁN VARGAS LLERAS

NOTAS